Lisa Kleypas

Elle est née en 1964 aux États-Unis. C'est à 21 ans qu'elle publie son premier roman après avoir fait des études de sciences politiques. Elle a reçu les plus hautes récompenses et le prix Romantic Times du meilleur auteur de romance historique lui a été décerné en 2010. Ses livres sont traduits en quatorze langues.

Son ton, la légèreté de son style et ses héros, souvent issus d'un milieu social défavorisé, caractérisent son œuvre. Elle écrit également de la romance contemporaine.

Parfum d'automne

LISA
KLEYPAS

LA RONDE DES SAISONS – 2

Parfum
d'automne

Traduit de l'anglais (États-Unis)
par Edwige Hennebelle

AVENTURES
&PASSIONS

Vous souhaitez être informé en avant-première
de nos programmes, nos coups de cœur ou encore
de l'actualité de notre site *J'ai lu pour elle* ?

Abonnez-vous à notre *Newsletter* en vous connectant
sur **www.jailu.com**

Retrouvez-nous également sur Facebook pour avoir
des informations exclusives :
www.facebook/pages/aventures-et-passions
et sur le profil *J'ai lu pour elle.*

Titre original
IT HAPPENED ONE AUTUMN

Éditeur original
Avon Books, an imprint of HarperCollins Publishers Inc., New York

© Lisa Kleypas, 2005

Pour la traduction française
© Éditions J'ai lu, 2009

À Christina Dodd,
ma sœur, amie et inspiratrice.

Affectueusement,
L. K.

Prologue

Londres, 1843

Deux jeunes femmes se tenaient sur le seuil de la parfumerie, l'une tirant l'autre par le bras avec impatience.

— Devons-nous *vraiment* entrer là-dedans ? protesta la plus petite avec un accent américain prononcé. Je m'ennuie toujours à mourir dans ce genre d'endroit, Lillian ! Tu passes des heures à sentir des trucs...

— Dans ce cas, attends dans le fiacre avec la domestique.

— C'est encore plus ennuyeux ! En plus, je ne suis pas censée te laisser seule. Tu serais capable d'avoir des ennuis, sans moi.

Lillian éclata d'un rire sonore comme elles pénétraient dans la boutique.

— Ce n'est pas que tu veuilles m'éviter les ennuis, Daisy, mais plutôt que tu ne veux pas en rater une miette si cela se produit.

— Malheureusement, il n'y a rien à espérer de palpitant dans une parfumerie, répliqua Daisy d'un ton morose.

Un gloussement discret accueillit cette déclaration. Les deux jeunes filles se tournèrent d'un même mouvement vers le vieil homme à lunettes qui se

9

tenait derrière un long comptoir de chêne patiné par le temps.

— En êtes-vous certaine, mademoiselle ? demanda-t-il en souriant. Il y a des personnes pour qui le parfum relève de la magie. La fragrance d'une chose constitue son essence la plus pure. Et certaines senteurs peuvent réveiller le fantôme d'un amour passé ou d'un tendre souvenir.

— Le fantôme ? répéta Daisy, intriguée.

— Pas au sens littéral, intervint sa sœur avec impatience. Et ce n'est pas vraiment de la magie. Juste une combinaison de particules odorantes qui voyagent jusqu'aux récepteurs olfactifs de ton nez.

Phineas Nettle observa les deux jeunes filles avec intérêt. Aucune des deux n'était belle au sens classique du terme. Elles étaient néanmoins saisissantes, avec leur peau claire, leur chevelure d'un noir d'ébène, et ces traits bien dessinés qui semblaient être une caractéristique des jeunes Américaines.

D'un geste de la main, il désigna les étagères alignées sur l'un des murs.

— Je vous en prie, sentez-vous libres de regarder ma marchandise, mesdemoiselles...

— Bowman, répondit l'aînée de bonne grâce. Lillian et Daisy Bowman.

Elle jeta un coup d'œil à la femme blonde, luxueusement vêtue, dont il s'occupait à leur entrée. Il n'était visiblement pas libre pour le moment.

Tandis que la cliente hésitait entre différents flacons que M. Nettle avait disposés devant elle, les deux jeunes Américaines furetèrent parmi les parfums, eaux de Cologne, crèmes, savons et autres produits de beauté. Il y avait là des huiles pour le bain dans des flacons de cristal, des pots d'onguents aux herbes et, dans de minuscules boîtes, des pastilles à la violette pour rafraîchir l'haleine. Des trésors s'alignaient sur les étagères inférieures, bougies et encres parfumées, sachets de sels à la puissante odeur de clou de girofle, coupes de pots-pourris, jarres de pâtes et de baumes divers. M. Nettle remarqua que, tandis que la plus jeune des filles, Daisy, considérait le tout avec un certain détachement, la plus âgée, Lillian, s'était arrêtée devant une rangée d'essences pures : rose, frangipanier, jasmin, bergamote… S'emparant d'un flacon de verre ambré après l'autre, elle l'ouvrait avec précaution et en inhalait le contenu d'un air appréciateur.

Son choix arrêté sur un parfum, la cliente blonde le régla et quitta la boutique. Une petite cloche tinta joyeusement à la fermeture de la porte.

Lillian, qui s'était retournée pour la suivre des yeux, murmura d'un air songeur :

— Je me demande pourquoi tant de femmes aux cheveux clairs sentent l'ambre…

— Tu veux dire, se parfument avec de l'ambre ? demanda Daisy.

— Non… leur peau elle-même. Elle a une odeur d'ambre, et quelquefois de miel.

— Mais qu'est-ce que tu racontes ? s'esclaffa Daisy, incrédule. Les gens ne sentent rien, sauf quand ils ont besoin de se laver, bien sûr.

Elles échangèrent un regard, apparemment aussi étonnées l'une que l'autre.

— Mais si, tout le monde a une odeur, insista Lillian. Ne me dis pas que tu ne l'as jamais remarqué ? Il y a des peaux qui sentent l'amande amère ou la violette, et d'autres…

— D'autres ont une odeur de prune, ou de sève, ou de foin coupé, renchérit M. Nettle.

Lillian lui adressa un sourire ravi.

— Oui, exactement !

Ôtant ses lunettes, M. Nettle entreprit de les nettoyer avec soin, tout en s'interrogeant. Était-ce possible ? Cette fille était-elle vraiment capable de détecter l'odeur intrinsèque d'une personne ?

Lui-même l'était, mais c'était un don rare, et il n'avait encore jamais rencontré de femme qui le possédât.

Après avoir sorti une feuille de papier pliée en quatre du sac en perles accroché à son poignet, Lillian Bowman s'approcha de lui.

— J'ai ici la formule d'un parfum, commença-t-elle en lui tendant le papier. Encore que je ne sois pas certaine que les proportions pour chaque ingrédient soient correctes. Vous serait-il possible de me le préparer ?

M. Nettle déplia le papier et parcourut la liste avec un léger haussement de sourcils.

— Une combinaison inhabituelle, mais très intéressante, commenta-t-il. Le résultat devrait être convaincant, je pense. Puis-je vous demander où vous avez obtenu cette formule, mademoiselle Bowman ?

— Je l'ai trouvée dans ma tête, répondit-elle avec un sourire ingénu qui adoucit ses traits. J'ai essayé de réunir ce que je pensais être compatible avec ma propre alchimie. Encore que, comme je l'ai dit, j'aie du mal à évaluer les proportions.

Baissant les yeux pour dissimuler son scepticisme, M. Nettle parcourut une nouvelle fois la formule. Il n'était pas rare qu'un client lui demande de préparer un parfum dans lequel prédominait la rose ou la lavande, mais jamais personne ne lui avait donné une liste comme celle-ci. Plus étonnant encore : bien qu'inhabituels, les ingrédients sélectionnés étaient néanmoins harmonieux. Mais, après tout, cette jeune femme était peut-être parvenue à cette combinaison par accident.

— Mademoiselle Bowman, commença-t-il, curieux d'évaluer l'étendue de ses capacités, me permettriez-vous de vous montrer quelques-uns de mes parfums ?

— Oui, bien sûr, répondit Lillian avec enthousiasme.

Tandis qu'elle se rapprochait du comptoir, M. Nettle s'empara d'une petite fiole de cristal contenant un liquide pâle.

— Que faites-vous ? s'enquit-elle comme il versait quelques gouttes de son contenu sur un mouchoir de batiste.

— On ne doit jamais respirer le parfum directement à la bouteille, expliqua-t-il en lui tendant le carré de tissu. Il faut d'abord l'aérer, laisser l'alcool s'évaporer, ainsi ne demeure que la véritable fragrance. Mademoiselle Bowman, quelles senteurs parvenez-vous à distinguer dans ce parfum ?

Séparer les différents ingrédients composant un parfum exigeait un effort énorme – quelquefois plusieurs heures –, même aux parfumeurs les plus expérimentés.

Pourtant, après avoir approché le mouchoir de ses narines, Lillian étonna M. Nettle en les identifiant sans hésitation, avec la finesse et la vivacité d'une pianiste travaillant ses gammes.

— Fleur d'oranger… néroli… ambre gris et… mousse ?

Elle s'interrompit, une lueur d'incertitude dans ses yeux d'un brun velouté.

— De la mousse ? Dans du parfum ?

M. Nettle la fixa sans chercher à dissimuler sa stupéfaction. La capacité à identifier les composants d'un parfum complexe était très limitée chez le commun des mortels, qui ne pouvait, dans le meilleur des cas, qu'identifier l'ingrédient dominant, comme la rose, le citron ou la menthe.

Une fois revenu de sa surprise, il acquiesça avec un léger sourire. Il mêlait souvent à ses parfums des notes particulières qui leur donnaient de la profondeur et de la texture, mais personne n'avait jamais deviné lesquelles.

— La complexité, les surprises cachées ravissent les sens… Tenez, essayez celui-ci.

13

Il sortit un mouchoir propre, qu'il humecta d'un autre parfum.

Lillian s'acquitta de sa tâche avec la même aisance miraculeuse.

— Bergamote… tubéreuse… encens…

Elle hésita, inspira de nouveau, emplissant ses poumons de la riche fragrance. Puis esquissa un sourire émerveillé.

— … et un soupçon de café !

— De *café* ? s'écria sa sœur, qui vint se pencher sur le flacon. Ça ne sent pas le café, là-dedans.

Lillian adressa à M. Nettle un regard interrogateur, et il confirma avec un sourire.

— C'est du café, en effet. Vous avez un don, mademoiselle Bowman, ajouta-t-il en secouant la tête ouvertement admiratif.

Lillian esquissa une grimace ironique et haussa les épaules.

— Un don qui ne me sert pas à grand-chose pour trouver un mari, j'en ai peur. C'est bien ma chance d'avoir un talent aussi inutile ! Mieux vaudrait que j'aie une jolie voix ou une beauté éclatante. Comme dit ma mère, il est inconvenant pour une dame d'aimer sentir les choses.

— Pas dans mon magasin, répliqua M. Nettle.

Ils s'engagèrent dans une discussion au sujet des arômes comme d'autres auraient parlé art au sortir d'un musée : les odeurs douces, troublantes de la forêt après la pluie ; les effluves maltés de la brise de mer ; le fumet à la fois capiteux et moisi de la truffe ; le mordant frais d'un ciel de neige.

Vite lassée, Daisy passa en revue les étagères de cosmétiques, ouvrit un bocal de poudre qui la fit éternuer, puis choisit une boîte de pastilles, en sortit une et se mit à la croquer bruyamment.

Au fil de la conversation, M. Nettle apprit que le père des jeunes filles possédait une entreprise de parfums et de savons à New York. À l'occasion de visites dans les usines et les laboratoires, Lillian avait acquis une connaissance rudimentaire des arômes et de leurs associations. Elle avait même aidé à mettre au point le parfum de l'un des savons Bowman. Elle n'avait pratiquement pas eu de formation, mais M. Nettle la considérait comme un prodige. Malheureusement, du fait de son sexe, un tel talent resterait à jamais inexploité.

— Mademoiselle Bowman, je possède une essence que j'aimerais vous montrer. Si vous vouliez bien avoir la gentillesse d'attendre ici pendant que je vais la chercher dans mon arrière-boutique ?

Curieuse, Lillian hocha la tête. Lorsqu'il revint, M. Nettle avait à la main un coffret en pin. Sous le regard intéressé des deux sœurs, il souleva le couvercle, dévoilant un petit flacon dont le bouchon était scellé par de la cire. Cette demi-once de liquide quasiment incolore était l'essence la plus coûteuse que M. Nettle se fût jamais procurée.

Après avoir cassé la cire, il versa une précieuse goutte sur un mouchoir qu'il tendit à Lillian. Tout d'abord douce et légère, presque anodine, la fragrance acquit une volupté surprenante au fur et à mesure de son inhalation, et longtemps après la dissipation de l'impression initiale, des notes un peu sucrées subsistaient.

Lillian regarda le parfumeur avec perplexité.

— Qu'est-ce que c'est ?

— Une orchidée rare, qui ne diffuse son parfum que la nuit, répondit-il. Les pétales sont d'un blanc pur, et ils sont plus délicats encore que ceux du jasmin. On ne peut pas obtenir cette essence en distillant les fleurs – elles sont trop fragiles.

— Enfleurage à froid, alors ? murmura Lillian.

L'enfleurage consistait à laisser macérer les précieux pétales dans un corps gras jusqu'à ce qu'il soit saturé de leur parfum. On utilisait ensuite un solvant à base d'alcool pour extraire l'essence pure – celle que l'on nomme «absolue».

— Oui.

Elle inhala une autre bouffée de cette essence exquise.

— Et comment s'appelle cette orchidée?

— La dame de la nuit.

— On dirait le titre de l'un de ces romans que notre mère nous interdit de lire, observa Daisy en pouffant de rire.

— Je suggérerais d'utiliser cette orchidée à la place de la lavande dans votre formule. Ce sera plus coûteux, bien sûr, mais, à mon avis, ce serait la note de fond parfaite, surtout si vous voulez de l'ambre comme fixatif.

— Combien cela coûterait-il en plus? demanda Lillian, qui ouvrit de grands yeux quand il donna un chiffre. Bonté divine, c'est plus que son poids en or!

M. Nettle éleva ostensiblement le petit flacon vers la lumière. Le liquide étincela comme un diamant.

— La magie est coûteuse, je le crains.

Lillian se mit à rire, alors même qu'elle gardait les yeux rivés sur le flacon, fascinée.

— De la magie! Vraiment?

— Ce parfum aura des pouvoirs magiques, assura M. Nettle en lui souriant. En fait, j'ajouterai un ingrédient secret qui renforcera son effet.

Charmée, mais visiblement incrédule, Lillian convint avec M. Nettle de repasser un peu plus tard prendre sa préparation. Après avoir payé la boîte de pastilles de Daisy ainsi que le parfum promis, les deux sœurs quittèrent la boutique. Il suffit à Lillian d'un seul regard à sa sœur pour deviner que l'imagination de celle-ci, toujours prompte à s'emballer, s'était déjà emparée des formules magiques et ingrédients secrets.

— Lillian… Tu me laisseras essayer un peu de ce parfum magique, n'est-ce pas?

— Est-ce que je ne partage pas toujours ?

— Non.

Lillian afficha un grand sourire. Même si elles affectaient d'être rivales et se chamaillaient à l'occasion, chacune était pour l'autre l'alliée la plus fidèle et la meilleure des amies. Rares étaient les gens qui aimaient Lillian. En dehors de Daisy, qui adorait les chiens perdus les plus hideux, les enfants les plus insupportables et toutes les choses cassées ou mises au rebut.

En dépit de leur extrême complicité, elles demeuraient très différentes. Daisy était une idéaliste, une rêveuse, une créature fantasque sujette à des caprices enfantins, mais dotée d'une intelligence aiguë. Lillian possédait une langue acérée ; elle avait érigé une batterie de défenses entre le reste du monde et elle, cultivait cynisme et sens mordant de l'humour. Elle était aussi d'une loyauté à toute épreuve à l'égard du petit cercle de ses proches, et notamment des «laissées pour compte» rencontrées lors de la dernière saison londonienne. Les deux sœurs ainsi qu'Annabelle Peyton et Evangeline Jenner s'étaient surnommées ainsi après avoir fait tapisserie côte à côte lors d'innombrables bals et soirées. Toutes quatre s'étaient juré de s'aider mutuellement à trouver un mari. Leurs efforts avaient abouti à l'union d'Annabelle avec M. Simon Hunt, deux mois auparavant. C'était au tour de Lillian, à présent. Mais, pour le moment, elles n'avaient pas encore choisi sur qui elles jetteraient leur dévolu, et ne pouvaient donc mettre en œuvre un plan de conquête.

— Évidemment que je te laisserai essayer le parfum, promit Lillian. Mais Dieu seul sait ce que tu peux en attendre !

— Qu'un beau duc tombe fou amoureux de moi, naturellement.

— Tu n'as pas remarqué à quel point les aristocrates jeunes et séduisants étaient rares ? demanda

Lillian, ironique. La plupart sont bêtes comme leurs pieds, séniles ou ont une tête à avoir un hameçon dans la bouche.

Daisy pouffa et glissa le bras autour de la taille de sa sœur.

— Les princes charmants sont là, assura-t-elle. Et nous allons les trouver.

— Comment peux-tu en être aussi certaine ?

Daisy lui adressa un sourire malicieux.

— Nous avons la magie de notre côté, ne l'oublie pas.

1

— Les Bowman sont arrivés, annonça lady Olivia Shaw depuis le seuil du bureau.

Son frère aîné, Marcus, lord Westcliff, était assis derrière une pile de livres de comptes. Il leva la tête, les sourcils froncés au-dessus de ses yeux d'un noir profond.

— Gare à la pagaille, marmonna-t-il.

Olivia se mit à rire.

— Je suppose que tu fais allusion aux filles ? Elles ne sont pas aussi terribles que cela, tout de même ?

— Elles sont pires, répliqua Marcus, en fronçant les sourcils de plus belle quand il vit la grosse goutte d'encre que sa plume, momentanément délaissée, venait de laisser tomber sur une belle rangée de chiffres. Je n'ai encore jamais rencontré de jeunes filles plus mal élevées. Surtout l'aînée.

— Ce sont des Américaines, lui rappela Olivia. Il faut faire preuve d'un peu de tolérance, non ? On ne peut pas vraiment s'attendre qu'elles connaissent les plus infimes détails de nos innombrables règles de conduite en société…

— Je veux bien être tolérant envers les détails, coupa Marcus. Comme tu le sais, je ne suis pas du genre à critiquer l'angle que forme le petit doigt de

Mlle Bowman quand elle tient sa tasse de thé. Ce que je désapprouve, ce sont certains comportements qu'on jugerait répréhensibles dans n'importe quel endroit du monde civilisé.

Certains comportements ? Voilà qui devenait intéressant ! songea Olivia. Elle s'avança dans le bureau, une pièce qu'elle évitait habituellement, car elle ne lui rappelait que trop leur père décédé.

Le huitième comte de Westcliff n'avait pas laissé d'heureux souvenirs. C'était un homme froid et cruel, qui semblait absorber tout l'oxygène d'une pièce dès qu'il y pénétrait. Rien ni personne ne lui donnait jamais satisfaction. De ses trois enfants, seul Marcus avait presque réussi à se montrer à la hauteur de ses exigences, car en dépit des punitions innombrables, des ordres impossibles à satisfaire, des accusations injustes, il ne s'était jamais plaint.

Olivia et sa sœur, Aline, vouaient une admiration sans bornes à leur frère aîné, que son combat constant pour atteindre à l'excellence avait conduit à obtenir les meilleures notes à l'école, à battre tous les records dans les sports qu'il avait choisi de pratiquer, et à se juger bien plus durement que n'importe qui ne l'aurait fait à sa place.

Marcus était capable de chevaucher une journée entière, de danser le quadrille, d'expliquer une théorie mathématique, de panser une blessure et de réparer la roue d'une voiture. Mais aucune de ses innombrables aptitudes ne lui avait jamais valu un seul mot de louange de la part de leur père.

Avec le recul, Olivia se rendait compte que le but du comte était de supprimer toute trace de douceur ou de compassion chez son fils unique. Pendant quelque temps, il avait pu croire y être parvenu. Mais à sa mort, cinq ans auparavant, Marcus s'était révélé un homme très différent de ce qu'il aurait dû être. Olivia et Aline avaient découvert que leur frère aîné n'était jamais trop occupé pour les écouter, et qu'elles pouvaient compter sur lui même pour les problèmes les plus insignifiants. Il se montrait compatissant, affectueux et compréhensif – un miracle, en vérité, quand on savait que jamais personne ne s'était comporté ainsi à son égard.

Cela dit, Marcus était aussi un peu autoritaire. Enfin... *très* autoritaire. Il ne se gênait pas pour manipuler les gens qu'il aimait afin de les contraindre à faire ce qu'il jugeait bon pour eux. Ce trait de caractère n'était pas l'un de ses plus charmants. Et si elle devait s'appesantir sur les défauts de Marcus, Olivia devait aussi admettre qu'il avait une confiance assez irritante en sa propre infaillibilité.

Tout en lui adressant un sourire affectueux, elle se demanda comment elle pouvait l'adorer à ce point alors qu'il ressemblait tellement à leur père. Il possédait les mêmes traits accusés : le front haut et la grande bouche, la chevelure drue noir corbeau, le nez impérieux et le menton volontaire. L'ensemble était plus saisissant que séduisant... mais c'était un visage qui attirait aisément les regards féminins. À la différence de ceux de leur père, les yeux sombres et vifs de Marcus pétillaient souvent de rire, et l'éclat de son sourire, qui contrastait avec sa peau hâlée, avait quelque chose d'unique.

Comme Olivia s'approchait, il s'adossa à son fauteuil et croisa les mains sur son ventre plat. Le temps était particulièrement chaud, en cet après-midi de septembre, aussi avait-il enlevé sa veste et remonté ses manches, révélant ses avant-bras musclés. De taille moyenne, Marcus était exceptionnellement bien découplé, avec le physique athlétique d'un homme féru de sports.

Avide d'en savoir plus sur les comportements que son frère réprouvait chez cette jeune Américaine si mal élevée, Olivia s'appuya au bureau, face à lui.

— Je me demande ce que Mlle Bowman a fait pour t'offenser à ce point ? dit-elle d'un ton songeur. Dis-le-moi, Marcus. Sinon, je vais sûrement imaginer quelque chose de bien plus scandaleux que ce dont cette pauvre Mlle Bowman serait capable.

— « Cette pauvre Mlle Bowman » ? répéta Marcus en ricanant. Ne me pose pas de question, Olivia. Je n'ai pas le droit d'en parler.

Comme la plupart des hommes, Marcus ne semblait pas comprendre que *rien* n'attisait plus la curiosité d'une femme qu'un sujet dont on prétendait ne pas avoir le droit de parler.

— Explique-toi, Marcus, lui intima-t-elle. Ou je te ferai souffrir mille morts.

Il haussa un sourcil ironique.

— Les Bowman étant déjà arrivées, cette menace est redondante.

— Il faudra que je devine, alors. As-tu surpris Mlle Bowman avec quelqu'un ? Autorisait-elle un gentleman à l'embrasser… ou *pire* ?

— Aucun danger. Au premier regard, n'importe quel homme normal s'enfuirait en hurlant dans la direction opposée.

Olivia fronça les sourcils. Son frère se montrait un peu trop dur avec Lillian Bowman.

— C'est une très jolie fille, Marcus.

— Sa jolie façade ne suffit pas à compenser les défauts de son caractère.

— Qui sont ?

Marcus laissa échapper une espèce de reniflement, comme si les défauts de Mlle Bowman étaient si évidents qu'il n'était pas nécessaire de les énumérer.

— Elle est manipulatrice.

— Toi aussi, mon cher, murmura Olivia.

Il ignora sa remarque.

— Elle est autoritaire.

— Tu l'es aussi.

— Elle est arrogante.

— Tout comme toi, répliqua Olivia d'un ton jovial.

Marcus la foudroya du regard.

— Je pensais que nous discutions des défauts de Mlle Bowman, pas des miens.

— Mais vous semblez avoir tant de choses en commun ! protesta Olivia avec une innocence feinte. En ce qui concerne sa conduite inappropriée… Es-tu en train de dire que tu ne l'as *pas* surprise dans une situation compromettante ?

— Non, je n'ai pas dit cela. Seulement qu'elle n'était pas avec un gentleman.

— Marcus, je n'ai pas de temps à perdre, dit Olivia avec impatience. Je dois aller accueillir les Bowman – et toi aussi, du reste –, mais, avant de quitter ce bureau, j'exige que tu me racontes ce qu'elle a fait de scandaleux !

— C'est trop ridicule pour le rapporter.

— Montait-elle à cheval à califourchon, comme un homme ? Fumait-elle un cigare ? Nageait-elle nue dans un étang ?

— Pas tout à fait.

D'un air morose, Marcus souleva le stéréoscope posé à l'angle de son bureau – un cadeau d'anniversaire d'Aline, qui vivait à présent à New York avec son mari. Le stéréoscope, une invention toute nouvelle, donnait, grâce à l'observation de deux images simultanées, une sensation de relief saisissante. Les branches d'un arbre semblaient près de chatouiller le nez du spectateur, et un gouffre dans la montagne béait avec un tel réalisme qu'on avait l'impression de risquer d'y tomber. Portant l'instrument à ses yeux, Marcus examina une vue avec une concentration excessive.

Olivia était prête à exploser lorsqu'il marmonna :

— J'ai vu Mlle Bowman en train de jouer au rounders en sous-vêtements.

Sa sœur le fixa, interdite.

— Au rounders ? Tu veux dire, ce jeu avec une balle en cuir et une espèce de bâton aplati ?

Marcus eut une grimace d'impatience.

— C'était lors de sa dernière visite ici. Mlle Bowman et sa sœur s'ébattaient avec leurs amies dans une prairie située au nord du domaine, et il se trouve que Simon Hunt et moi sommes passés par là. Toutes les quatre étaient en sous-vêtements – parce qu'il est difficile de jouer avec des jupes encombrantes, ont-elles prétendu. À mon avis, elles auraient saisi n'importe quel prétexte pour courir à moitié nues. Ces sœurs Bowman sont des hédonistes.

Olivia plaqua la main sur sa bouche pour étouffer, sans grand succès, un éclat de rire.

— Je n'arrive pas à croire que tu n'en aies jamais parlé !

— Si seulement j'avais pu l'oublier ! répliqua Marcus sombrement, en reposant le stéréoscope. Dieu sait comment je vais oser croiser le regard de Thomas Bowman, alors que le souvenir de sa fille dévêtue est encore frais dans ma mémoire.

Olivia contempla son frère avec amusement. Il ne lui avait pas échappé qu'il avait dit « sa fille » et non « ses filles », et qu'il était donc évident qu'il avait à peine remarqué la plus jeune. Lillian avait accaparé toute son attention.

Connaissant Marcus, Olivia se serait attendue qu'il trouve l'incident divertissant. Même s'il possédait un sens aigu de la morale, il n'avait absolument rien d'un pudibond, et ne manquait pas d'humour, loin de là.

Il n'avait certes jamais entretenu de maîtresse, mais Olivia avait eu vent de quelques liaisons discrètes. La rumeur voulait même que, sous son apparence sévère, le comte se montre plutôt audacieux dans une chambre à coucher. Mais, pour une raison inexplicable, il était troublé par cette Américaine hardie, mal dégrossie, dont la fortune était récente.

Non sans pertinence, Olivia se demanda si l'attirance qu'éprouvait leur famille pour les Américains – après tout, Aline en avait épousé un, et elle-même venait juste de se marier avec Gideon Shaw, des Shaw de New York – affectait aussi Marcus.

— Elle devait être ravissante en sous-vêtements, non ? murmura-t-elle, l'air de ne pas y toucher.

— Si, répondit Marcus sans réfléchir, avant de faire la grimace. Enfin, *non* ! C'est-à-dire que je ne l'ai pas regardée assez longtemps pour évaluer ses charmes. Si toutefois elle en possède.

Olivia se mordit l'intérieur de la joue pour ne pas rire.

— Allons, Marcus… tu es un homme dans la force de l'âge, et tu n'as pas reluqué Mlle Bowman en culotte une petite seconde ?

— Je ne « reluque » pas, Olivia. Soit je regarde franchement, soit je m'abstiens.

Elle lui jeta un regard empreint de pitié.

— Eh bien, je suis affreusement désolée que tu aies eu à endurer une telle épreuve. Espérons simplement que Mlle Bowman restera vêtue de pied en cap en ta présence durant cette visite, afin d'éviter de heurter une fois encore ton extrême sensibilité.

Son ton moqueur lui valut un regard noir.

— J'en doute.

— De quoi ? Qu'elle restera vêtue de pied en cap ? Ou qu'elle heurtera ta sensibilité ?

— Ça suffit, Olivia, gronda-t-il, ce qui la fit glousser.

— Allez, viens, nous devons aller accueillir les Bowman.

— Je n'ai pas le temps. Tu les accueilleras, et tu inventeras une excuse pour expliquer mon absence.

Olivia ouvrit de grands yeux.

— Tu ne vas pas… Mais enfin, Marcus, tu dois être là ! Je ne me rappelle pas t'avoir jamais vu te montrer grossier.

— Pour l'amour du ciel, ils vont passer presque un mois ici ! J'aurai amplement l'occasion de me faire pardonner. Parler de cette fille m'a mis de très mauvaise humeur, et la simple pensée de me retrouver dans la même pièce qu'elle me fait grincer des dents.

Olivia secoua légèrement la tête, tout en le contemplant d'un air inquisiteur qu'il n'apprécia pas.

— Hum… Je t'ai déjà vu en présence de personnes que tu n'aimes pas, et tu réussis toujours à te montrer poli – surtout quand tu veux obtenir quelque chose d'elles. Mais, pour une raison ou une autre, Mlle Bowman t'exaspère à l'excès. J'ai ma petite idée sur cette raison.

— Vraiment ? rétorqua-t-il, une pointe de défi dans le regard.

— Il faut que j'y réfléchisse encore. Je te ferai savoir quand je serai parvenue à une conclusion définitive.

— Que Dieu me vienne en aide. À présent, va accueillir nos invités, Olivia !

— Pendant que tu te terres dans ce bureau tel un renard acculé par les chiens ?

Marcus se leva et lui fit signe de le précéder vers la porte.

— Je vais sortir par l'arrière de la maison, et faire une longue chevauchée.

— Combien de temps seras-tu absent ?

— Je serai de retour assez tôt pour me changer avant le dîner.

Olivia poussa un soupir agacé. Il s'agissait d'un grand dîner, prélude au premier jour officiel de la partie de campagne donnée à Stony Cross Park. La plupart des invités étaient déjà arrivés, et les quelques retardataires ne tarderaient pas.

— Tu as intérêt à ne pas être en retard, le prévint-elle. Quand j'ai accepté de jouer les hôtesses pour toi, il n'était pas prévu que je me retrouve seule à veiller à tout.

— Je ne suis jamais en retard, répliqua Marcus d'une voix égale, avant de s'éloigner avec la célérité d'un homme qui vient d'échapper à la potence.

2

Après avoir traversé le bois qui s'étendait derrière les jardins, Marcus lâcha la bride à son cheval. Stony Cross Park possédait les plus belles terres du Hampshire, avec des forêts denses, des prairies humides, des marais abondamment fleuris, et d'immenses champs dorés. Autrefois réservé aux chasses royales, le domaine était à présent le lieu le plus couru d'Angleterre.

Le flot plus ou moins constant d'invités servait assez bien les intérêts de Marcus. Il lui procurait de nombreux compagnons avec lesquels s'adonner à ses activités physiques favorites, dont la chasse, tout en lui permettant de tisser de nombreux liens aussi bien politiques que financiers. Toutes sortes d'affaires se traitaient lors de ces réceptions, et il n'était pas rare que Marcus persuade un homme politique ou un industriel de se ranger à ses côtés sur des sujets importants.

Cette partie de campagne n'aurait pas dû être différente des autres, pourtant, depuis quelques jours, Marcus éprouvait un malaise qui allait s'amplifiant. En homme suprêmement rationnel, il ne croyait pas aux prémonitions ni à toutes ces sottises spiritualistes à la mode… mais il n'empêche que quelque chose avait changé dans l'atmosphère de Stony Cross Park. L'air était chargé d'une attente pleine de tension qui rappelait le calme vibrant précédant une tempête. Marcus se sentait impatient, nerveux, et aucun exercice physique ne parvenait à apaiser son agitation grandissante.

Comme il songeait à la soirée qui l'attendait, au cours de laquelle il allait devoir frayer avec les Bowman, son malaise se transforma presque en anxiété. Il regrettait de les avoir invités. En vérité, il aurait renoncé avec joie à n'importe quel contrat avec Thomas Bowman pour être débarrassé d'eux. Mais le fait est qu'ils étaient là, qu'ils resteraient près d'un mois, et qu'il valait mieux tirer le meilleur parti de leur présence.

Marcus avait l'intention d'entreprendre Thomas Bowman sur une possible extension de ses activités de ce côté-ci de l'Atlantique, à savoir, l'implantation d'une savonnerie à Liverpool, ou peut-être, à Bristol. À en croire ses alliés libéraux au Parlement, il était probable que la taxe britannique sur le savon allait être levée dans les années à venir. Le cas échéant, le savon deviendrait beaucoup plus abordable pour l'homme du commun, ce qui serait bon pour la santé publique, certes, mais aussi pour le compte en banque de Marcus, s'il réussissait à convaincre Bowman de le prendre comme associé.

Quoi qu'il en soit, une visite de Thomas Bowman signifiait qu'il faudrait aussi supporter la présence de ses filles. Lillian et Daisy illustraient cette tendance déplorable qu'avaient les héritières américaines à venir en Angleterre chasser le mari. L'aristocratie britannique se voyait assiégée par ces demoiselles ambitieuses, qui ne cessaient de se répandre en compliments sur elles-mêmes avec leur abominable accent, et manœuvraient pour figurer dans les chroniques mondaines des journaux. Ces jeunes femmes bruyantes, sans grâce et suffisantes cherchaient à acheter un titre avec l'argent de leurs parents… et y réussissaient souvent.

Marcus avait fait la connaissance des sœurs Bowman lors de leur précédente visite à Stony Cross Park, et ne trouvait pas grand-chose à dire en leur faveur. L'aînée, Lillian, était tout particulièrement devenue l'objet de son aversion quand, avec ses amies, elle avait tendu un piège à un aristocrate présent pour le contraindre au mariage. Marcus n'oublierait jamais le moment où le plan avait été éventé. « Seigneur, existe-t-il une *seule* chose à laquelle vous ne vous abaisseriez pas ? » avait-il demandé à Lillian. À quoi elle avait rétorqué : « Si elle existe, je ne l'ai pas encore découverte. »

Son insolence extraordinaire faisait d'elle une femme différente de toutes celles qu'il connaissait. Ajouté à cela la partie de rounders en sous-vêtements, et il avait été convaincu d'avoir affaire à un trublion. Or, une fois son opinion faite, Marcus en changeait rarement.

Le front plissé, il réfléchit à la meilleure façon de se comporter avec Lillian Bowman. Il se montrerait froid et détaché, quelles que soient ses provocations. Cette indifférence la rendrait certainement furieuse. Imaginant l'irritation de la jeune fille à se voir ainsi ignorée, il sentit l'étau qui lui comprimait la poitrine se desserrer. Oui… Il ferait son possible pour l'éviter, et quand les circonstances lui imposeraient d'être dans la même pièce qu'elle, il la traiterait avec une froideur polie.

Rasséréné, il guida son cheval vers une série d'obstacles faciles ; une haie, une barrière, puis un muret, que le cavalier et sa monture franchirent avec une coordination parfaite.

— J'insiste pour que vous vous reposiez au moins deux heures, déclara Mme Mercedes Bowman en considérant ses filles d'un air sévère. Les dîners chez lord Westcliff se prolongent jusqu'à minuit, et je ne veux pas vous voir bâiller à table.

— Oui, mère, répondirent-elles à l'unisson, avec une innocence dont elle ne fut pas le moins du monde dupe.

Mme Bowman était une femme à l'ambition démesurée, dotée d'une indomptable énergie, et si maigre que, comparé à elle, un lévrier passait pour grassouillet. Son principal objectif dans l'existence était que ses deux filles fassent un très beau mariage.

— Vous ne devez quitter cette chambre sous aucun prétexte, continua-t-elle. Pas d'escapade sur le domaine, pas d'aventure et pas d'incident de quelque nature que ce soit. D'ailleurs, je vais fermer la porte à clé pour être sûre que vous vous reposiez.

— Mère, s'il existe un endroit plus ennuyeux que Stony Cross dans le monde civilisé, je suis prête à manger mes chaussures, assura Lillian. Que pourrait-il nous arriver ?

— Vous attirez toutes deux les ennuis rien qu'en respirant, répliqua Mercedes, les yeux étrécis. C'est la raison pour laquelle je compte vous surveiller de près. Après ta conduite lors de notre dernière visite ici, je suis stupéfaite que nous ayons été invités de nouveau.

— Moi pas, riposta Lillian, ironique. Tout le monde sait que nous sommes ici parce que Westcliff a un œil sur la société de père.

— *Lord* Westcliff, corrigea Mercedes d'une voix sifflante. Lillian, tu dois parler de lui avec respect ! C'est le pair le plus fortuné d'Angleterre, et sa lignée…

— … est aussi ancienne que celle de la reine, récita Daisy d'une voix chantante. Et son comté est le plus vieux d'Angleterre, ce qui fait de lui…

— … le célibataire le plus convoité d'Europe, conclut Lillian avec une admiration feinte. Peut-être même du monde entier! Mère, si vous espérez vraiment que Westcliff épousera l'une de nous deux, c'est que vous avez perdu la raison.

— Elle n'a pas perdu la raison, lui dit Daisy. Elle est new-yorkaise.

Les Bowman étaient loin d'être seuls de leur espèce à New York. Les familles de parvenus, comme la leur, ayant amassé d'immenses fortunes dans l'industrie, n'arrivaient pas à se faire accepter dans les cercles fermés de la haute société. La solitude et l'humiliation avaient stimulé l'ambition de Mercedes comme rien d'autre n'aurait pu le faire.

— Nous allons faire en sorte que lord Westcliff oublie tout de votre comportement atroce lors de notre dernière visite, les informa Mercedes d'un ton résolu. Vous vous montrerez discrètes, calmes et modestes en toute circonstance, et je ne veux plus entendre parler de cette histoire de laissées pour compte. Je veux que vous gardiez vos distances avec cette scandaleuse Annabelle Peyton, et aussi cette autre… cette…

— Evangeline Jenner, dit Daisy. Et elle s'appelle Annabelle Hunt, à présent, mère.

— Annabelle a épousé le meilleur ami de Westcliff, souligna Lillian d'un ton tranquille. J'aurais tendance à penser que c'est une excellente raison pour que nous continuions à la voir, mère.

— J'y réfléchirai. En attendant, continua Mercedes en les regardant d'un air soupçonneux, vous allez faire une longue sieste. Je ne veux pas entendre un seul bruit, c'est compris?

— Oui, mère, répondirent-elles en chœur.

La porte se referma, et la clé tourna dans la serrure. Les deux sœurs échangèrent un sourire.

— Une chance qu'elle n'ait rien su du jeu de rounders, observa Lillian.

— Nous serions mortes, à l'heure qu'il est, renchérit Daisy avec gravité.

Après avoir pris une épingle à cheveux dans une petite boîte en émail posée sur la coiffeuse, Lillian s'approcha de la porte.

— Quel dommage qu'elle monte sur ses grands chevaux pour des broutilles, tu ne trouves pas ?

— Comme la fois où nous avons lâché un porcelet enduit de graisse dans le salon de Mme Astor.

Souriant à ce souvenir, Lillian s'agenouilla devant la porte et introduisit l'épingle dans la serrure.

— Tu sais, je me suis toujours demandé pourquoi mère nous en a voulu de prendre sa défense. Après tout, Mme Astor s'était débrouillée pour ne pas l'inviter à sa réception.

— Je pense que, dans son esprit, le fait d'introduire un animal de basse-cour chez quelqu'un ne nous désignait pas vraiment comme des personnes à inviter un jour.

— En tout cas, ce n'était pas aussi grave que la fois où nous avons fait partir une chandelle romaine dans ce magasin de la Cinquième Avenue.

— L'employé s'était montré si grossier, nous n'avons pas vraiment eu le choix.

Lillian retira l'épingle, en recourba habilement l'extrémité puis la réinséra dans la serrure. Les yeux plissés par l'effort, elle la manipula jusqu'à entendre un « clic » qui lui fit adresser un sourire triomphal à Daisy.

— Je crois que j'ai battu mon record de vitesse.

Mais sa cadette ne lui rendit pas son sourire.

— Lillian… si tu te trouves effectivement un mari cette année… tout va changer. Toi, d'abord, tu vas changer. Et puis, il n'y aura plus d'aventure, plus de rigolade, et je serai toute seule.

— Ne sois pas ridicule, répliqua Lillian, les sourcils froncés. Je ne vais pas changer et tu ne seras pas seule.

— Tu auras un mari à qui tu devras rendre des comptes, souligna Daisy. Et il ne te permettra pas de faire des bêtises avec moi.

— Non, non, non… protesta Lillian en se relevant. Je n'aurai pas ce genre de mari-là. J'épouserai un homme qui ne remarquera rien ou qui se moquera de ce que je fais quand je suis loin de lui. Un homme comme notre père.

— Un homme comme notre père ne semble pas avoir rendu notre mère très heureuse. Je me demande s'ils ont été un jour amoureux ?

Lillian s'adossa à la porte pour réfléchir à la question. Il ne lui était jamais venu à l'esprit de se demander si leurs parents s'étaient mariés par amour. Elle inclinait à penser que non. Tous deux paraissaient complètement indépendants, et leur union constituait, au mieux, un lien négligeable. Pour ce qu'elle en savait, ils se disputaient rarement, ne s'embrassaient jamais, et c'est à peine s'ils se parlaient. Pourtant, il n'y avait pas d'amertume apparente entre eux. Ils étaient simplement indifférents l'un à l'autre, et ne manifestaient aucune aspiration ni même aucune aptitude au bonheur.

— L'amour, c'est bon pour les romans, ma chérie, dit Lillian en faisant de son mieux pour paraître cynique.

Entrebâillant la porte, elle jeta un coup d'œil dans le couloir, puis lança à Daisy :

— La voie est libre. Nous sortons par l'entrée de service ?

— Oui, et ensuite, nous allons dans la forêt.

— Pourquoi la forêt ?

— Tu te souviens de la faveur qu'Annabelle m'a demandée ?

Lillian regarda sa sœur sans comprendre, puis elle leva les yeux au ciel.

— Seigneur Dieu, Daisy, tu n'as rien de mieux à faire que de te charger de cette mission ridicule ?

— Tu es contre simplement parce que c'est censé profiter à lord Westcliff, répliqua sa sœur, finaude.

— Cela ne profitera à personne, riposta Lillian, exaspérée. C'est grotesque.

— Je retrouverai le puits aux souhaits, déclara Daisy d'un ton résolu, et je ferai ce qu'Annabelle m'a demandé. Tu peux m'accompagner si tu le souhaites, ou tu peux faire autre chose. Cela dit...

Elle plissa les yeux d'un air menaçant avant de poursuivre :

— ... après toutes ces heures passées à t'attendre dans des vieilles parfumeries ou des herboristeries poussiéreuses, j'aurais cru que tu te montrerais un peu plus tolérante...

— D'accord, grommela Lillian. J'irai avec toi. Sinon, tu ne le trouveras jamais et tu finiras par te perdre dans la forêt.

Après avoir glissé un nouveau coup d'œil dans le couloir pour s'assurer qu'il était toujours désert, Lillian fila en direction de l'entrée de service. Sa sœur la suivit sur la pointe des pieds.

En dépit de son aversion pour le propriétaire de Stony Cross Park, Lillian devait admettre que le domaine était splendide. Le manoir était de facture européenne : une forteresse gracieuse en pierres couleur miel, flanquée, aux quatre coins, de tours pittoresques qui s'élançaient vers le ciel. Située sur un promontoire, au-dessus d'une rivière, elle était entourée de jardins et de vergers en terrasses qui se prolongeaient par une centaine d'hectares de parc et de forêt. La famille de Westcliff, les Marsden, occupait les lieux depuis quinze générations, comme se plaisait à le souligner n'importe quel domestique. Et la richesse de lord Westcliff était loin de se borner à ce domaine. On disait que près de cent mille hectares en Angleterre et en Écosse étaient sous son contrôle direct, et que, parmi ses possessions, on comptait deux châteaux, trois manoirs, cinq maisons et un hôtel particulier à Londres. Toutefois, Stony Cross Park était indubitablement le joyau de la couronne Marsden.

Après avoir suivi l'un des côtés de la demeure, les deux sœurs prirent soin de longer une haute haie de buis qui les dissimulait à la vue. Le soleil brillait à travers les frondaisons quand elles pénétrèrent dans la forêt peuplée de chênes et de cèdres vénérables.

Daisy leva les bras et s'écria avec exubérance :

— Oh, j'adore cet endroit !

— Ce n'est pas mal, fit Lillian à contrecœur.

Elle devait admettre, au fond d'elle-même, qu'il n'existait sans doute pas de plus bel endroit en Angleterre que Stony Cross Park paré de ses glorieux atours automnaux.

Sautant sur un tronc d'arbre qu'on avait repoussé au bord du chemin, Daisy le parcourut à pas comptés, les bras écartés pour garder l'équilibre.

— Ça vaudrait presque le coup d'épouser lord Westcliff pour devenir la maîtresse de Stony Cross Park, tu ne trouves pas ?

Lillian haussa les sourcils.

— Et devoir supporter ses déclarations pontifiantes, et obéir à chacun de ses ordres ? fit-elle, le nez froncé de dégoût.

— Annabelle dit que lord Westcliff est, en fait, bien plus gentil qu'elle ne le pensait.

— Elle peut difficilement dire autre chose, après ce qui est arrivé il y a quelques semaines.

Les deux sœurs demeurèrent silencieuses au souvenir de ces dramatiques événements. Alors qu'Annabelle et son mari, Simon Hunt, visitaient la fabrique de locomotives que ce dernier possédait conjointement avec lord Westcliff, une terrible explosion avait failli leur coûter la vie. Au mépris de sa propre vie, lord Westcliff s'était rué dans le bâtiment en feu et les en avait sortis. Il était donc compréhensible qu'Annabelle le voie désormais sous un jour héroïque. Elle avait même été jusqu'à dire qu'elle trouvait son arrogance plutôt attachante. À quoi Lillian avait rétorqué avec aigreur qu'elle subissait sans doute le contrecoup de son intoxication par la fumée.

— Je pense que lord Westcliff a droit à notre gratitude, fit remarquer Daisy en sautant de son tronc d'arbre. Après tout, il a bel et bien sauvé la vie d'Annabelle, et ce n'est pas comme si nous pouvions nous vanter d'avoir énormément d'amies.

— Sauver Annabelle était secondaire, rétorqua Lillian d'un ton grincheux. La seule raison pour laquelle Westcliff a risqué sa vie, c'est parce qu'il ne voulait pas perdre un associé précieux pour ses affaires.

— Lillian! s'exclama Daisy, qui se retourna pour la regarder avec surprise. Cela ne te ressemble pas de te montrer aussi peu charitable. Pour l'amour du ciel, le comte s'est jeté dans un brasier pour sauver notre amie et son mari... Que doit-il faire de plus pour t'impressionner?

— Je suis sûre que m'impressionner est le cadet des soucis de Westcliff.

La note maussade qui perçait dans sa voix lui arracha un tressaillement, ce qui ne l'empêcha pas de continuer :

— La raison pour laquelle je ne l'aime pas, c'est qu'il est évident que lui ne m'aime pas. Il se considère comme supérieur à moi sur tous les plans : moral, social et intellectuel... Oh, si seulement je trouvais un moyen de le remettre à sa place!

Elles marchèrent en silence un moment, puis Daisy s'arrêta pour cueillir quelques violettes qui poussaient en grosses touffes le long du chemin.

— As-tu jamais envisagé de faire un effort pour être aimable avec lord Westcliff? murmura-t-elle. Il te surprendrait peut-être en te rendant la pareille, ajouta-t-elle en levant les mains pour piquer les violettes dans ses cheveux.

Lillian secoua la tête avec vigueur.

— Non, il ferait probablement une remarque cinglante, puis afficherait un air suffisant et satisfait.

— Je trouve que tu es trop… commença Daisy avant de s'interrompre, l'oreille tendue. J'entends un bruit d'eau. Le puits aux souhaits doit être tout près !

— Oh, joie ! murmura Lillian avec un sourire réticent.

Elle emboîta le pas à sa jeune sœur qui dévalait un chemin longeant une prairie humide. Celle-ci était tapissée d'asters bleus et pourpres au-dessus desquels se dressaient les épis des verges d'or. Non loin s'épanouissait un gros buisson de millepertuis dont les fleurs jaunes ressemblaient à des gouttes de soleil. S'abandonnant avec délices aux effluves végétaux, Lillian ralentit le pas et inspira profondément. Plus on s'approchait du puits – un trou où tourbillonnaient les eaux d'une source souterraine –, plus l'atmosphère devenait fraîche et humide.

Au début de l'été, quand les quatre amies – les laissées pour compte – étaient venues au puits, elles avaient jeté chacune une épingle dans ses profondeurs écumeuses, comme l'exigeait la coutume locale. Et Daisy avait fait pour Annabelle un vœu mystérieux qui s'était ensuite réalisé.

— Le voilà, dit Daisy en sortant de sa poche un fragment de métal de la grosseur d'une aiguille.

Annabelle l'avait retiré de l'épaule de Westcliff après qu'une explosion eut projeté des débris de métal dans les airs. Même Lillian, qui n'était pourtant guère disposée à montrer une quelconque sympathie envers Westcliff, frissonna à la vue de cet éclat.

— Annabelle m'a dit de le jeter dans le puits et de faire le même souhait pour lord Westcliff que celui que j'avais fait pour elle.

— Et c'était quoi, ce souhait ? demanda Lillian. Tu ne me l'as jamais dit.

Daisy la regarda avec un sourire narquois.

— Ça ne te semble pas évident ? J'ai souhaité qu'Annabelle épouse quelqu'un qui l'aimerait vraiment.

— Oh…

Vu ce qu'elle savait du mariage d'Annabelle et de l'attachement visible que les deux époux éprouvaient l'un pour l'autre, Lillian supposa que le souhait avait été exaucé. Adressant à Daisy un regard mi-affectueux, mi-exaspéré, elle s'écarta pour assister à l'opération.

— Lillian, tu dois rester près de moi, protesta sa sœur. L'esprit du puits sera bien plus disposé à exaucer le souhait si nous concentrons toutes les deux nos pensées sur lui.

— Tu ne crois pas qu'il y a vraiment un esprit dans le puits ? s'esclaffa Lillian. Bonté divine, quand es-tu devenue aussi superstitieuse ?

— Venant de quelqu'un qui a récemment acheté une bouteille de parfum magique…

— Je n'ai jamais prétendu qu'il était magique. J'aime son odeur, c'est tout !

— Lillian, quel mal y a-t-il à envisager cette possibilité ? feignit de la réprimander Daisy. Je refuse de penser que nous allons traverser l'existence sans que quelque chose de magique se produise. Allez, viens faire un vœu pour lord Westcliff. C'est le moins que nous puissions faire après qu'il a sauvé notre chère Annabelle des flammes.

— Bon, d'accord. Je me tiendrai à côté de toi – mais uniquement pour t'empêcher de tomber dedans.

Revenant à la hauteur de sa sœur, Lillian passa le bras autour de ses minces épaules et contempla l'eau boueuse, agitée de tourbillons.

Les doigts serrés autour de l'éclat de métal, Daisy ferma les yeux.

— Je souhaite très, très fort, chuchota-t-elle. Toi aussi, Lillian ?

— Oui, murmura Lillian, encore qu'elle n'espérait pas précisément que lord Westcliff trouve le véritable amour.

Son vœu ressemblait plus à : « J'espère que lord Westcliff rencontrera une femme qui le forcera à se soumettre. » À cette pensée, elle esquissa un sourire satisfait qui subsista après que sa sœur eut jeté le morceau de fer dans l'eau.

— Voilà, c'est fait, déclara cette dernière en se détournant du puits, l'air ravi. Je suis impatiente de voir avec qui lord Westcliff va se retrouver.

— Je plains la pauvre fille, quelle qu'elle soit, répliqua Lillian.

Sa sœur désigna le manoir du menton.

— Nous rentrons ?

La conversation ne tarda pas à porter sur une suggestion faite par Annabelle la dernière fois qu'elles s'étaient rencontrées. Les Bowman avaient désespérément besoin d'une protectrice capable de les introduire dans la haute société britannique. Et pas n'importe quelle protectrice… Il fallait quelqu'un d'influent et de très connu ; quelqu'un dont le simple aval obligerait le reste de l'aristocratie à les accepter. Et personne n'était mieux placé pour le faire, selon Annabelle, que la comtesse de Westcliff, la mère du comte.

On la voyait rarement, car elle aimait apparemment se rendre souvent sur le Continent. En outre, même quand elle résidait à Stony Cross Park, elle évitait la plupart du temps de se mêler aux invités. Elle désapprouvait fortement l'habitude de son fils de s'entourer de roturiers et d'hommes d'affaires. Ni Daisy ni Lillian ne l'avaient rencontrée, mais elles en avaient beaucoup entendu parler. À en croire les rumeurs, c'était un vieux dragon hargneux qui méprisait les étrangers. Notamment les Américains.

— Qu'Annabelle puisse envisager une seconde que la comtesse accepte de nous prendre sous son aile me dépasse, avoua Daisy en donnant à intervalles réguliers des coups de pied dans un caillou. Elle ne le fera jamais de son plein gré, c'est certain.

— Elle le fera si Westcliff le lui dit, répliqua Lillian. Annabelle m'a raconté que la comtesse désapprouvait le mariage de lady Olivia avec M. Shaw et qu'elle n'avait pas l'intention d'assister à la cérémonie. Mais sachant que sa sœur en serait très affectée, Westcliff a forcé leur mère à rester ; mieux, il a réussi à ce qu'elle se montre aimable.

— Vraiment ? dit Daisy avec un curieux demi-sourire. Je me demande comment il s'y est pris ?

— Il lui suffit d'être le maître de maison. En Amérique, c'est la femme qui dirige la maison, mais en Angleterre, tout tourne autour de l'homme.

— Hmm... Cela ne me plaît guère.

— Oui, je sais.

Lillian garda le silence un instant avant d'ajouter sombrement :

— Selon Annabelle, le mari anglais doit approuver les menus, le choix des meubles, la couleur des rideaux... absolument *tout*.

Daisy eut l'air surpris et consterné.

— Est-ce que M. Hunt se préoccupe de choses pareilles ?

Eh bien, non... ce n'est pas un aristocrate. Il travaille. Et les hommes d'affaires n'ont en général pas de temps à consacrer à ces trivialités. Alors que l'aristocrate moyen a tout le loisir d'examiner chaque détail domestique.

Délaissant son caillou, Daisy regarda sa sœur en fronçant les sourcils.

— Je me demande... Pourquoi sommes-nous si déterminées à nous marier dans l'aristocratie, à vivre dans une immense maison plus ou moins en ruine, à ingurgiter l'infâme nourriture anglaise et à essayer de donner des ordres à une bande de domestiques qui n'ont absolument aucun respect pour nous ?

— Parce que mère le veut, répondit Lillian avec flegme. Et parce que personne, à New York, ne veut de nous.

C'était malheureusement un fait établi que, dans la société très compartimentée de New York, les hommes ayant acquis une fortune récente parvenaient à contracter un mariage avantageux sans trop de difficultés, alors que les héritières issues du commun n'étaient courtisées ni par les rejetons des vieilles familles ni par les nouveaux riches qui souhaitaient s'élever socialement. En conséquence, la chasse au mari se déplaçait en Europe, où les nobles avaient besoin d'épouses riches.

— Et si personne ne veut de nous ici ?

— Dans ce cas, nous formerons un couple de vieilles filles indignes qui séviront dans toute l'Europe.

Daisy se mit à rire tout en rejetant sa longue natte dans son dos. Il était inconvenant pour des jeunes filles de leur âge de sortir sans chapeau, et encore plus quand leurs cheveux pendaient librement. Mais les sœurs Bowman possédaient une telle masse de boucles que les rassembler pour former ces chignons sophistiqués tellement à la mode était une véritable épreuve. Il fallait une quantité invraisemblable d'épingles à cheveux pour les maintenir, et le cuir chevelu de Lillian était endolori après les tractions et les torsions nécessaires pour avoir une coiffure présentable lors des dîners officiels. Plus d'une fois, elle avait envié à Annabelle Hunt ses boucles légères, soyeuses, qui semblaient toujours se placer exactement comme elle le voulait. En ce moment même, Lillian avait les cheveux simplement attachés sur la nuque, d'une manière qui n'aurait jamais été autorisée en société.

— Comment persuader Westcliff d'agir pour que sa mère nous chaperonne ? demanda Daisy. Je doute qu'il consente jamais à une chose pareille.

— Je n'en ai aucune idée, admit Lillian en jetant au loin le bâton qu'elle avait ramassé un peu plus tôt. Annabelle a essayé de convaincre M. Hunt de le lui demander pour nous, mais il a refusé sous prétexte qu'il ne voulait pas abuser de son amitié.

— Si seulement nous pouvions contraindre Westcliff d'une manière ou d'une autre, murmura Daisy d'un ton songeur. Le piéger, ou le faire chanter…

— On ne peut faire chanter un homme que s'il a fait quelque chose de honteux qu'il souhaite cacher, observa sa sœur. Je doute que ce vieux Westcliff, rassis et ennuyeux comme il l'est, ait jamais fait quoi que ce soit qui vaille la peine qu'on le fasse chanter.

Sa description fit s'esclaffer Daisy.

— Il n'est ni rassis ni ennuyeux, ni même si vieux que ça !

— Mère dit qu'il a au moins trente-cinq ans. C'est quand même assez vieux, non ?

— Je parierais que la plupart des hommes de moins de trente ans sont loin d'être aussi en forme que lui.

Comme chaque fois que la conversation tournait autour de Westcliff, Lillian avait l'impression d'une provocation. Un peu comme lorsque, petite fille, ses frères se lançaient sa poupée préférée par-dessus et qu'elle hurlait pour qu'ils la lui rendent. Pourquoi la moindre allusion au comte l'atteignait-elle ainsi ? Elle l'ignorait. Elle rejeta la remarque de Daisy d'un haussement d'épaules irrité.

Comme elles approchaient du manoir, elles entendirent des cris joyeux, suivis bientôt par des acclamations qui ressemblaient à celles d'enfants en train de jouer.

— Que se passe-t-il ? s'enquit Lillian en jetant un coup d'œil du côté des écuries.

— Je ne sais pas, mais il y en a qui semblent bien s'amuser. Allons voir.

— Nous n'avons guère de temps. Si jamais mère découvre que nous sommes sorties…

— Nous nous dépêcherons. S'il te plaît, Lillian !

Comme celle-ci hésitait, de nouvelles exclamations retentirent, accompagnées de rires bruyants, et le contraste avec l'environnement paisible était tel que la curiosité l'emporta. Elle adressa un sourire impudent à Daisy.

— Prem ! lança-t-elle avant de détaler.

Relevant ses jupes, Daisy s'élança à sa suite. Même si elle avait les jambes plus courtes que sa sœur, elle était aussi légère et agile qu'un elfe, et elle avait presque rattrapé cette dernière quand elles atteignirent les écuries. Légèrement essoufflée d'avoir remonté la pente en courant, Lillian longea un enclos fermé par des barrières et aperçut, dans le petit pré adjacent, cinq garçons qui jouaient. Des palefreniers, à en juger par leur tenue, qui devaient avoir entre douze et seize ans. Ils avaient abandonné leurs bottes près de l'enclos, et couraient pieds nus.

— Tu vois ce que je vois ? s'écria Daisy, tout excitée.

L'un des garçons brandissait un long bâton plat dans les airs, et Lillian éclata d'un rire ravi.

— Ils jouent au rounders !

Si ce jeu – qui se jouait avec une batte, une balle et quatre bases disposées en carré – était populaire aussi bien en Amérique qu'en Angleterre, il suscitait à New York un intérêt presque frénétique. Garçons et filles à tous les échelons de la société le pratiquaient, et Lillian se souvenait de nombreux piqueniques suivis d'un après-midi de rounders. Une douce nostalgie l'envahit tandis qu'elle regardait l'un des garçons faire le tour des bases. Il était clair que le pré était souvent utilisé pour cet usage, car les piquets avaient été solidement fichés dans le sol, et une bande de terre nue courait d'une base à l'autre. En l'un des joueurs, Lillian reconnut le jeune garçon qui lui avait prêté une batte pour la fatale partie de « rounders en culotte », deux mois auparavant.

— Tu crois qu'ils nous laisseraient jouer ? hasarda Daisy, pleine d'espoir. Juste quelques minutes ?

— Je ne vois pas pourquoi ils refuseraient. Ce garçon aux cheveux roux, c'est à lui que j'avais emprunté la batte. Je crois qu'il s'appelle Arthur.

À cet instant, le batteur frappa d'un coup magistral la balle de cuir qu'on venait de lui envoyer, et celle-ci fut projetée en direction des deux sœurs. Plongeant en avant, Lillian la rattrapa à mains nues et la relança au garçon qui se tenait sur la première base. Celui-ci l'attrapa par réflexe, les yeux agrandis par la surprise. Quand les autres s'aperçurent de la présence des deux jeunes filles, tous se figèrent.

Lillian s'avança sur le terrain en direction du garçon aux cheveux roux.

— Arthur ? Vous vous souvenez de moi ? J'étais ici en juin... Vous nous aviez prêté la batte.

Le visage du garçon perdit son expression stupéfaite.

— Oui, bien sûr, mademoiselle... mademoiselle...

— Bowman. Et voici ma sœur, ajouta Lillian avec un geste désinvolte. Nous nous demandions justement... Vous nous laisseriez jouer avec vous ? Juste un court instant ?

Un silence ahuri accueillit cette requête.

— Nous sommes assez bonnes, en fait, insista-t-elle. Nous jouions beaucoup, toutes les deux, à New York. Si vous craignez que nous ne ralentissions le jeu...

— Oh, ce n'est pas ça, mademoiselle Bowman ! assura Arthur en s'empourprant.

Il lança un regard incertain à ses compagnons avant de reporter les yeux sur les jeunes filles.

— C'est juste que... des demoiselles comme vous... vous ne pouvez pas... Nous sommes des domestiques en service, mademoiselle.

— Vous faites une pause, là, n'est-ce pas? répliqua Lillian.

Le jeune garçon hocha la tête prudemment.

— Eh bien, nous aussi, nous faisons une pause. Et puis, ce n'est qu'un petit jeu de rounders. Laissez-nous jouer... Nous n'en dirons rien à personne!

— Propose-leur de leur montrer ton lancer courbe, lui glissa Daisy. Ou le déviant.

En voyant les visages sans expression des garçons, Lillian s'exécuta.

— Je sais lancer, assura-t-elle avec un haussement de sourcils significatif. Des balles rapides, des glissantes, des déviantes... Vous ne voulez pas voir comment on lance, en Amérique?

Ils étaient intrigués, de toute évidence. Arthur observa cependant avec méfiance :

— Mademoiselle Bowman, si quelqu'un vous voyait jouer au rounders ici, c'est nous qu'on blâmerait, et alors...

— Pas du tout, coupa Lillian. Je vous promets que si quelqu'un nous surprenait nous en prendrions la responsabilité. Je déclarerai que nous ne vous avons pas laissé le choix.

Le groupe paraissait encore sceptique, mais Lillian et Daisy continuèrent à plaider leur cause jusqu'à ce qu'ils les acceptent dans le jeu. S'emparant de la balle de cuir élimé, Lillian plia les bras, fit craquer ses phalanges, puis se plaça en position de lanceur. En face d'elle, sur la base appelée Castle Rock, se tenait le batteur. Quand elle lança la balle d'un geste sûr, ce dernier la manqua et elle atterrit avec un bruit sec dans la main du receveur. Quelques sifflets admiratifs saluèrent la performance de Lillian.

— Pas mal pour une fille! commenta Arthur, ce qui la fit sourire d'aise. Maintenant, mademoiselle, si ça vous ennuie pas, c'est quoi, cette balle déviante dont vous parliez?

Ayant attrapé la balle qu'on lui avait renvoyée, Lillian fit de nouveau face au batteur. Cette fois, elle la tenait uniquement entre le pouce et l'index et le majeur. Elle leva le bras, puis lança la balle avec un geste du poignet qui la fit tournoyer et brutalement changer de direction au moment où elle arrivait sur Castle Rock. Le batteur la manqua de nouveau, mais même lui s'exclama avec enthousiasme. Au coup suivant, il frappa enfin la balle, qu'il envoya sur le côté ouest du champ. Daisy n'attendait que cette occasion pour bondir. Elle lança la balle au joueur qui se tenait sur la troisième base, lequel vola littéralement dans les airs pour s'en saisir.

Il suffit de quelques minutes pour que, dans l'excitation du jeu, les participants perdent toute gêne et toute timidité. En riant et hurlant aussi fort que les palefreniers, Lillian avait l'impression de retrouver l'insouciante liberté de son enfance. Quel soulagement indescriptible d'oublier, ne serait-ce qu'un instant, les règles innombrables et étouffantes des convenances sous lesquelles elles ployaient depuis qu'elles avaient posé le pied en Angleterre ! Et la journée était tellement belle, avec ce soleil éclatant, beaucoup plus doux qu'à New York, et cet air frais et vivifiant.

— À vous d'être batteur, mademoiselle, proposa Arthur en levant la main pour qu'elle lui lance la balle. Voyons si vous frappez aussi bien que vous lancez !

— Ce n'est pas le cas, l'informa aussitôt Daisy, à quoi sa sœur répondit d'un geste qui provoqua chez les garçons un éclat de rire scandalisé.

Malheureusement, c'était la vérité. Si Lillian était un excellent lanceur, Daisy était infiniment plus douée qu'elle comme batteur, ce qu'elle ne manquait jamais de souligner avec ravissement. S'emparant de la batte comme s'il s'agissait d'un marteau, Lillian l'éleva au-dessus de l'épaule, étrécit les yeux lorsque la balle entama sa course, et frappa de toutes ses forces. Mais la balle se contenta de frôler le haut de sa batte et passa par-dessus la tête du receveur.

Avant que le garçon s'élance à sa poursuite, elle fut renvoyée au lanceur par une main inconnue. Lillian vit alors Arthur blêmir sous sa couronne de cheveux roux. Quant au receveur, il semblait avoir cessé de respirer. Perplexe, elle pivota sur ses talons.

Nonchalamment appuyé à la barrière de l'enclos se tenait Marcus, lord Westcliff, en personne.

3

Ravalant un juron, Lillian jeta à Westcliff un regard hostile. Il y répondit en arquant un sourcil ironique. Sous sa veste d'équitation en tweed, sa chemise ouverte révélait les lignes puissantes de son cou hâlé par le soleil. Lors de leurs rencontres précédentes, la tenue de Westcliff avait toujours été irréprochable. Aujourd'hui, en revanche, son épaisse chevelure brune était ébouriffée par le vent et une barbe naissante lui ombrait les joues. Curieusement, le voir ainsi fit courir un agréable frisson dans le dos de Lillian, alors même qu'une faiblesse étrange semblait lui couper les jambes.

En dépit de son aversion, Lillian devait reconnaître que Westcliff était un homme extrêmement séduisant. Même si ses traits étaient trop accusés, leur agencement conférait à son visage une poésie rude qui, en comparaison, rendait sans intérêt la beauté classique. Peu d'hommes possédaient une virilité aussi profondément enracinée, une force de caractère si écrasante qu'elle était impossible à ignorer. Non seulement l'autorité ne lui faisait pas peur, mais il était évident qu'il était incapable de jouer d'autre rôle que celui de meneur d'hommes. Pour Lillian, qui avait toujours été encline à jeter des œufs à la tête de l'autorité, Westcliff constituait une tentation irrésistible. Elle avait connu peu de moments aussi satisfaisants que lorsqu'elle avait réussi à le faire sortir de ses gonds.

Westcliff laissa son regard glisser de ses cheveux en désordre à son corps libre de tout corset, seins compris. Se demandant s'il allait lui passer un savon en public pour avoir osé jouer au rounders avec des garçons d'écurie, Lillian lui retourna son regard. Elle s'efforça de le rendre méprisant, mais ce n'était pas aisé quand la vue du corps athlétique de Westcliff suscitait en elle un nouveau et inexplicable frisson. Daisy avait raison : il aurait été difficile, voire impossible, de trouver un homme plus jeune capable de rivaliser, en termes d'énergie virile, avec Westcliff.

Sans cesser de soutenir le regard de Lillian, Westcliff quitta la barrière de l'enclos et s'approcha.

Lillian se raidit, mais ne bougea pas d'un pouce. Pour une femme, elle était grande, et Westcliff était loin de la dominer. Il avait néanmoins une dizaine de centimètres de plus qu'elle et, surtout, devait peser une trentaine de kilos de plus. Un frémissement la parcourut quand ses yeux plongèrent dans les siens, qui étaient d'un brun si foncé qu'ils paraissaient noirs.

Sa voix était grave, imperceptiblement rocailleuse sous les intonations veloutées.

— Vous devriez rentrer les coudes.

Lillian, qui s'était préparée à une critique, fut prise de court.

— Pardon ?

Le comte baissa les yeux sur la batte qu'elle avait à la main.

— Rentrez les coudes. Vous aurez plus de contrôle sur la batte si vous réduisez l'arc de cercle.

Lillian fronça les sourcils.

— Existe-t-il un sujet sur lequel vous n'êtes pas expert ?

50

Une lueur d'amusement s'alluma dans le regard sombre du comte. Il parut étudier la question avec soin.

— Je ne sais pas siffler, finit-il par avouer. Et je vise assez mal avec un trébuchet. En dehors de cela...

Il leva les mains en signe d'impuissance, comme s'il était incapable de songer à une autre activité dans laquelle il n'excellait pas.

— Qu'est-ce qu'un trébuchet ? s'enquit Lillian. Et qu'entendez-vous par « Je ne sais pas siffler » ? Tout le monde sait siffler.

Pinçant les lèvres, Westcliff forma un rond parfait et laissa échapper un souffle silencieux. Ils étaient si près l'un de l'autre que Lillian sentit son haleine tiède repousser quelques cheveux collés sur son front humide. La surprise la fit battre des paupières, et elle abaissa le regard sur sa bouche, puis dans l'entrebâillement de sa chemise.

— Vous voyez ? dit-il. Rien. J'essaye depuis des années.

Stupéfaite, elle songea à lui conseiller de souffler plus fort et de presser le bout de la langue contre les dents du bas... mais, pour quelque raison inconnue, il lui parut impossible d'adresser à Westcliff une phrase contenant le mot « langue ». Comme elle se contentait de le fixer, interdite, il la fit sursauter en la prenant par les épaules pour la faire doucement pivoter face à Arthur. Ce dernier se tenait à quelques mètres de là, la balle à la main, et regardait le comte avec un mélange de respect et de crainte.

De peur qu'il ne réprimande ses employés, Lillian déclara, mal à l'aise :

— Arthur et les autres... ce n'est pas leur faute... C'est moi qui leur ai demandé de nous laisser jouer...

— Je n'en doute pas. Vous ne leur avez probablement pas laissé une chance de refuser.

— Vous n'allez pas les punir ?

— Pour avoir joué au rounders durant leur pause ? Pas vraiment.

Westcliff enleva sa veste, qu'il jeta sur le sol, puis il se tourna vers le receveur.

— Jim, sois gentil, aide-moi à rattraper quelques balles.

— Oui, milord ! acquiesça le jeune garçon, qui se rua vers l'espace vide derrière les bases.

— Qu'est-ce que vous faites ? demanda Lillian comme Westcliff se plantait derrière elle.

— Je vais corriger votre manière de frapper, répondit-il d'une voix neutre. Levez la batte, mademoiselle Bowman.

Elle se retourna pour le regarder, sceptique, et il sourit, une lueur de défi dans les yeux.

— Voilà qui devrait être intéressant, marmonna-t-elle.

Tout en se mettant en position, elle jeta un coup d'œil à l'autre bout du terrain, où Daisy était devenue écarlate à force de contenir son envie de rire.

— Ma manière de frapper est excellente, grommela-t-elle, embarrassée de sentir le corps du comte juste derrière le sien.

Elle ouvrit de grands yeux quand il glissa les mains sur ses coudes pour les repousser l'un vers l'autre. Quand il se pencha à son oreille, ses nerfs parurent s'enflammer, et elle sentit une onde de chaleur se répandre sur son visage et son cou, ainsi que dans d'autres parties de son corps qui, pour autant qu'elle sache, n'avaient pas de nom.

— Écartez les pieds, lui conseilla Westcliff, et faites porter le poids de votre corps équitablement sur les deux. Bien. Maintenant, rapprochez les mains de votre corps. Comme la batte est un peu trop longue pour vous, il faut les remonter jusqu'au…

— Je préfère la tenir par la base.

— Elle est trop longue pour vous, insista-t-il, et c'est la raison pour laquelle vous ratez la balle…

— J'aime avoir une longue batte, riposta Lillian alors même qu'il lui positionnait les mains. En fait, plus elle est longue, mieux c'est.

L'un des garçons laissa échapper un ricanement, et elle lui jeta un regard suspicieux avant de faire face à Westcliff. Celui-ci affichait un visage impassible, mais une étincelle rieuse dansait dans ses prunelles.

— Qu'est-ce qu'il y a de drôle ?

— Je n'en ai aucune idée, assura-t-il avant de la faire de nouveau pivoter face au lanceur. Pensez à vos coudes. Voilà. Ensuite, ne laissez pas tourner vos poignets – gardez-les droits et faites un mouvement régulier… non, pas comme cela.

Elle resta interdite quand, glissant les bras autour d'elle, il posa ses mains sur les siennes et lui montra comment effectuer un lent arc de cercle. Il avait la bouche tout contre son oreille.

— Vous sentez la différence ? Essayez de nouveau… Cela vous paraît plus naturel ?

Le cœur de Lillian s'était mis à battre à un rythme accéléré et le sang fusa dans ses veines. Jamais elle n'avait été aussi gauche qu'en sentant la chaleur de cet homme dans son dos et ses cuisses solides contre ses jambes. Ses larges mains recouvraient presque complètement les siennes, et elle découvrit, surprise, qu'il avait les doigts un peu calleux.

— Encore une fois, lui suggéra-t-il.

Ses mains serrèrent celles de Lillian et, quand leurs bras se levèrent d'un même mouvement, elle eut conscience de la dureté d'acier de ses biceps. Soudain, elle se sentit bouleversée par sa présence, menacée d'une façon qui allait bien au-delà de son physique. Elle éprouva des difficultés à respirer, prit une courte inspiration, puis une autre, et se retrouva brusquement libre.

Westcliff avait reculé et il la regardait avec intensité, le front barré d'un pli. Il n'était pas aisé de distinguer ses iris sombres de ses pupilles, mais Lillian eut l'impression que celles-ci étaient dilatées, comme sous l'effet d'une drogue puissante. Il parut sur le point de lui demander quelque chose, puis se contenta d'un bref hochement de tête et lui fit signe de reprendre la position de batteur. Prenant la place du receveur, il s'accroupit et s'adressa à Arthur :

— Lances-en des faciles, pour commencer.

— Oui, milord ! répondit le garçon, qui sembla avoir perdu toute appréhension.

Quand la balle arriva sur elle, Lillian serra la batte avec force et, les yeux plissés, fit pivoter ses hanches pour donner plus d'élan à son geste. À son grand dégoût, elle rata complètement la balle, et se retourna pour gratifier Westcliff d'un regard significatif.

— Eh bien, on peut dire que votre conseil m'a aidée, grommela-t-elle, sarcastique.

— Les coudes, se contenta-t-il de lui rappeler avant de renvoyer la balle à Arthur. Essayez de nouveau.

Avec un soupir, Lillian leva la batte et fit une fois de plus face au lanceur.

Arthur rejeta le bras en arrière, puis plongea vers l'avant pour envoyer une balle rapide.

Avec un grognement d'effort, Lillian commença à esquisser un arc de cercle, et fut surprise de l'aisance inattendue avec laquelle elle réussit à trouver le bon angle. C'est avec un plaisir viscéral qu'elle sentit la batte frapper durement la balle de cuir. Celle-ci vola haut dans les airs, par-dessus la tête d'Arthur et hors de portée de ceux qui attendaient sur le terrain. Avec un hurlement de triomphe, Lillian lâcha la batte et s'élança vers la première base, la contourna, puis fila vers la deuxième. Du coin de l'œil, elle vit Daisy bondir à travers le terrain pour attraper la balle et, dans un geste presque simultané, la lancer au garçon le plus proche. Augmentant l'allure, les pieds volant sous ses jupes, Lillian contourna la troisième base alors qu'on jetait la balle à Arthur.

Incrédule, elle découvrit alors que Westcliff se tenait sur la dernière base, Castle Rock, les mains levées pour attraper la balle. Comment pouvait-il lui faire un coup pareil? Après lui avoir montré comment frapper la balle, il allait la mettre hors-jeu?

— Poussez-vous! lui cria-t-elle en fonçant vers la base, bien décidée à l'atteindre avant qu'il attrape la balle. Je ne vais pas m'arrêter!

— Oh, je vous arrêterai! assura-t-il avec un sourire. Envoie-la-moi, Arthur!

Elle lui passerait à travers le corps si besoin était! Poussant un cri de guerre, Lillian le heurta de plein fouet, le faisant trébucher à l'instant où ses doigts se refermaient sur la balle. Il aurait pu lutter pour conserver son équilibre, mais il choisit de n'en rien faire et s'écroula dans l'herbe. Lillian s'affala sur lui, dans un désordre de jupes et de membres.

Alors qu'un fin nuage de poussière les enveloppait, elle prit appui sur son torse pour se redresser et le fusiller du regard. Elle crut d'abord qu'il avait le souffle coupé, puis s'aperçut qu'il s'étranglait de rire.

— Vous avez triché! l'accusa-t-elle, ce qui n'eut pour effet que de le faire rire de plus belle. Vous n'êtes pas censé... vous tenir devant... la base... espèce de sale tricheur! haleta-t-elle en s'efforçant de recouvrer son souffle.

Toujours hoquetant, Westcliff lui présenta la balle avec le respect plein d'attention qu'on porte à une pièce de musée. Lillian s'en empara et la jeta sur le côté.

— Je n'étais *pas* hors-jeu, continua-t-elle en lui martelant la poitrine de l'index. J'étais *sauve*... vous m'entendez?

La voix amusée d'Arthur qui s'approchait lui parvint:

— En vérité, mademoiselle…

— On ne contredit jamais une dame, Arthur, coupa le comte, qui avait apparemment recouvré l'usage de la parole.

Le jeune garçon sourit jusqu'aux oreilles.

— Bien, milord.

— Parce qu'il y a des dames ici ? demanda joyeusement Daisy en les rejoignant. Je n'en vois aucune.

Toujours souriant, le comte regarda Lillian. Il avait les cheveux en bataille, et ses dents étincelaient dans son visage hâlé, strié de poussière. Son expression autoritaire envolée, son sourire avait quelque chose de si engageant que Lillian éprouva une curieuse sensation de fléchissement à l'intérieur d'elle-même. Elle sentit ses propres lèvres esquisser un sourire réticent, alors qu'une boucle, échappée de sa queue-de-cheval, glissait lentement le long de la mâchoire de Westcliff.

— Qu'est-ce qu'un trébuchet ? demanda-t-elle.

— Un genre de catapulte. J'ai un ami qui s'intéresse beaucoup aux armes du Moyen Âge. Il…

Westcliff hésita. Une tension nouvelle parut se répandre dans son corps.

— Il a récemment construit un trébuchet en s'inspirant de plans anciens… et il m'a enrôlé pour le manœuvrer…

Que Westcliff, si sérieux d'ordinaire, fût capable de s'adonner à de telles gamineries amusa beaucoup Lillian. Prenant soudain conscience de leur position, elle rougit et commença à se tortiller pour se relever.

— Et vous avez raté votre cible ? s'enquit-elle en s'efforçant de paraître désinvolte.

— C'est ce qu'a semblé penser le propriétaire du mur que nous avons démoli.

Il retint son souffle quand elle glissa sur le sol, et demeura assis alors même qu'elle était déjà debout.

Non sans se demander pourquoi il la dévisageait de cette manière étrange, Lillian commença à brosser ses jupes poussiéreuses du plat de la main. En pure perte. Sa robe était dégoûtante.

— Oh, Seigneur! murmura-t-elle en se tournant vers Daisy, qui était aussi sale, quoique moins qu'elle. Comment allons-nous expliquer l'état de nos robes?

— Je demanderai à l'une des femmes de chambre de les emporter discrètement à la lingerie avant que mère ne les voie. À propos… notre sieste est presque finie!

— Nous devons nous dépêcher, fit Lillian en jetant un coup d'œil par-dessus son épaule à lord Westcliff, qui avait remis sa veste et se tenait à présent derrière elle. Milord, si quelqu'un vous demande si vous nous avez vues… vous direz que non?

— Je ne mens jamais.

Lillian laissa échapper un soupir exaspéré.

— Pourriez-vous au moins vous abstenir de répandre *volontairement* cette information?

— Je suppose que je le peux.

— Comme vous êtes serviable! fit-elle d'un ton qui signifiait le contraire. Je vous remercie, milord. À présent, si vous voulez bien nous excuser, nous devons courir. Au sens propre.

— Suivez-moi, je vais vous montrer un raccourci, proposa-t-il. Je connais un chemin à travers le jardin qui conduit à l'entrée de service, à côté de la cuisine.

Les deux sœurs se consultèrent du regard, hochèrent la tête à l'unisson, et se précipitèrent à sa suite après avoir salué distraitement Arthur et ses amis d'un geste de la main.

Alors qu'il guidait les sœurs Bowman à travers le jardin, Marcus remarqua, non sans irritation, que

Lillian semblait physiquement incapable de le suivre et ne cessait de se retrouver devant lui. À la dérobée, il nota la manière dont elle marchait à grandes enjambées, contrairement à la plupart des femmes, qui imprimaient à leurs hanches un balancement étudié.

Il s'étonnait encore de la réaction qu'il avait eue lorsqu'il l'avait vue en train de jouer. Elle s'adonnait au jeu avec un plaisir si manifeste qu'il en était irrésistible, avec une énergie et un enthousiasme qui auraient pu rivaliser avec les siens. Il n'était pas du tout de bon ton pour une demoiselle de sa condition d'exhiber une telle robustesse de corps et d'esprit, les jeunes filles étant censées se montrer timides, fragiles et modestes. Mais Lillian était trop fascinante pour qu'il l'ignore. Et avant même de comprendre ce qui lui arrivait, il s'était joint au jeu.

La voir si rouge et excitée avait réveillé en lui quelques sensations qu'il aurait préféré ne pas ressentir. Lillian Bowman était plus jolie que dans son souvenir, et si amusante, dans son entêtement ombrageux, qu'il n'avait pu s'empêcher de la provoquer. Mais lorsqu'il s'était tenu derrière elle pour l'aider à ajuster sa frappe et qu'il avait senti son corps pressé contre le sien, il avait été saisi du désir primaire de l'entraîner à l'abri des regards, de lui relever ses jupes et...

Avec un grognement embarrassé, il s'obligea à chasser ces pensées et observa Lillian qui, une fois de plus, l'avait devancé. Elle était sale, les cheveux emmêlés... et pourtant, il ne parvenait pas à oublier ce qu'il avait éprouvé lorsque, allongé sur le sol, elle s'était retrouvée sur lui. Elle était légère en dépit de sa taille, car elle n'avait guère de courbes féminines. Ce n'était pas du tout son type de femme, mais il avait néanmoins été saisi du désir de refermer les mains autour d'elle et de presser ses hanches contre...

— Par ici, marmonna-t-il en la rattrapant.

Il leur fit emprunter un chemin bordé de sauges bleues, invisible de la maison car protégé par une haute haie, après quoi ils longèrent un vieux mur couvert de roses anciennes.

— Êtes-vous certain qu'il s'agit d'un raccourci ? demanda Lillian. Je crois que ç'aurait été beaucoup plus rapide par l'autre chemin.

Peu accoutumé à ce qu'on conteste ses décisions, Marcus lui jeta un regard froid comme elle arrivait à sa hauteur.

— Je sais me repérer sur mon propre domaine, mademoiselle Bowman.

— Ne faites pas attention à ma sœur, lord Westcliff, dit Daisy, derrière eux. Elle s'inquiète simplement de ce qui se passera si nous sommes surprises. Nous sommes censées faire la sieste, figurez-vous. Notre mère nous a enfermées dans notre chambre, mais...

— Daisy, coupa Lillian avec sévérité, cela n'intéresse nullement le comte.

— Au contraire, intervint Marcus. Je serais très intéressé d'apprendre comment vous vous êtes débrouillées pour sortir. Par la fenêtre ?

— Non, j'ai crocheté la serrure, répondit Lillian.

Après avoir stocké cette information dans un recoin de son cerveau, Marcus demanda d'un ton moqueur :

— C'est ce qu'on vous apprend dans les institutions pour jeunes filles de la bonne société ?

— Nous n'avons pas fréquenté ce genre d'établissements, répliqua Lillian. J'ai appris toute seule à crocheter les serrures. Il se trouve que, depuis l'enfance, je me suis retrouvée du mauvais côté de nombreuses portes fermées à clé.

— Quelle surprise !

— Je présume que vous n'avez jamais rien fait qui vous ait valu une punition.

— En fait, j'ai été souvent corrigé. Mais rarement enfermé à clef. Mon père considérait comme bien plus expéditif – et satisfaisant – de me rosser.

— Ce devait être une brute, commenta Lillian.

Daisy laissa échapper un son scandalisé.

— Lillian, on ne doit jamais dire du mal d'une personne décédée. Et je doute que le comte apprécie de t'entendre médire de son père.

— Pas du tout, c'était une brute, déclara Marcus avec une franchise comparable à celle de Lillian.

Ils avaient atteint une ouverture dans la haie, non loin du chemin pavé qui longeait le côté de la maison. Faisant signe aux filles de garder le silence, Marcus les entraîna jusqu'à l'abri précaire d'un grand genévrier, puis il leur désigna le côté gauche du chemin.

— L'entrée de la cuisine est juste là, murmurat-il. Quand nous y serons, nous prendrons l'escalier à droite jusqu'au premier étage et je vous indiquerai le couloir menant à votre chambre.

Les deux sœurs lui adressèrent un sourire ravi. Elles se ressemblaient énormément tout en étant très différentes. Daisy avait les joues plus rondes, et la joliesse désuète d'une poupée de porcelaine, qui contrastait de manière incongrue avec ses yeux bruns exotiques. Le visage de Lillian était plus mince, un peu félin, avec des yeux en amande et une bouche pulpeuse, sensuelle, dont la vue lui fit battre le cœur un peu plus vite.

Marcus avait toujours les yeux rivés sur sa bouche quand elle déclara :

— Je vous remercie, milord. Je suppose que nous pouvons compter sur votre silence ?

Marcus aurait-il été un autre homme, ou auraitil éprouvé la plus petite étincelle d'intérêt romantique pour l'une d'elles, qu'il aurait pu profiter de la situation pour se livrer à un chantage badin. Mais il se contenta de hocher la tête.

— Vous pouvez y compter, assura-t-il avec fermeté.

Après qu'il eut jeté un coup d'œil à droite et à gauche pour s'assurer que la voie était libre, tous les trois quittèrent la protection du genévrier. Malheureusement, alors qu'ils étaient à mi-chemin entre l'ouverture de la haie et l'entrée de la cuisine, un bruit de voix se fit entendre. On venait.

Daisy s'enfuit comme une biche effarouchée et atteignit la porte en une fraction de seconde. Lillian, elle, choisit l'option inverse et se précipita vers le genévrier. Pris de court, Marcus la suivit, juste au moment où un groupe de trois ou quatre personnes apparaissait au détour du chemin. Réfugié avec Lillian dans l'étroite cavité entre le genévrier et la haie, il se sentit plus que ridicule, à se cacher ainsi de ses invités. Il était chez lui, que diable! Tout bien réfléchi, cependant, il était tellement poussiéreux et échevelé qu'il valait mieux pour lui ne pas se montrer. Mais ses réflexions tournèrent court quand, s'accrochant à ses épaules, Lillian l'attira plus loin dans l'ombre. Tout contre elle…

Elle tremblait… de peur, crut-il tout d'abord. Stupéfait de se découvrir si protecteur, il l'entoura du bras. Il s'aperçut alors que c'était un rire silencieux qui la secouait. La situation l'égayait inexplicablement, au point qu'elle dut presser le visage contre son épaule pour étouffer des gloussements irrépressibles.

Baissant la tête pour la regarder, un sourire interrogateur aux lèvres, Marcus repoussa une mèche couleur chocolat qui lui barrait l'œil droit. Puis il scruta le chemin à travers une petite ouverture entre les branches aux feuilles acérées du genévrier. Quand il reconnut les arrivants, qui cheminaient lentement tout en discutant, il se pencha vers l'oreille de Lillian et murmura :

— Pas de bruit. C'est votre père.

Elle écarquilla les yeux et cessa de rire.

— Oh non ! souffla-t-elle en crispant les doigts sur sa veste. Ne le laissez pas me trouver ! Il le dirait à ma mère.

Marcus la rassura d'un hochement de tête, le bras toujours autour de sa taille, la bouche et le nez près de sa tempe.

— Ils ne nous verront pas. Dès qu'ils seront passés, je vous emmènerai jusqu'à la porte.

Elle demeura complètement immobile, les yeux fixés sur l'ouverture dans le genévrier, sans paraître se rendre compte qu'elle était plaquée contre le corps du comte de Westcliff, d'une manière que la plupart des gens auraient décrite comme une étreinte. À respirer ainsi près de son visage, Marcus finit par percevoir un effluve discrète, une senteur fleurie qu'il avait déjà vaguement remarquée sur le terrain de jeu. Inclinant la tête, il en trouva une trace plus concentrée sur sa gorge. Son sang s'échauffa et il en eut l'eau à la bouche. Soudain, il avait envie de caresser de la langue sa peau pâle, de lui arracher le devant de sa robe et de laisser ses lèvres la parcourir du cou aux orteils.

Resserrant le bras qui l'enlaçait, il exerça de sa main libre une pression douce mais ferme sur sa hanche pour l'attirer plus près. Elle avait la taille idéale. Il suffisait de peu pour que leurs deux corps s'ajustent parfaitement. Une vague brûlante courut dans ses veines. Il lui serait si facile de la prendre ainsi, il n'avait qu'à relever sa robe et lui écarter les jambes. Il la désirait de toutes les manières possibles, il la voulait sur lui, sous lui, en lui. Aucun corset ne l'empêchait de sentir la forme naturelle de son corps sous le fin tissu. Elle se raidit un peu quand il posa la bouche sur sa gorge, et inhala brusquement, surprise.

— Que... que faites-vous ? chuchota-t-elle, alors que les quatre hommes s'étaient arrêtés à quelques pas pour discuter avec animation.

Après s'être humecté les lèvres, Marcus releva la tête, et vit l'expression déconcertée de Lillian.

— Je suis désolé, souffla-t-il en s'efforçant de reprendre ses esprits. C'est cette odeur... Qu'est-ce que c'est ?

— Cette odeur ? répéta-t-elle, l'air désorienté. Vous parlez de mon parfum ?

Marcus fut distrait par la vue de sa bouche... de ses lèvres pleines, soyeuses, qui semblaient promettre d'indicibles douceurs. Sa fragrance intime lui emplit de nouveau les narines, vague après vague, provoquant un nouvel élan passionné de tous ses sens. Les muscles tendus à l'extrême, le cœur battant à tout rompre, il ne parvenait plus à se dominer qu'au prix d'un effort qui lui faisait trembler les mains. Fermant les yeux, il détourna le visage, pour aussitôt le presser contre sa gorge. Elle le repoussa légèrement tout en chuchotant avec force :

— Mais qu'est-ce qui vous prend ?

Marcus secoua la tête avec impuissance.

— Je suis désolé, dit-il d'une voix rauque tout en sachant parfaitement ce qu'il s'apprêtait à faire. Mon Dieu. Désolé...

Il couvrit sa bouche de la sienne et commença à l'embrasser comme si sa vie en dépendait.

4

C'était la première fois qu'un homme embrassait Lillian sans lui demander la permission. Elle se débattit et essaya de se dégager, mais Westcliff la retint plus étroitement contre lui. Il sentait la poussière, le cheval et le soleil... et aussi quelque chose d'autre... Une fragrance douce et sèche qui lui rappelait le foin fraîchement coupé. Il accentua la pression de sa bouche, l'incitant à entrouvrir les lèvres. Elle n'avait jamais imaginé qu'un baiser puisse être cette caresse profonde, tendrement impatiente, qui la privait de toute force. Elle ferma les yeux et se laissa aller contre le torse dur de Westcliff. Tirant aussitôt parti de sa faiblesse, il moula son corps contre le sien avant de glisser une cuisse puissante entre ses jambes.

De la pointe de la langue, il entreprit d'explorer sa bouche. Choquée par cette intrusion intime, Lillian tenta de reculer, mais, d'une main posée sur la nuque, il la retint. Elle ne savait que faire de sa langue qu'il cherchait, caressait, titillait, jusqu'à ce qu'un gémissement lui monte dans la gorge et qu'elle le repousse frénétiquement.

Il lui lâcha les lèvres. Consciente de la présence de son père et de ses compagnons de l'autre côté du genévrier, Lillian lutta pour contrôler sa respiration. Les quatre hommes se remirent enfin en marche sans avoir rien soupçonné et, soulagée, elle laissa échapper un soupir tremblant. Le cœur battant la chamade, elle sentit la bouche de Westcliff glisser le long de son cou, laissant une trace brûlante dans son sillage. Comme elle se tortillait pour se dégager, une impression de chaleur naquit à l'endroit où son corps frottait contre la cuisse qui la retenait prisonnière.

— Milord, êtes-vous devenu fou ? murmura-t-elle.

— Oui. Oui, haleta-t-il.

Il captura de nouveau sa bouche, lui vola un autre baiser.

— Donnez-moi votre bouche… votre langue… souffla-t-il. Oui ! C'est si doux… si doux…

Ses lèvres se mouvaient sans répit sur les siennes, chaudes, sensuelles, et elle sentait sa barbe naissante lui chatouiller le menton.

— Milord, chuchota-t-elle de nouveau en s'arrachant à lui. Pour l'amour du ciel… lâchez-moi !

— Oui… Je suis désolé… Encore un… un seul…

Quand il chercha de nouveau ses lèvres, elle le repoussa aussi fort qu'elle put. Sa poitrine était aussi dure que du granite.

— Laissez-moi, espèce de malotru !

D'une torsion désespérée, Lillian réussit à se libérer de son étreinte. Cette délicieuse friction de leurs deux corps avait fait naître des picotements dans le sien, qui perduraient alors même qu'ils ne se touchaient plus.

Tandis qu'ils se dévisageaient, elle vit se dissiper dans le regard du comte la fièvre du désir, et ses yeux sombres s'agrandirent comme il prenait conscience de ce qui venait de se passer.

— Enfer et damnation, murmura-t-il.

Lillian n'apprécia pas la manière dont il la regardait : on aurait dit qu'il se trouvait devant la tête fatale de Méduse. Elle le foudroya du regard.

— Je peux retrouver le chemin de ma chambre toute seule, déclara-t-elle sèchement. Et n'essayez pas de me suivre. Vous m'avez assez aidée pour la journée !

Tournant les talons, elle s'élança vers l'allée tandis qu'il la suivait des yeux, bouche bée.

Par miracle, Lillian réussit à rejoindre sa chambre avant que sa mère apparaisse. Elle s'y glissa discrètement, et commença à déboutonner sa robe en toute hâte. Daisy, qui était déjà en sous-vêtements, gagna la porte et inséra une épingle recourbée dans la serrure.

— Pourquoi as-tu mis aussi longtemps ? s'enquit-elle. J'espère que tu ne m'en veux pas de ne pas t'avoir attendue. Je voulais revenir aussi vite que possible pour me rafraîchir un peu.

— Non, répondit distraitement Lillian en se débarrassant de sa robe sale.

Elle la jeta au fond de l'armoire, dont elle referma la porte. Un déclic lui indiqua que sa sœur avait réussi à refermer la porte à clé. Rapidement, elle s'installa devant la table de toilette, jeta l'eau souillée dans le seau rangé dessous, puis versa de l'eau propre dans la cuvette. Après s'être lavé le visage et les bras, elle s'essuya avec une serviette.

Le bruit d'une clef qu'on insère dans la serrure leur fit échanger un regard alarmé. Elles se ruèrent vers leurs lits respectifs sur la pointe des pieds et s'y jetèrent à plat ventre une fraction de seconde avant que leur mère pénètre dans la chambre. Dieu merci, les rideaux étant tirés, il n'y avait pas assez de clarté pour que cette dernière distingue quoi que ce soit d'anormal.

— Jeunes filles ? Il est temps de vous réveiller.

Daisy s'étira et bâilla bruyamment.

— Mmm... Nous avons fait une bonne sieste. Je me sens vraiment reposée.

— Moi aussi, assura Lillian, la tête enfouie dans l'oreiller, le cœur battant à tout rompre.

— Je vais sonner les servantes pour qu'elles préparent les bains, annonça Mme Bowman. Daisy, tu porteras ta robe en soie jaune. Lillian, tu mettras la verte, avec les broches dorées sur les épaules.

— Bien, mère.

Dès que Mercedes eut quitté la pièce, Daisy se redressa et observa sa sœur avec curiosité.

— Pourquoi as-tu mis aussi longtemps à revenir ?

Lillian roula sur le dos et, les yeux au plafond, se remémora ce qui s'était passé dans le jardin. Elle avait du mal à croire que Westcliff, qui s'était toujours montré si ouvertement désapprobateur à son égard, ait pu se conduire d'une telle façon. Ça n'avait aucun sens. Le comte n'avait jamais montré la plus petite inclination pour elle auparavant. En fait, c'était bien la première fois qu'ils avaient réussi à se montrer polis l'un envers l'autre.

— Westcliff et moi avons été obligés de rester dissimulés quelques minutes, s'entendit-elle répondre, alors que ses pensés continuaient à tournoyer dans son esprit. Père faisait partie du groupe qui arrivait sur le chemin.

— Oh, Seigneur ! s'exclama Daisy avec une grimace horrifiée. Il ne t'a pas vue ?

— Non.

— Ouf ! C'était plutôt chic de la part de lord Westcliff de ne pas nous dénoncer, tu ne trouves pas ? ajouta-t-elle, les sourcils légèrement froncés, comme si elle soupçonnait que tout n'avait pas été dit.

— En effet.

Daisy sourit soudain.

— Je n'ai jamais rien vu de plus drôle que lorsqu'il t'a montré comment frapper avec la batte. J'étais persuadée que tu allais lui en flanquer un coup.

— J'ai été tentée, répliqua sombrement Lillian en se levant pour aller tirer les rideaux.

Quand elle repoussa les lourdes tentures damassées, le soleil éclaboussa la pièce, de minuscules grains de poussière dansant dans ses rayons d'or.

— Westcliff cherche le moindre prétexte pour faire étalage de sa supériorité, ajouta-t-elle.

— Tu crois ? J'ai plutôt eu l'impression qu'il cherchait un prétexte pour mettre les bras autour de toi.

Interloquée, Lillian la regarda en plissant les yeux.

— Qu'est-ce qui te fait dire une chose pareille ?

Daisy haussa les épaules.

— Quelque chose dans la manière dont il te regardait…

— Quelle manière ? insista Lillian, en proie à un début de panique.

— Eh bien… d'une manière *intéressée*.

Dissimulant son émoi par un froncement de sourcils, elle riposta :

— Le comte et moi nous méprisons mutuellement. La seule chose qui l'intéresse, c'est de décrocher un contrat avec père.

Elle s'approcha de la coiffeuse sur laquelle sa fiole de parfum étincelait dans la lumière radieuse de l'après-midi. Refermant les doigts autour du flacon de cristal, elle le souleva et en caressa le bouchon du pouce d'un geste machinal.

— Cependant, reprit-elle avec hésitation, il y a quelque chose que je dois te dire. Quelque chose qui s'est passé pendant que Westcliff et moi attendions derrière le genévrier…

— Oui ? murmura Daisy, tout ouïe.

Malheureusement, leur mère choisit cet instant pour revenir dans la chambre, suivie de deux servantes qui traînaient une baignoire sabot. En présence de leur mère, impossible pour Lillian de se confier à Daisy. Ce qui était sans doute une bonne chose, car cela lui donnait le temps de réfléchir à la situation. Tout en glissant la fiole dans le réticule qu'elle avait l'intention d'emporter pour la soirée, elle se demanda si Westcliff avait vraiment été influencé par son parfum. *Quelque chose* était survenu pour qu'il agisse d'aussi étrange façon. Et, à en juger par son expression quand il s'était rendu compte de sa conduite, il avait été choqué par son propre comportement.

Le mieux à faire était donc de tester ce parfum. Lillian esquissa un sourire ironique en songeant à ses amies, qui se porteraient probablement volontaires pour l'aider à tenter une expérience ou deux.

Il y avait à peu près un an que les « laissées-pour-compte » étaient devenues amies, après avoir passé des soirées entières à faire tapisserie. Rétrospectivement, Lillian s'étonnait qu'il leur ait fallu si longtemps pour se parler. L'une des raisons était peut-être qu'Annabelle était trop jolie, avec ses cheveux couleur de miel sombre, ses admirables yeux bleus et ses courbes parfaites. On imaginait mal qu'une telle déesse puisse condescendre à être amie avec de simples mortelles. D'un autre côté, Evangeline Jenner était d'une timidité consternante et affligée d'un bégaiement qui rendait la conversation avec elle très difficile.

Toutefois, quand il était devenu évident qu'aucune d'entre elles n'échapperait à sa condition toute seule, elles s'étaient alliées pour s'aider l'une l'autre à trouver un mari, à commencer par Annabelle. En associant leurs efforts, elles y étaient parvenues, même si Simon Hunt n'était pas l'aristocrate sur qui elles avaient jeté leur dévolu à l'origine. Lillian devait admettre qu'en dépit de ses réticences initiales, Annabelle avait fait le bon choix en épousant Hunt. À présent, c'était à son tour à elle, puisqu'elle était la plus âgée des laissées-pour-compte qui restaient.

Les deux sœurs prirent un bain et se lavèrent les cheveux. Puis elles s'habillèrent avec l'aide d'une femme de chambre. Suivant les instructions de leur mère, Lillian enfila une robe de soie bleu-vert ornée de broches dorées aux épaules. Le corset honni avait réduit son tour de taille de cinq centimètres, tandis qu'un léger renfort faisait pigeonner ses seins.

S'asseyant devant la coiffeuse, elle abandonna sa chevelure aux mains de la domestique, non sans grimaces et tressaillements quand celle-ci brossa ses boucles emmêlées, puis les rassembla en un chignon élaboré qu'elle fixa à l'aide d'une multitude d'épingles. Daisy, de son côté, subit une épreuve identique, à la différence près que sa robe était jaune pâle et ornée de volants.

Leur mère allait de l'une à l'autre en débitant un flot de recommandations ininterrompu.

— Souvenez-vous que les gentlemen anglais n'aiment pas qu'une jeune fille parle trop, et que votre opinion ne les intéresse pas. Je veux donc que vous vous montriez aussi réservées que possible. Et ne faites aucune allusion à aucun sport ! Un gentleman peut paraître trouver amusant que vous parliez de rounders ou d'autres jeux de plein air, mais, en lui-même, il éprouvera du dédain pour une fille qui discute de sujets masculins… Et si jamais un gentleman vous pose une question sur vous, trouvez un moyen de la lui retourner afin qu'il ait l'occasion de vous parler de sa propre expérience…

— Encore une soirée excitante à Stony Cross Manor, maugréa Lillian.

Daisy dut l'entendre, car un gloussement étouffé lui échappa.

— Quel est ce bruit ? s'enquit Mercedes d'un ton courroucé. Daisy, tu fais attention à ce que je dis ?

— Oui, mère. Je n'arrivais plus à respirer tout à coup. Je crois que mon corset est trop serré.

— Dans ce cas ne respire pas si profondément.

— On ne peut pas le délacer un peu ?

— Non. Les gentlemen anglais préfèrent les tailles très fines. À présent, où en étais-je… Ah oui !

Pendant le dîner, s'il y a un blanc dans la conversation...

N'écoutant que d'une oreille distraite ces conseils qui seraient certainement répétés, sous différentes formes, durant tout leur séjour, Lillian observa son reflet dans le miroir. Elle était agitée à la perspective de se retrouver face à Westcliff ce soir. La vision de son visage sombre s'abaissant vers le sien surgit soudain dans son esprit, et elle ferma les yeux.

— Désolée, mademoiselle, murmura la domestique, croyant avoir épinglé une boucle trop serrée.

— Tout va bien, assura Lillian avec un sourire contrit. Vous pouvez tirer... j'ai la tête dure.

— C'est un euphémisme! lança Daisy depuis l'autre bout de la chambre.

Pendant que la femme de chambre continuait à tordre et à épingler ses cheveux, Lillian songea de nouveau à Westcliff. Essaierait-il de prétendre que le baiser derrière le genévrier n'avait jamais eu lieu? Ou déciderait-il d'en parler avec elle? Par avance mortifiée, elle se rendit compte qu'il lui fallait en discuter avec Annabelle, qui en savait beaucoup plus sur Westcliff depuis son mariage avec le meilleur ami de celui-ci, Simon Hunt.

À l'instant où on plantait la dernière épingle dans sa coiffure, quelqu'un frappa à la porte. Daisy, qui était en train d'enfiler ses longs gants blancs, se précipita pour l'ouvrir. Ce qui lui valut une remontrance de sa mère, qui considérait que c'était à l'une des deux domestiques de s'en charger.

Laissant échapper une exclamation ravie à la vue d'Annabelle Hunt, Daisy l'étreignit. Lillian quitta son tabouret précipitamment pour venir l'embrasser à son tour. Quelques jours s'étaient écoulés depuis qu'elles s'étaient vues au *Rutledge*, l'hôtel londonien où les deux familles résidaient. Bientôt, les Hunt emménageraient dans la maison qu'ils se faisaient construire dans le quartier de Mayfair, en attendant, elles se rendaient visite dans leurs appartements respectifs à la moindre occasion. Mercedes tentait d'émettre une objection de temps à autre, arguant de la mauvaise influence qu'Annabelle avait sur ses filles – assertion amusante, car il était évident que c'était le contraire.

Comme à son habitude, Annabelle était ravissante, moulée dans une robe de satin bleu pâle dont le corsage était fermé par des rubans de soie assortis. La couleur de sa robe intensifiait le bleu magnifique de ses prunelles et flattait son teint crémeux.

Elle s'écarta pour contempler les deux sœurs, les yeux brillants.

— Comment s'est passé votre voyage ? Vous est-il déjà arrivé quelque aventure ? Non, impossible, il n'y a pas vingt-quatre heures que vous êtes ici…

— Et pourtant, murmura Lillian pour ne pas être entendue de sa mère. Il faut que je te parle de quelque chose…

— Jeunes filles ! s'écria Mercedes d'une voix stridente. Vous n'avez pas fini de vous préparer.

— Je suis prête, mère ! déclara Daisy promptement. Regardez… j'ai même enfilé mes gants.

— Il me reste simplement à prendre mon réticule, ajouta Lillian, qui se précipita vers la coiffeuse pour s'emparer dudit réticule. Voilà ! Je suis prête.

Tout à fait consciente de l'antipathie de Mercedes, Annabelle lui adressa un sourire affable.

— Bonsoir, madame Bowman. J'espérais que Lillian et Daisy auraient l'autorisation de descendre avec moi.

— Je crains fort qu'elles n'aient à attendre que je sois prête, répondit Mercedes d'un ton glacial. Mes filles ont besoin d'être accompagnées d'un chaperon convenable.

— Annabelle sera notre chaperon, suggéra Lillian avec gaieté. Vous savez, c'est une femme mariée respectable, à présent.

— J'ai dit un chaperon *convenable*, et…

Mais ses protestations furent interrompues abruptement quand ses filles quittèrent la pièce en refermant la porte derrière elles.

— Mon Dieu, c'est bien la première fois qu'on me traite de «femme mariée respectable»! s'exclama Annabelle en riant. Ça me fait passer pour ennuyeuse, non?

— Si tu étais ennuyeuse, répliqua Lillian en glissant le bras sous le sien, mère t'apprécierait…

— … et nous, pas du tout, ajouta Daisy.

— Il n'empêche, reprit Annabelle avec un sourire, que s'il me faut jouer les chaperons, je dois établir quelques règles de conduite. Tout d'abord, si un beau et jeune gentleman vous propose une promenade seul à seule dans le jardin…

— Nous devons refuser? demanda Daisy.

— Non, mais ne manquez pas de me prévenir afin que je puisse vous couvrir. Et si jamais vous surprenez un commérage scandaleux tout à fait inconvenant pour vos chastes oreilles…

— Nous devons l'ignorer?

— Non, vous devez en écouter *chaque mot* et venir me les répéter immédiatement.

Lillian sourit et s'arrêta à l'intersection de deux couloirs.

— Et si on essayait de trouver Evangeline? Ce ne sera pas une réunion officielle des laissées-pour-compte si elle n'est pas présente.

— Evangeline est déjà en bas, avec sa tante Florence.

En apprenant cette nouvelle, les deux sœurs s'exclamèrent à l'unisson:

— Comment va-t-elle? Est-ce qu'elle a l'air bien? Cela fait une éternité que nous ne l'avons vue!

— Elle a l'air d'aller plutôt bien, répondit Annabelle, même si elle a un peu minci. Elle est un peu abattue, peut-être.

— Qui ne le serait, vu la manière dont on la traite ? commenta Lillian.

Étant quasiment retenue prisonnière par sa famille maternelle, elles n'avaient pas vu Evangeline depuis plusieurs semaines. Celle-ci était fréquemment enfermée, en punition de fautes vénielles, et ne sortait que sous la stricte surveillance de sa tante. Selon ses amies, vivre avec des parents aussi durs et peu affectueux n'avait pas peu contribué à ses difficultés d'élocution. Ironiquement, elle était celle des laissées-pour-compte qui méritait le moins une telle sévérité, car elle était par nature timide et respectueuse de l'autorité. D'après ce qu'elles avaient glané, la mère d'Evangeline avait été la rebelle de la famille. Après avoir épousé un homme d'une condition bien inférieure à la sienne, elle était morte en couches, et c'était à sa fille qu'on faisait payer ses transgressions. Son père, qu'elle avait rarement l'occasion de voir, était en mauvaise santé et n'avait sans doute pas longtemps à vivre.

— Pauvre Evangeline, reprit tristement Lillian, je serais bien tentée de lui céder mon tour pour la recherche d'un mari. Elle a plus besoin que moi d'échapper à sa famille.

— Elle n'est pas encore prête, déclara Annabelle avec une assurance qui montrait qu'elle avait réfléchi à la question. Elle s'efforce de surmonter sa timidité, mais, jusqu'à présent, elle n'a pas encore réussi à avoir ne serait-ce qu'une conversation avec un gentleman. En outre…

Les yeux pétillants de malice, elle glissa le bras autour de la taille mince de Lillian.

— Tu es trop vieille pour remettre à plus tard, ma chérie.

Elle s'esclaffa quand Lillian fit mine de la foudroyer du regard.

— Au fait, que voulais-tu me dire ? s'enquit Annabelle.

— Attendons d'avoir rejoint Evangeline, sinon je devrai tout répéter.

Elles traversèrent une enfilade de salons dans lesquels les invités discutaient par petits groupes. La couleur étant à la mode cette année, du moins pour les tenues féminines, on avait l'impression d'un rassemblement de papillons. Les hommes, eux, portaient l'habit noir et la chemise blanche traditionnels, la seule variante tenant au choix de la cravate et du gilet.

— Où est M. Hunt ? demanda Lillian.

À l'évocation de son mari, Annabelle esquissa un sourire.

— Je le soupçonne de s'être retiré avec le comte et quelques-uns de leurs amis, répondit-elle, avant de s'exclamer : Voilà Evangeline ! Et sa tante ne monte pas la garde à ses côtés, apparemment.

Seule, fixant d'un regard absent une nature morte dans un cadre doré, Evangeline semblait perdue dans ses pensées. Sa posture même disait à quel point elle se sentait exclue de la compagnie, et ne souhaitait pas en faire partie. Bien que personne ne paraisse la regarder assez longtemps pour s'en rendre compte, Evangeline était belle – peut être même plus qu'Annabelle –, mais d'une manière fort peu conventionnelle. Elle avait les cheveux roux et des taches de rousseur, de grands yeux bleus, et une bouche en cœur complètement passée de mode. Sa silhouette aux courbes sculpturales était à couper le souffle, hélas, les robes d'une modestie excessive qu'on l'obligeait à porter ne lui rendaient guère justice ! Elle se tenait, en outre, légèrement voûtée, ce qui ne mettait pas ses atouts en valeur.

S'approchant d'elle sur la pointe des pieds, Lillian la fit sursauter quand elle saisit sa main gantée pour l'entraîner à sa suite.

— Viens, chuchota-t-elle.

Le regard d'Evangeline s'éclaira à sa vue. Elle hésita pourtant à lui emboîter le pas et lança un coup d'œil incertain en direction de sa tante, qui discutait avec d'autres douairières. Une fois assurées que cette dernière était trop absorbée par sa conversation pour s'apercevoir de quoi que ce soit, les quatre filles se glissèrent hors du salon, puis s'élancèrent dans le couloir telles des prisonnières venant de s'évader.

— Où allons-nous ? murmura Evangeline.

— Sur la grande terrasse, répondit Annabelle.

Parvenues à l'arrière de la maison, elles franchirent l'une des portes-fenêtres qui ouvraient sur la terrasse. Celle-ci courait sur toute la longueur de la façade et dominait les jardins en contrebas. Le paysage environnant ressemblait à un tableau, avec ses vergers, ses allées parfaitement entretenues et ses parterres de fleurs rares qui s'étendaient jusqu'à la forêt.

Lillian se tourna vers Evangeline et la serra entre ses bras.

— Tu m'as tellement manqué ! Si tu savais tous les plans de sauvetage irréalisables que nous avons élaborés pour te soustraire à ta famille ! Pourquoi refusent-ils que nous te rendions visite ?

— Ils me mép... méprisent, répondit Evangeline d'une voix étouffée. Je... je ne m'étais jam... jamais rendu compte à quel point jus... jusqu'à récemment. Ça a commencé quand j'ai essayé de voir mon père. Après m'avoir... rattrapée, ils m'ont enfermée dans ma chambre pendant des jours, avec à peine de qu... quoi boire et manger. Ils m'ont dit que j'étais ingrate et désobéissante, et que c'était le sang mauvais qui finissait par ressortir. Pour eux, je ne suis qu'une ho... horrible erreur que ma mère a commise. Tante Florence prétend que c'est ma faute si elle est morte.

— Elle t'a dit ça ? s'écria Lillian, choquée. En ces termes ?

Evangeline hocha la tête.

Lillian laissa échapper quelques jurons qui firent blêmir Evangeline. L'un des talents les plus contestables de Lillian était son aptitude à jurer comme un marin, aptitude acquise auprès de sa grand-mère qui avait été lavandière sur les docks.

— Je sais que... que ce n'est pas vrai, murmura Evangeline. Je veux dire, ma m... mère est effectivement morte en couches, mais je sais que ce n'était pas ma faute.

Passant le bras autour de la taille d'Evangeline, Lillian l'entraîna vers une table proche. Annabelle et Daisy les suivirent.

— Evangeline, que pouvons-nous faire pour t'arracher à ces gens?

La jeune fille eut un haussement d'épaules impuissant.

— Mon père est tel... tellement malade... Je lui ai demandé si je pouvais vivre avec lui, mais il refuse. Et il est trop faible pour emp... empêcher la famille de ma mère de venir me reprendre.

Les quatre filles demeurèrent silencieuses un long moment. La triste réalité, c'était que même si Evangeline était en âge de quitter sa famille, la situation d'une femme non mariée était des plus précaires. De plus, elle n'hériterait qu'à la mort de son père et, entre-temps, elle n'avait aucun moyen de subsistance.

— Tu peux venir vivre avec mon mari et moi au *Rutledge*, dit soudain Annabelle avec une calme détermination. Simon ne laissera personne t'emmener contre ton gré. C'est un homme puissant et...

Mais Evangeline secoua la tête avant même qu'elle ait achevé sa phrase.

— Non. Je ne te ferais jam... jamais une chose pareille. Ce serait une trop lourde charge... Oh, *jamais*. Et tu te rends compte, j'en suis sûre, à quel point cela pa... paraîtrait bizarre. Les choses qu'on dirait...

Elle secoua de nouveau la tête, avant d'ajouter :

— J'ai réfléchi à quelque chose... Ma tante Florence me verrait bien ép... épouser son fils. Mon cousin Eustace. Ce n'est pas un méchant homme... et cela me permettrait de quitter la maison...

Annabelle fronça le nez.

— Hmm... Je sais que cela se fait encore, ces mariages entre cousins germains, mais cela semble un peu incestueux, non ? Ce genre d'union consanguine... *Beurk !*

— Une minute, fit Daisy d'un ton suspicieux en se rapprochant de Lillian. Nous l'avons déjà rencontré, le cousin Eustace d'Evangeline. Lillian, tu te souviens du bal chez les Winterbourne ?

Elle plissa les yeux avant de continuer d'un ton accusateur :

— C'est lui qui a cassé la chaise, n'est-ce pas, Evangeline ?

Celle-ci émit un murmure inarticulé en guise de réponse.

— Seigneur Dieu ! s'exclama Lillian. Tu n'envisages *pas* de l'épouser, Evangeline !

— Comment a-t-il cassé cette chaise ? voulut savoir Annabelle. Est-ce qu'il a un caractère emporté ? Il l'a jetée par terre ?

— Il l'a cassée en *s'asseyant* dessus, répondit Lillian avec une grimace.

— Mon cousin Eustace est plutôt rob... robuste, admit Evangeline.

— Ton cousin Eustace a plus de mentons que je n'ai de doigts, rectifia Lillian avec impatience. Et il était si occupé à se goinfrer pendant le bal qu'il n'avait pas le temps de faire la conversation.

— Quand je lui ai serré la main, renchérit Daisy, je me suis retrouvée avec une aile de poulet à moitié mangée.

— Il avait oublié qu'il la te... tenait, argua Evangeline d'un ton d'excuse. Pour autant que je me souvienne, il a… dit qu'il était désolé d'avoir sali ton gant.

Daisy fronça les sourcils.

— Cela me tracassait beaucoup moins que de savoir où il cachait le reste du poulet.

Evangeline lui ayant jeté un regard implorant, Annabelle entreprit de calmer l'agitation grandissante des deux sœurs.

— Nous n'avons pas beaucoup de temps, dit-elle. Nous parlerons du cousin Eustace plus tard. En attendant, Lillian, ma chérie, tu n'avais pas quelque chose à nous dire ?

La tactique de diversion fut un succès. Se laissant fléchir par la détresse manifeste d'Evangeline, Lillian abandonna le sujet d'Eustace et leur fit signe de s'asseoir autour de la table.

— Tout a commencé dans une parfumerie à Londres…

Interrompue de temps à autre par sa sœur, Lillian entreprit de décrire sa visite dans la boutique de M. Nettle, le parfum qu'elle lui avait demandé de lui préparer, et les prétendus pouvoirs magiques de ce dernier.

— Intéressant, commenta Annabelle avec un sourire sceptique. Tu l'as sur toi en ce moment ? Laisse-moi le sentir.

— Tout à l'heure. Je n'ai pas terminé mon histoire.

Lillian sortit la fiole de parfum de son réticule et la posa au centre de la table, où elle brilla doucement à la lueur diffuse des torches.

— Je dois vous raconter ce qui s'est passé aujourd'hui.

Elle relata alors la partie impromptue de rounders derrière les écuries et l'arrivée inattendue de Westcliff. Annabelle et Evangeline écarquillèrent les yeux avec incrédulité quand elle leur raconta que le comte avait bel et bien pris part au jeu.

— Je ne suis pas surprise que lord Westcliff aime le rounders, admit Annabelle. C'est un mordu de sports de plein air. Mais qu'il ait voulu jouer avec toi...

Lillian sourit jusqu'aux oreilles.

— Manifestement, son irrésistible besoin de me montrer à quel point je faisais tout de travers a eu raison de son aversion à mon égard. Il a commencé par m'expliquer comment corriger ma manière de frapper, et puis il...

Son sourire s'effaça et, embarrassée, elle sentit qu'elle rougissait.

— Et puis, il a mis les bras autour de toi, lâcha Daisy dans le silence avide qui s'était abattu autour de la table.

— Il a *quoi* ? s'exclama Annabelle, l'air abasourdi.

— Juste pour me montrer comment tenir correctement la batte. Quoi qu'il en soit, ce qui s'est passé durant le jeu n'a pas d'importance... C'est *après* que la surprise est survenue. Westcliff nous montrait un raccourci pour regagner le manoir lorsque père et trois de ses amis sont arrivés sur le chemin. Daisy a eu le temps de se ruer dans la maison, mais le comte et moi avons été obligés de battre en retraite derrière le genévrier. Et là...

Ses trois amies se penchèrent vers elle, fascinées.

— Que s'est-il passé ? demanda Annabelle.

Lillian sentit le bout de ses oreilles devenir brûlant, et les mots qui suivirent lui demandèrent un effort surprenant pour franchir ses lèvres.

— Il m'a embrassée, murmura-t-elle, les yeux fixés sur le flacon de parfum.

— Dieu tout-puissant ! s'exclama Annabelle, tandis qu'Evangeline arrondissait les yeux.

— Je le savais ! s'écria Daisy. Je le savais !

— Comment pouvais-tu... commença à protester Lillian, qui fut aussitôt interrompue par Annabelle.

— Une fois ? Plus d'une fois ?

Se remémorant la succession de baisers passionnés, Lillian s'empourpra davantage.

— Plus d'une fois, admit-elle.

— C'était com… comment ? demanda Evangeline.

Pas un instant Lillian n'avait envisagé que ses amies exigeraient un rapport sur les prouesses de lord Westcliff. Agacée par la rougeur persistante de son visage, elle chercha désespérément un moyen de calmer leur excitation. L'espace d'un instant, tout lui revint avec une acuité étonnante : la dureté du corps de Westcliff… la chaleur de sa bouche fureteuse… Un feu liquide naquit au creux de son ventre et, soudain, elle ne put se résoudre à admettre la vérité.

— Horrible, prétendit-elle. Je n'ai jamais rencontré quelqu'un qui embrasse aussi mal que Westcliff.

— Oooh… murmurèrent Daisy et Evangeline, visiblement déçues.

Annabelle, cependant, adressa à Lillian un regard franchement dubitatif.

— C'est curieux. J'ai entendu un certain nombre de rumeurs selon lesquelles Westcliff s'entendait très bien à donner du plaisir à une femme.

Lillian répondit par un vague grognement.

— En fait, poursuivit Annabelle, il y a à peine une semaine, je jouais aux cartes et l'une des femmes à ma table a déclaré que Westcliff était si fantastique au lit qu'il a ruiné ses chances de retrouver un amant comme lui.

— Qui parlait ainsi ? voulut savoir Lillian.

— Je ne peux pas te le dire. Cette déclaration a été faite en confidence.

— Je n'y crois pas, répliqua Lillian avec mauvaise humeur. Même dans les cercles que tu fréquentes, personne ne serait hardi au point de parler de telles choses en public.

— Permets-moi de ne pas être d'accord, répliqua Annabelle en lui jetant un regard vaguement supérieur. Les femmes mariées ont le privilège d'entendre des commérages bien plus intéressants que les célibataires.

— Sapristi! s'écria Daisy, envieuse.

Un nouveau silence s'abattit tandis que le regard amusé d'Annabelle croisait celui, irrité, de Lillian. À son grand dépit, celle-ci fut la première à détourner les yeux.

— Finissons-en, ordonna Annabelle d'une voix vibrant d'un rire contenu. Dis la vérité… Westcliff embrasse-t-il si mal que cela?

— Oh, je suppose qu'il est passable! concéda Lillian à contrecœur. Mais ce n'est pas à cela que je voulais en venir.

— Et à qu… quoi voulais-tu en venir? risqua Evangeline sans dissimuler sa curiosité.

— Au fait que Westcliff a été poussé à embrasser une fille qu'il déteste – moi, en l'occurrence – par ce parfum, répondit Lillian en désignant le flacon.

Toutes les quatre fixèrent celui-ci d'un regard où l'étonnement se mêlait à la circonspection.

— Pas vraiment? fit Annabelle, incrédule.

— Vraiment, s'entêta Lillian.

Daisy et Evangeline observaient un silence captivé tout en les regardant à tour de rôle, comme si elles suivaient un échange de balle.

— Lillian, pour une fille comme toi, qui a les pieds sur terre, prétendre que ce parfum a des vertus aphrodisiaques, c'est la plus étonnante…

— Aphro… quoi?

— Un philtre d'amour, dit Annabelle. Lillian, si lord Westcliff a manifesté un quelconque intérêt pour toi, ce n'est pas à cause de ton parfum.

— Comment peux-tu en être aussi certaine?

Annabelle arqua les sourcils.

— Ce parfum a-t-il produit le même effet sur un autre homme de ta connaissance?

— Pas que j'aie remarqué, reconnut Lillian à regret.

— Depuis combien de temps le portes-tu?

— Environ une semaine, mais je…

— Et le comte semble être le seul homme à y être sensible ?

— Il fera de l'effet sur d'autres, assura Lillian. C'est juste qu'ils n'ont pas encore eu l'occasion de le sentir.

Devant l'incrédulité de son amie, elle soupira.

— Je sais que ça paraît idiot. Moi-même, je n'ai pas cru un mot de ce que M. Nettle m'a dit de ce parfum, jusqu'à aujourd'hui. Mais je t'assure, à l'instant où le comte l'a humé…

La phrase mourut sur ses lèvres. Tandis qu'Annabelle la considérait d'un air songeur, Evangeline demanda :

— Je peux le sent… sentir, Lillian ?

— Bien sûr.

S'emparant du flacon comme s'il s'agissait d'une matière hautement explosive, Evangeline en ôta le bouchon, le porta à ses narines, et l'inhala avec précaution.

— Je ne… ne sens rien de particulier.

— Je me demande s'il ne marche que sur les hommes ? s'interrogea Daisy.

— Ce que je me demande, moi, dit lentement Lillian, c'est, si l'une d'entre *vous* portait ce parfum, Westcliff serait-il attiré comme il l'a été par moi ?

Tout en parlant, elle fixait Annabelle du regard. Quand celle-ci comprit ce qu'elle s'apprêtait à suggérer, elle afficha une expression consternée du plus haut comique.

— Oh, non ! Je suis une femme mariée, Lillian, et très amoureuse de mon mari. Je n'ai pas la moindre envie de séduire son meilleur ami !

— Il n'est pas question de le séduire, répliqua Lillian. Juste de mettre un peu de parfum, de te tenir près de lui afin de voir s'il te remarque.

— Moi, je veux essayer, déclara Daisy avec enthousiasme. En fait, je propose que nous mettions toutes ce parfum ce soir, histoire de vérifier si nous attirons davantage les hommes ou pas.

Evangeline gloussa à cette idée tandis qu'Annabelle levait les yeux au ciel.

— Tu ne parles pas sérieusement ?

— Où est le mal ? répliqua Lillian avec un sourire désinvolte. Considère cela comme une expérience scientifique. Il s'agit simplement de collecter des preuves pour appuyer une théorie.

Annabelle laissa échapper un grognement comme les deux plus jeunes appliquaient chacune quelques gouttes de parfum à la base du cou et aux poignets.

— C'est la chose la plus ridicule que j'aie jamais faite, commenta-t-elle. C'est encore plus absurde que de jouer au rounders en culotte.

Avec un soupir résigné, elle tendit la main pour qu'on lui donne le petit flacon et s'humecta le bout du doigt.

— Mets-en un peu plus, lui conseilla Lillian, qui eut l'air satisfait lorsqu'elle appliqua du parfum derrière les oreilles. N'oublie pas le cou.

— Je n'ai pas l'habitude de me parfumer, riposta Annabelle. Simon aime l'odeur de la peau propre.

— Peut-être préférera-t-il *Dame de la Nuit*.

Annabelle eut l'air consterné.

— C'est son nom ?

— C'est le nom d'un des composants – une orchidée qui ne fleurit que la nuit, expliqua Lillian.

— Ah bon, murmura Annabelle, ironique. J'ai eu peur qu'il ne porte le nom d'une courtisane.

Ignorant sa remarque, Lillian lui reprit la fiole des mains. Après avoir appliqué quelques gouttes de parfum sur sa gorge et ses poignets, elle la replaça dans son réticule et se leva.

— À présent, partons à la recherche de Westcliff !

5

Ne soupçonnant rien de l'assaut qui n'allait pas tarder à être lancé contre lui, Marcus se détendait dans son bureau en compagnie de son beau-frère, Gideon Shaw, et de ses amis Simon Hunt et lord Saint-Vincent. Ils s'étaient retrouvés pour discuter en toute tranquillité avant le dîner officiel.

Assis derrière le lourd bureau d'acajou, Marcus s'adossa à son siège et consulta sa montre. 20 heures. Il était temps de rejoindre ses invités. Pourtant, il ne bougea pas et considéra le cadran de la montre d'un air sombre, tel un homme qu'une tâche désagréable attend.

Il allait devoir s'entretenir avec Lillian Bowman. Avec qui il s'était comporté comme un dément. Se rappelant la manière dont il l'avait enlacée et embrassée, dans un déchaînement de tous les sens, il s'agita sur son siège, mal à l'aise.

La nature franche de Marcus le poussait à affronter la situation sans tourner autour du pot. Il n'existait qu'une seule façon de régler le problème : présenter ses excuses à Lillian Bowman et lui assurer que la chose ne se reproduirait jamais. Il n'allait quand même pas passer tout un mois à se cacher dans sa propre maison pour éviter cette fille ! Quant à essayer d'ignorer toute l'affaire, ce n'était pas envisageable.

Si seulement il savait pourquoi c'était arrivé !

Depuis, il avait été incapable de penser à autre chose qu'à son étonnante perte de toute retenue et, encore plus stupéfiant, à la satisfaction primaire qu'il avait ressentie en embrassant cette mégère non apprivoisée.

— Sans intérêt, fit la voix de Saint-Vincent qui, assis sur un coin du bureau, regardait dans le stéréoscope. Franchement, qui a envie de regarder des paysages et des monuments ? Il te faut des reproductions de femmes, Westcliff. Voilà qui serait autrement plus intéressant !

— J'aurais pensé que tu en voyais suffisamment en chair et en os, répliqua Marcus avec flegme. Ne serais-tu pas un peu obsédé par l'anatomie féminine, Saint-Vincent ?

— Tu as tes passe-temps, j'ai les miens.

Marcus jeta un coup d'œil à son beau-frère, qui affichait un détachement poli, puis à Simon Hunt, qui semblait amusé par cet échange. De par leur caractère aussi bien que leurs origines, les quatre hommes étaient fort différents. Leur unique dénominateur commun était leur amitié avec Marcus.

Arrière-petit-fils d'un ambitieux capitaine de marine yankee, Gideon Shaw était un « aristocrate américain » – une contradiction dans les termes. Simon Hunt, dont le père avait été boucher, était un homme d'affaires habile, entreprenant, en qui l'on pouvait avoir une confiance absolue. Puis il y avait Saint-Vincent, un vaurien dénué de tout principe et un amateur de femmes éhonté. On le rencontrait toujours dans les soirées et les réceptions huppées, qu'il désertait dès que la conversation devenait « ennuyeuse » – autrement dit dès qu'on abordait un sujet intéressant – pour partir à la recherche de nouvelles festivités.

Marcus n'avait jamais rencontré d'homme au cynisme plus ancré que Saint-Vincent. Le vicomte ne disait pratiquement jamais ce qu'il pensait et, s'il lui arrivait d'éprouver la moindre compassion envers quelqu'un, il la dissimulait avec virtuosité. « Une âme perdue », disait-on parfois de lui, et il était probable que Saint-Vincent était au-delà de la rédemption. Il était tout aussi probable que Hunt et Shaw n'auraient pas toléré sa compagnie s'il n'avait été ami avec Marcus.

Marcus lui-même avait peu en commun avec Saint-Vincent, si ce n'étaient les souvenirs du temps où ils fréquentaient la même école. À cette époque, Saint-Vincent s'était montré un ami fidèle, d'une bienveillance nonchalante, qui s'arrangeait pour le sortir d'embarras s'il le fallait, et partageait avec lui les boîtes de bonbons envoyées par sa famille. Il était de plus toujours le premier à se ranger du côté de Marcus lors des bagarres.

Saint-Vincent savait ce que c'était que d'être méprisé par un parent, car son père ne valait pas mieux que celui de Marcus. Les deux garçons se réconfortaient mutuellement à grand renfort d'humour noir et faisaient tout leur possible pour s'entraider. Au fil des années, le caractère de Saint-Vincent s'était considérablement altéré, mais Marcus n'était pas homme à oublier ses dettes. Pas plus qu'il n'était du genre à tourner le dos à un ami.

Blonds tous les deux et gâtés par la nature, Saint-Vincent et Gideon Shaw étaient néanmoins très différents. Shaw était affable et séduisant, avec un sourire impertinent qui charmait tous ceux qu'il rencontrait. Son visage portait élégamment la marque discrète d'une vie qui n'avait pas toujours été facile en dépit de l'abondance de richesses matérielles. Quelles que soient les difficultés, il les affrontait avec grâce et subtilité.

Saint-Vincent, lui, possédait une beauté masculine exotique, avec des yeux de chat d'un bleu très clair et une bouche au pli cruel, même lorsqu'il souriait. Il cultivait une apparence de nonchalance perpétuelle que beaucoup d'élégants Londoniens s'efforçaient d'imiter. Si la tenue de dandy lui avait été, Saint-Vincent l'aurait sans doute endossée. Mais il savait que toute ornementation n'aurait servi qu'à détourner l'attention de son physique spectaculaire, aussi ne portait-il que des vêtements noirs, d'une stricte simplicité, parfaitement coupés.

Avec Saint-Vincent dans le bureau, la conversation ne pouvait que tourner autour des femmes. Trois jours auparavant, une dame de la bonne société avait soi-disant tenté de se suicider quand sa liaison avec Saint-Vincent avait pris fin. Le vicomte avait trouvé commode de se retirer à Stony Cross Park lorsque le scandale avait éclaté.

— Un mélodrame ridicule, déclara-t-il avec mépris. On a prétendu qu'elle s'était coupé les veines alors qu'en réalité, elle les a égratignées avec une épingle à chapeau avant de se mettre à crier pour qu'une domestique vienne à son secours.

Il secoua la tête d'un air dégoûté avant d'ajouter :

— Quelle idiote. Après tout le mal que nous nous sommes donné pour garder le secret, il a fallu qu'elle fasse ce genre de chose. À présent, tout Londres est au courant, y compris son mari. Qu'espérait-elle gagner ? Si elle cherchait à me punir pour l'avoir quittée, elle va souffrir cent fois plus. Les gens blâment toujours plus la femme, surtout quand elle est mariée.

— Et la réaction du mari ? demanda Marcus, passant aussitôt aux considérations pratiques. Il est susceptible de demander réparation ?

L'expression de dégoût de Saint-Vincent s'accentua encore.

— J'en doute. Il a deux fois son âge et ne l'a pas touchée depuis des années. Il est peu probable qu'il prenne le risque de me défier pour défendre son soi-disant honneur. Si elle avait été assez discrète pour lui éviter d'être traité de cocu, il l'aurait laissée faire ce qu'elle voulait. Mais il a fallu qu'elle fasse son possible pour rendre sa liaison publique, cette sotte !

— Je trouve intéressant que vous en parliez comme de *sa* liaison plutôt que comme la vôtre à tous deux, fit remarquer Simon Hunt en scrutant le vicomte avec curiosité.

— C'était le cas. Jamais je n'aurais dû la laisser me séduire, soupira le vicomte en secouant la tête.

— C'est elle qui t'a séduit ? intervint Marcus, sceptique.

— Je jure par tout ce que j'ai de plus sacré…

Il s'interrompit.

— Attendez… Comme rien n'est sacré pour moi, laissez-moi recommencer. Il vous faudra me croire, tout simplement, quand je vous dirai que c'est elle qui est à l'origine de cette liaison. Elle a commencé à faire des allusions ici ou là, à apparaître partout où j'allais, et à m'envoyer des billets pour me supplier de lui rendre visite à n'importe quel moment, m'assurant qu'elle vivait séparée de son mari. Je ne la désirais même pas – je savais avant même de la toucher qu'elle serait ennuyeuse à périr. Mais c'en était au point qu'il aurait été malséant de ma part de continuer à l'ignorer, c'est pourquoi je me suis rendu chez elle. Elle m'a reçu nue dans le hall d'entrée. Qu'étais-je censé faire ?

— Partir ? suggéra Gideon Shaw avec une ombre de sourire, en le regardant comme s'il était un spécimen divertissant de la Ménagerie Royale.

— J'aurais dû, reconnut Saint-Vincent avec une grimace. Mais j'ai toujours été incapable de rejeter une femme prête à batifoler. D'autant qu'il y avait un sacré bout de temps que je n'avais couché avec personne – au moins une semaine – et je…

— Parce ce qu'une semaine sans coucher avec quelqu'un, c'est très long ? l'interrompit Marcus en haussant un sourcil.

— Tu ne vas pas prétendre le contraire ?

— Saint-Vincent, si un homme a le temps de coucher avec une femme plus d'une fois par semaine, c'est qu'il n'a visiblement pas assez à faire. Il y a un certain nombre de responsabilités qui devraient t'occuper davantage que des...

Marcus s'interrompit, cherchant la terminologie exacte.

— ... rapports sexuels.

Un silence pesant accueillit ces mots. Tournant les yeux vers Shaw, Marcus remarqua l'application soudaine de ce dernier à faire tomber la cendre de son cigare dans une coupe de cristal. Il fronça les sourcils.

— Tu es un homme occupé, avec des affaires à traiter sur deux continents. Tu ne peux qu'être d'accord avec moi, n'est-ce pas ?

Shaw esquissa un sourire.

— Puisque mes «rapports sexuels» se limitent exclusivement à ma femme, et que celle-ci se trouve être ta sœur, je ferai preuve de bon sens en me taisant.

Ce fut au tour de Saint-Vincent de sourire.

— Quel dommage qu'une chose comme le bon sens vienne se mettre en travers d'une conversation intéressante ! Hunt, enchaîna-t-il en se tournant vers ce dernier, autant nous donner votre avis. À quelle fréquence un homme doit-il faire l'amour à une femme ? Est-ce que plus d'une fois par semaine est un cas de gloutonnerie impardonnable ?

Hunt jeta à Marcus un regard vaguement contrit.

— J'ai beau hésiter à me montrer d'accord avec Saint-Vincent...

Marcus le coupa aussitôt.

— C'est un fait bien connu qu'une activité sexuelle excessive est mauvaise pour la santé, tout comme les excès de nourriture et de boisson...

— Westcliff, c'est pour moi la soirée parfaite que tu décris, murmura Saint-Vincent, qui reporta son attention sur Hunt. Combien de fois vous et votre femme...

— Ce qui se passe dans ma chambre à coucher n'est pas ouvert à la discussion, répliqua Hunt avec fermeté.

— Mais vous l'honorez plus d'une fois par semaine? insista Saint-Vincent.

— Diable, oui, marmonna Hunt.

— Et vous faites bien, avec une femme aussi belle que Mme Hunt, acquiesça Saint-Vincent, avant de rire comme Hunt lui adressait un regard d'avertissement. Oh, inutile de vous énerver, votre femme est la dernière au monde sur laquelle je jetterais mon dévolu! Je n'ai pas envie d'être réduit en charpie par ces jambonneaux qui vous servent de poings. Et puis, les femmes heureuses en ménage ne m'ont jamais attiré... les malheureuses sont tellement plus faciles!

Il regarda de nouveau Marcus.

— Il semblerait que tu sois seul de ton avis, Westcliff. Les vertus du travail et de la discipline ne font pas le poids comparées au corps tiède d'une femme dans son lit.

— Il y a des choses plus importantes, rétorqua Marcus, les sourcils froncés.

— Comme quoi? s'enquit Saint-Vincent en affichant la patience ostensible d'un garnement subissant un sermon de son grand-père. Je suppose que tu vas répondre quelque chose comme «le progrès social»? Dis-moi, Westcliff, continua-t-il d'un air rusé, si le diable te proposait le pacte suivant : tous les orphelins affamés d'Angleterre seront bien nourris à partir de maintenant, mais en échange, tu ne pourras plus jamais coucher avec une femme. Que choisirais-tu? Les orphelins ou ton plaisir?

— Je ne réponds jamais aux questions hypothétiques.

— Je l'aurais parié, fit Saint-Vincent en riant. Pas de chance pour les orphelins, apparemment.

— Je n'ai jamais dit… commença Marcus avant de s'interrompre, agacé. Peu importe. Les invités attendent. Vous avez le loisir de poursuivre ici cette conversation oiseuse, ou vous pouvez m'accompagner dans les salons de réception.

— Je t'accompagne, dit aussitôt Hunt en dépliant son grand corps. Ma femme doit être en train de me chercher.

— La mienne aussi, ajouta Shaw en se levant à son tour.

Saint-Vincent jeta à Marcus un regard de pure malice.

— Que Dieu me préserve de laisser une femme me passer un anneau dans le nez ! Pire, d'en paraître aussi sacrément satisfait.

Il se trouve que Marcus partageait ce sentiment.

Toutefois, alors que les quatre hommes quittaient le bureau d'un pas nonchalant, il ne put s'empêcher de réfléchir sur le fait curieux que Simon Hunt, qui avait été le célibataire le plus endurci qu'il ait connu, en dehors de Saint-Vincent, semblât s'accommoder si étonnamment bien des chaînes conjugales. Sachant à quel point il tenait à sa liberté, Marcus avait été surpris de le voir renoncer si volontiers à son autonomie. Et qui plus est, au bénéfice d'une femme comme Annabelle qui lui était apparue, au départ, comme une chasseuse de mari superficielle et égocentrique. Mais il était devenu évident, au fil des jours, qu'un lien d'une force inhabituelle existait entre eux, et Marcus avait été obligé de reconnaître que Hunt avait choisi la femme qui lui convenait.

— Pas de regrets ? lui souffla-t-il alors que tous deux précédaient Shaw et Saint-Vincent dans le vestibule.

Hunt lui adressa un regard interrogateur. C'était un grand brun qui possédait la même virilité affirmée que Marcus et, comme lui, était un fervent amateur de chasse et autres activités de plein air.

— À quel sujet?

— D'être mené par le bout du nez par ta femme.

Hunt eut un sourire narquois et secoua la tête.

— Si ma femme me mène par quelque chose, Westcliff, c'est par une partie de mon corps tout à fait différente. Et, non, je n'ai aucun regret.

— Je suppose qu'on peut trouver une certaine commodité à être marié, observa Marcus pensivement. Avoir une femme sous la main pour satisfaire ses besoins… Sans compter qu'une femme est indubitablement plus économique qu'une maîtresse. Et puis, il y a la question des héritiers à prendre en compte…

Ses efforts pour considérer le problème sous un angle pratique firent rire Hunt.

— Je n'ai pas épousé Annabelle par commodité. Et, bien que je n'aie jamais fait les comptes, je peux t'assurer qu'elle n'est pas plus économique qu'une maîtresse. Quant à la question des héritiers, c'était vraiment très loin de mon esprit quand je l'ai demandée en mariage.

— Pourquoi l'as-tu fait, alors?

— Je te répondrais volontiers, mais il n'y a pas très longtemps, tu m'as dit que tu espérais… Comment as-tu formulé la chose, déjà? Ah oui! Tu espérais que je ne me transformerais pas en «imbécile dégoulinant de sentimentalité».

— Tu te crois amoureux d'elle.

— Non, dit Hunt d'un ton désinvolte, je *suis* amoureux d'elle.

Marcus haussa brièvement les épaules.

— Si croire cela te rend le mariage plus acceptable, tant mieux.

— Seigneur tout-puissant, Westcliff, tu n'as jamais été amoureux?

— Si, bien sûr. Il y a de toute évidence eu des femmes que j'ai trouvées préférables à d'autres en termes de caractère et de physique…

— Non, non, non ! Je ne fais pas allusion à une quelconque « préférence ». Je parle d'être complètement absorbé par une femme, d'osciller entre désespoir, désir, extase…

Marcus lui décocha un regard plutôt méprisant.

— Je n'ai pas de temps pour ces bêtises.

Il fut irrité quand Hunt éclata de rire.

— Alors, l'amour n'entrera pas en ligne de compte quand tu devras choisir une épouse ?

— Absolument pas. Le mariage est une chose trop importante pour se décider sur la base d'émotions versatiles.

— Peut-être que tu as raison, admit Hunt aisément.

Un peu trop aisément, comme s'il ne croyait pas vraiment ce qu'il disait.

— Un homme comme toi devrait choisir sa femme de manière logique, poursuivit-il. Je serai curieux de voir comment tu t'y prendras.

Ils avaient atteint le grand salon, où Olivia encourageait avec tact les invités à s'apparier pour former la procession solennelle qui les mènerait dans la salle à manger. Elle accueillit Marcus d'un bref froncement de sourcils, car il l'avait laissée se débrouiller seule jusqu'à présent. En réponse, il se contenta de lui adresser un sourire dépourvu de repentir. À peine eut-il pénétré dans la pièce qu'il se retrouva presque nez à nez avec Thomas Bowman et sa femme, Mercedes.

Il serra la main de Bowman, un homme robuste et paisible, doté d'une moustache si épaisse qu'elle compensait presque la rareté des cheveux sur son crâne. En société, Bowman affichait la distraction perpétuelle de quelqu'un qui aurait préféré être ailleurs. Ce n'est que lorsque la conversation en venait aux affaires – de quelque nature qu'elles soient – qu'il manifestait brusquement une attention acérée.

— Bonsoir, madame, murmura Marcus en se penchant sur la main osseuse de Mercedes Bowman.

C'était une femme maigre, caustique, un paquet de nerfs et d'agressivité contenue.

— Je vous prie d'accepter mes excuses pour n'avoir pu vous accueillir cet après-midi, continua-t-il. Permettez-moi de vous dire à quel point votre retour à Stony Cross Park m'est agréable.

— Oh, milord, s'écria Mercedes d'une voix aiguë, nous sommes absolument enchantés de séjourner dans votre magnifique demeure une fois de plus ! Quant à cet après-midi… Nous n'avons rien pensé de votre absence, hormis qu'un homme aussi important que vous, avec tant de soucis et de responsabilités, devait être assailli d'innombrables demandes.

Elle eut un grand geste du bras, qui ne fut pas sans rappeler à Marcus les mouvements d'une mante religieuse.

— Ah ! J'aperçois mes deux adorables filles…

Elle leur fit signe tout en les appelant d'une voix encore plus perçante :

— *Jeunes filles !* Jeunes filles, regardez qui j'ai trouvé. Venez saluer lord Westcliff !

Marcus garda un visage impassible alors même que quelques sourcils se haussaient autour d'eux. Suivant la direction des moulinets de Mercedes, il aperçut les sœurs Bowman, qui n'avaient plus rien des garçons manqués poussiéreux jouant derrière les écuries un peu plus tôt. Son regard s'attacha à Lillian, vêtue d'une robe bleu-vert dont le corsage ne semblait retenu que par une paire de petites broches dorées. Avant même d'avoir le temps de contrôler la direction de ses pensées, il s'imagina en train de détacher les broches et de laisser la soie verte glisser sur la peau laiteuse de sa poitrine et de ses épaules…

Il s'obligea à lever les yeux sur le visage de Lillian. Sa chevelure avait été relevée en une coiffure compliquée qui paraissait presque trop lourde pour la colonne fragile de son cou. Ses cheveux ainsi tirés lui dégageaient entièrement le front, ce qui accentuait son regard de chat. Quand leurs yeux se croisèrent, un soupçon de rose lui colora les pommettes et elle baissa le menton en un salut circonspect. Il était évident qu'elle n'avait aucun désir de traverser la pièce pour les rejoindre – pour le rejoindre –, et Marcus ne pouvait l'en blâmer.

— Il est inutile de déranger vos filles, madame Bowman, murmura-t-il. Elles sont en compagnie de leurs amies.

— Leurs amies ! répéta Mercedes avec mépris. Si vous parlez de cette scandaleuse Annabelle Hunt, je peux vous assurer que je ne…

— J'en suis venu à tenir Mme Hunt dans la plus haute estime, coupa Marcus en la fixant calmement dans les yeux.

Prise au dépourvu, Mercedes pâlit un peu, puis s'efforça hâtivement de se rattraper.

— Si vous, avec votre jugement supérieur, considérez Mme Hunt comme digne d'estime, alors, je ne peux qu'être d'accord avec vous, milord. En vérité, j'ai toujours pensé…

— Westcliff, interrompit Thomas Bowman, qui ne portait que peu d'intérêt à ses filles et à leurs relations, quand aurons-nous l'occasion de discuter de cette affaire dont vous parliez dans votre dernier courrier ?

— Demain, si cela vous convient, répondit Marcus. Nous avons organisé une sortie à cheval matinale, qui sera suivie d'un petit déjeuner.

— Je m'abstiendrai de la sortie, mais je vous verrai au petit déjeuner.

Marcus s'inclina légèrement devant eux avant de se tourner vers d'autres invités qui sollicitaient son attention.

Peu après, Georgianna, lady Westcliff, la mère de Marcus, fit son apparition. Minuscule, le visage lourdement poudré, ses cheveux argentés relevés en un chignon élaboré, elle portait aux poignets, au cou et aux oreilles des bijoux étincelants. Même sa canne brillait de mille feux, le pommeau d'or étant incrusté de diamants.

Certaines vieilles femmes, revêches en apparence, dissimulent un cœur d'or. La comtesse de Westcliff n'en faisait pas partie. Son cœur – dont l'existence était hautement discutable – n'était pas plus en or qu'en toute autre matière malléable. Au physique, la comtesse n'était pas une beauté et ne l'avait jamais été. Dépouillée de ses atours luxueux et vêtue d'une robe grossière et d'un tablier, elle aurait facilement pu passer pour une paysanne âgée. Elle avait un visage rond, une petite bouche, des yeux d'oiseau et un nez absolument quelconque. Son trait le plus distinctif était une expression de désenchantement grincheux, comme celle d'un enfant qui, ouvrant le cadeau qu'il vient de recevoir pour son anniversaire, découvre qu'on lui avait offert la même chose l'année précédente.

— Bonsoir, milady, fit Marcus avec un sourire ironique. Nous sommes honorés que vous ayez choisi d'être des nôtres.

La comtesse avait coutume d'éviter les grands dîners comme celui-ci et préférait prendre son repas dans son salon privé, à l'étage. Apparemment, elle avait décidé de faire une exception ce soir.

— Je voulais voir s'il se trouvait quelques invités intéressants parmi cette foule, répliqua la comtesse en parcourant la salle d'un regard hautain. Vu leur apparence, toutefois, il s'agit toujours des mêmes raseurs.

Quelques gloussements nerveux s'élevèrent dans le salon quand on présuma – à tort – qu'elle plaisantait.

— Vous devriez peut-être réserver votre jugement tant que l'on ne vous a pas présenté quelques personnes, fit valoir Marcus en songeant aux sœurs Bowman.

Sa mère, toujours si critique, trouverait ample matière à se divertir avec cette incorrigible paire.

Suivant l'ordre de préséance, Marcus escorta la comtesse jusqu'à la salle à manger, tandis que la procession des invités leur emboîtait le pas. Les dîners donnés à Stony Cross Park étaient réputés pour leur splendeur, et celui-ci ne fit pas exception. Huit services se succédèrent, accompagnés chaque fois de nouvelles compositions florales. Ils commencèrent par une soupe de tortue, du saumon grillé avec des câpres, de la perche à la crème et un succulent saint-pierre servi avec une délicate sauce crevette. Le service suivant consistait en gibier, jambon aux herbes, ris de veau et volaille rôtie à la peau croustillante. Et cela continua ainsi jusqu'à ce que les invités, gavés et léthargiques, le visage écarlate d'avoir eu leur verre de vin constamment rempli par des valets de pied attentifs, se voient offrir du blanc-manger aux amandes, de la tarte au citron et du soufflé au riz.

Renonçant au dessert, Marcus prit un verre de porto et se divertit en jetant de fréquents coups d'œil en direction de Lillian Bowman. Durant les rares instants où elle se tenait tranquille, elle ressemblait à une jeune princesse pleine de retenue. Mais dès qu'elle commençait à parler – brandissant sa fourchette et intervenant librement dans la conversation des messieurs –, elle perdait toute apparence de majesté. Elle était bien trop directe, bien trop sûre que ce qu'elle disait était intéressant et digne d'être écouté. Elle ne faisait aucun effort pour paraître impressionnée par les opinions des autres, et semblait incapable de montrer de la déférence envers quiconque.

Après le rituel du porto pour les messieurs, du thé pour les dames, et quelques échanges ultimes, les invités se dispersèrent. Alors que Marcus se dirigeait à pas lents vers le grand hall en compagnie d'un groupe de personnes, dont les Hunt, il prit conscience de la conduite un peu étrange d'Annabelle. Elle marchait si près de lui que leurs coudes ne cessaient de se heurter, et s'éventait avec énergie bien qu'il fît plutôt frais à l'intérieur de la maison. Assailli par des bouffées successives de son parfum, il lui jeta un regard interrogateur.

— Vous trouvez qu'il fait trop chaud, madame Hunt ?

— Eh bien, oui... Vous avez chaud, vous aussi ?

— Non.

Il lui sourit, non sans se demander pourquoi elle cessait brusquement de s'éventer et l'observait avec attention.

— Sentez-vous quelque chose de particulier ? s'enquit-elle.

Amusé, Marcus secoua la tête.

— Puis-je vous demander ce qui motive votre question, madame Hunt ?

— Oh, rien ! Je me demandais simplement si, peut-être, vous aviez remarqué quelque chose de différent chez moi.

Marcus l'inspecta brièvement.

— Votre coiffure ? avança-t-il.

Ayant grandi avec deux sœurs, il avait appris que dès qu'elles l'interrogeaient sur leur apparence en refusant de lui en donner la raison, cela avait en général un rapport avec leur coiffure. Bien qu'il soit un peu inconvenant de discuter de l'apparence physique de la femme de son meilleur ami, il lui sembla qu'Annabelle le considérait à la manière d'un frère.

Sa réponse lui valut un sourire contrit.

— Oui, c'est cela, dit-elle. Pardonnez-moi si je me conduis un peu bizarrement, milord. Je crois que j'ai bu un peu trop de vin.

Marcus eut un petit rire.

— Peut-être qu'un petit peu d'air frais vous éclaircirait les idées.

Surprenant cette dernière remarque, Simon posa la main sur la taille de sa femme. En souriant, il se pencha pour lui effleurer la tempe d'un baiser.

— Veux-tu que je t'accompagne sur la terrasse ?

— Oui, merci.

Son visage tout près du sien, Hunt se figea. Si Annabelle ne pouvait voir son expression, Marcus, lui, la remarqua, et s'étonna que son ami ait l'air soudain si mal à l'aise et si distrait.

— Si tu veux bien nous excuser, Westcliff, marmonna-t-il, avant d'entraîner sa femme avec une hâte que rien ne justifiait, l'obligeant presque à courir pour demeurer à sa hauteur.

Marcus suivit la retraite précipitée du couple en secouant la tête avec perplexité.

— Rien. Absolument rien, déclara Daisy, dépitée, en quittant la salle à manger en compagnie de Lillian et d'Evangeline. J'étais assise entre deux gentlemen qui n'auraient pu me montrer moins d'intérêt. Soit ce parfum est une imposture, soit ces deux hommes souffraient d'anosmie.

Evangeline la regarda sans comprendre.

— Je… je crains que ce mot ne me soit pas fa… familier…

— Il le serait si ton père possédait une entreprise de savon, expliqua Lillian avec flegme. Cela signifie que quelqu'un n'a pas d'odorat.

— Oh… Dans ce cas, mes… mes voisins devaient aussi souffrir d'anosmie. Parce que ni l'un ni l'autre n'ont fait attention à moi. Et toi, Lillian ?

— Même chose, avoua Lillian, à la fois déconcertée et contrariée. Je suppose que ce parfum ne marche pas, finalement. Mais j'étais tellement persuadée qu'il avait eu un effet sur lord Westcliff...

— Est-ce que tu t'étais tenue aussi près de lui auparavant ? demanda Daisy.

— Bien sûr que non !

— Alors, je dirais que c'est ta simple proximité qui lui a fait perdre la tête.

— Mais bien sûr ! fit Lillian, sarcastique. Je suis une tentatrice mondialement connue !

Daisy s'esclaffa.

— Ma chérie, je ne discuterai pas de tes charmes. À mon avis, lord Westcliff a toujours...

Mais cet avis resterait à jamais informulé, car lorsqu'elles atteignirent le grand hall, les trois amies aperçurent lord Westcliff en personne. Bien que négligemment appuyé contre une colonne, il avait une présence imposante. Tout, en lui, depuis l'inclinaison arrogante de sa tête jusqu'à sa posture assurée, était le résultat d'une ascendance aristocratique sur plusieurs générations. Lillian éprouva l'irrésistible envie de se faufiler jusqu'à lui pour le chatouiller à un endroit sensible. Elle aurait adoré le faire rugir d'exaspération.

Il tourna la tête, et son regard balaya les trois filles avec un intérêt poli avant de s'arrêter sur Lillian. Son expression se fit alors bien moins polie, et son intérêt soudain plus aigu. Lillian éprouva quelque difficulté à respirer. Elle ne put s'empêcher de repenser au corps musclé que dissimulait l'habit noir impeccablement coupé.

— Il... il est terrifiant, entendit-elle Evangeline murmurer.

Adressant un regard amusé à son amie, elle riposta :

— Ce n'est qu'un homme, ma chérie. Je suis sûre qu'il ordonne à ses valets de l'aider à enfiler son pantalon une jambe à la fois, comme tout le monde.

Cette irrévérence fit rire Daisy, tandis qu'Evangeline semblait scandalisée.

À la grande surprise de Lillian, Westcliff s'écarta de la colonne pour s'approcher d'elles.

— Bonsoir, mesdemoiselles. J'espère que le dîner vous a plu.

Réduite au mutisme, Evangeline ne put que hocher la tête. Daisy, en revanche, répondit avec enthousiasme :

— Il était extraordinaire, milord.

— Parfait.

Bien qu'il s'adressât à Evangeline et à Daisy, son regard demeurait rivé sur le visage de Lillian.

— Mademoiselle Bowman, mademoiselle Jenner, reprit-il, je vous prie de m'excuser, mais j'aurais aimé m'entretenir avec votre compagne en privé. Si vous le permettez...

— Mais bien sûr, répondit Daisy en adressant à Lillian un sourire rusé. Emmenez-la, milord. Nous n'avons pas besoin d'elle pour le moment.

— Je vous remercie. Mademoiselle Bowman, ajouta-t-il en offrant le bras à Lillian d'un air grave, si vous vouliez bien avoir la bonté ?

Lillian prit le bras qu'il lui présentait, et se sentit étrangement fragile comme il la conduisit de l'autre côté du hall. Le silence entre eux était inconfortable et lourd de questions. Westcliff l'avait toujours exaspérée, mais voilà qu'à présent, il réussissait à ce qu'elle se sente vulnérable, ce qui ne lui plaisait pas du tout. Quand ils furent à l'abri d'une colonne massive, il s'arrêta et se tourna vers elle. Elle lui lâcha le bras.

Ses yeux et sa bouche se trouvaient à quelques centimètres au-dessus des siens, et leurs corps paraissaient s'harmoniser parfaitement tandis qu'ils se faisaient face. Elle sentait les pulsations rapides de son pouls dans ses veines, et sa peau s'échauffa soudain, comme si elle se tenait trop près d'un feu.

Westcliff dut remarquer sa rougeur, car il plissa légèrement les yeux avant de murmurer :

— Mademoiselle Bowman, je vous assure qu'en dépit de ce qui s'est passé cet après-midi, vous n'avez rien à craindre de moi. Si vous n'y voyez pas d'objection, j'aimerais en parler avec vous dans un endroit où nous ne serons pas dérangés.

— Certainement, acquiesça-t-elle avec un calme étudié.

Accepter de le rencontrer quelque part, seule, avait un parfum désagréable de rendez-vous amoureux – ce dont il ne s'agirait certainement pas. Pourtant, elle ne parvenait pas à contrôler les frissons qui lui parcouraient le dos.

— Où pouvons-nous nous retrouver ?

— Le salon du matin donne sur une orangerie.

— Oui, je la connais.

— Dans cinq minutes ?

— Très bien, fit-elle en lui adressant un sourire suprêmement détaché, comme si elle était habituée aux rendez-vous clandestins. Je m'y rends la première.

Comme elle s'éloignait, elle sentit son regard peser sur elle, et devina qu'il la regarda jusqu'à ce qu'elle disparaisse à la vue.

6

En pénétrant dans l'orangerie, Lillian fut assaillie par un parfum… d'orange. Mais aussi par les fragrances des citrons, des lauriers et des myrtes qui se diffusaient avec extravagance dans l'air tiède. Des ouvertures grillagées s'ouvraient, à intervalles réguliers, dans le sol dallé, permettant à la chaleur émise par les fourneaux, au sous-sol, de se répandre dans la pièce. À travers le plafond et les parois vitrés, on voyait briller les étoiles, dont la clarté argentée illuminait les étagères garnies à profusion de plantes tropicales.

Seules les torches disposées à l'extérieur éclairaient l'orangerie, qui demeurait plongée dans une semi-pénombre. En entendant un bruit de pas, Lillian se retourna vivement. Son attitude dut révéler son malaise, car Westcliff dit aussitôt, d'une voix basse et rassurante :

— Ce n'est que moi. Si vous préférez que nous allions ailleurs…

— Non, l'interrompit Lillian, quelque peu amusée d'entendre l'un des hommes les plus puissants d'Angleterre dire « ce n'est que moi ». J'aime beaucoup l'orangerie. En fait, c'est l'endroit du manoir que je préfère.

— Moi aussi, avoua-t-il en s'approchant lentement. Pour de nombreuses raisons, l'intimité qu'elle offre n'étant pas la moindre.

— Vous n'avez guère l'occasion de vous isoler, n'est-ce pas ? Avec toutes ces allées et venues à Stony Cross Park...

— Je me débrouille pour garder quelques moments de solitude.

— Et que faites-vous, quand vous êtes seul ?

La situation commençait à lui apparaître comme un rêve. Cette discussion dans l'orangerie avec Westcliff, à regarder la lueur des torches se refléter sur ses traits durs mais élégants.

— Je lis, répondit-il de sa voix légèrement rocailleuse. Je marche. Il m'arrive aussi de nager dans la rivière.

Lillian n'était pas mécontente qu'il fasse sombre, car à la pensée de son corps dévêtu glissant dans l'eau, elle n'avait pu s'empêcher de rougir.

Il devina sa gêne à son silence subit, mais se trompa sur sa cause.

— Mademoiselle Bowman, je dois vous présenter mes excuses pour ce qui s'est passé cet après-midi. Je suis absolument incapable d'expliquer ma conduite autrement que comme un instant de folie qui, je vous l'assure, ne se répétera pas.

Lillian se raidit légèrement en entendant le mot « folie ».

— Bien, dit-elle, j'accepte vos excuses.

— Savoir que je ne vous trouve en aucune façon désirable devrait vous tranquilliser totalement.

— Je comprends. Vous en avez assez dit, milord.

— Nous serions tous deux sur une île déserte que la pensée de vous approcher ne me viendrait absolument pas.

— J'ai bien compris, fit-elle d'un ton sec. Inutile d'épiloguer.

— Je veux juste qu'il soit bien clair que ce geste était une aberration complète. Vous n'êtes pas le genre de femme par qui je suis attiré.

— Très bien.

— En fait…

— Vous avez été *très* clair, milord, l'interrompit Lillian en le fusillant du regard.

C'étaient là les excuses les plus irritantes qu'elle eût jamais reçues !

— Toutefois, enchaîna-t-elle, comme dit toujours mon père, les excuses sincères ont un prix.

— Un prix ? répéta Westcliff en lui jetant un regard acéré.

L'atmosphère entre eux parut soudain se charger de défi.

— Oui, milord. Il ne vous coûte guère de prononcer quelques mots et, ensuite, de vous sentir quitte. Mais si vous étiez *vraiment* désolé de ce que vous avez fait, vous essayeriez de vous racheter.

— Je n'ai fait que vous embrasser, protesta-t-il, comme si elle attachait trop d'importance à l'incident.

— Contre mon gré, souligna Lillian, qui adopta une expression de dignité blessée. Peut-être que certaines femmes auraient apprécié vos attentions, mais je ne suis pas de celles-là. Et je ne suis pas accoutumée à être empoignée et obligée de subir des baisers que je n'ai pas…

— Vous avez participé, coupa Westcliff.

— Pas du tout !

— Vous…

S'apercevant apparemment que cette discussion ne mènerait à rien, Westcliff s'interrompit et lâcha un juron.

— Mais, continua Lillian d'une voix suave, je serais peut-être disposée à pardonner et à oublier. Si…

Elle fit une pause délibérée.

— Si ?

— Si vous acceptez de faire une petite chose pour moi.

— Qui serait ?

— Simplement de demander à votre mère de nous parrainer, ma sœur et moi, lors de la saison prochaine.

Il écarquilla les yeux d'une manière très peu flatteuse, comme si cette possibilité dépassait les bornes de la raison.

— Non.

— Elle pourrait aussi nous instruire sur quelques points précis de l'étiquette anglaise...

— Non !

— Nous avons besoin d'une protectrice, insista Lillian. Sans elle, ma sœur et moi ne progresserons pas dans la société. La comtesse est une femme influente, très respectée, et sa caution assurerait notre succès. Je suis certaine que vous pourriez trouver une façon de la convaincre de m'aider...

— Mademoiselle Bowman, l'interrompit-il avec froideur, la reine Victoria en personne ne parviendrait pas à remettre les gamines sauvages que vous êtes sur le chemin de la respectabilité. C'est impossible. Et faire plaisir à votre père n'est pas une incitation suffisante pour que j'impose à ma mère une telle punition.

— Je pensais bien que vous réagiriez ainsi.

Lillian se demanda si elle oserait suivre son instinct et prendre un risque énorme. Y avait-il une chance pour que, en dépit de l'échec que toutes les quatre avaient essuyé ce soir, le parfum conserve un effet magique sur Westcliff ? Si ce n'était pas le cas, elle s'apprêtait à se ridiculiser. Prenant une profonde inspiration, elle fit un pas vers lui.

— Très bien... vous ne me laissez pas le choix. Si vous refusez de m'aider, Westcliff, je raconterai à tout le monde ce qui s'est passé cet après-midi. Je pense que les gens ne seront pas peu amusés d'apprendre que lord Westcliff – d'ordinaire si maître de lui – est incapable de contrôler son désir pour une petite Américaine prétentieuse et mal élevée. Et vous ne pourrez pas nier... puisque vous ne mentez jamais.

Westcliff haussa un sourcil et lui adressa un regard qui aurait dû l'anéantir sur place.

— Vous surestimez votre pouvoir de séduction, mademoiselle Bowman.

— Vraiment ? Alors prouvez-le.

À coup sûr, ses ancêtres des temps féodaux arboraient la même expression que Westcliff en cet instant lorsqu'ils mataient leurs serfs rebelles.

— Comment ?

Même si elle était partie pour jeter toute prudence par-dessus les moulins, Lillian dut déglutir avant de répondre :

— Je vous défie de mettre vos bras autour de moi, comme vous l'avez fait cet après-midi. Et nous verrons si vous réussissez à vous contrôler, cette fois.

Le mépris qu'elle lut dans son regard dit plus que des mots combien il trouvait ce défi pathétique.

— Mademoiselle Bowman, puisque, apparemment, je dois mettre les points sur les *i*, sachez que je ne vous désire pas. Ce qui est arrivé cet après-midi était une erreur. Et cette erreur ne se reproduira pas. À présent, si vous voulez bien m'excuser, j'ai des invités qui...

— Lâche !

Westcliff avait commencé à se détourner, mais il pivota vivement vers elle avec une expression de fureur mêlée d'incrédulité peinte sur ses traits. Sans doute était-ce une accusation qu'on avait rarement – peut-être jamais – portée contre lui.

— Qu'avez-vous dit ?

Elle dut rassembler toutes ses forces pour soutenir son regard glacial.

— De toute évidence, vous avez peur de me toucher. Vous craignez de n'être pas capable de vous contenir.

Le comte secoua légèrement la tête, comme pour tenter de se convaincre qu'il avait mal compris. Quand il reporta les yeux sur Lillian, ceux-ci brillaient d'hostilité.

— Mademoiselle Bowman, est-ce si difficile pour vous de comprendre que je ne *veux pas* vous toucher ?

Ferait-il de telles manières s'il avait vraiment une confiance absolue en sa capacité à lui résister ? Encouragée par cette pensée, Lillian se rapprocha de lui, et perçut le brusque raidissement de tout son corps.

— Le problème n'est pas de savoir si vous le voulez ou non, répliqua-t-elle. Mais si vous êtes capable de me laisser partir une fois que vous vous serez exécuté.

— Incroyable, marmonna-t-il en la dévisageant d'un air mauvais.

Lillian se tint immobile, attendant de voir s'il relèverait le défi. Il couvrit alors la distance qui les séparait, et elle cessa de sourire, la bouche soudain sèche, le cœur battant à coups redoublés. Il allait le faire ! Elle ne lui avait pas laissé le choix. Et s'il lui prouvait qu'elle s'était trompée, elle ne pourrait plus jamais le regarder dans les yeux. « Oh, monsieur Nettle, pria-t-elle en silence, faites que votre parfum magique agisse ! »

Avec une réticence infinie, Westcliff glissa les bras autour d'elle. Le cœur de Lillian cognait si follement dans sa poitrine qu'elle en avait la respiration coupée. Il posa l'une de ses larges mains entre ses omoplates crispées, et l'autre au creux de ses reins. Il la touchait avec des précautions excessives, comme si elle était constituée d'une substance volatile. Quand il attira doucement son corps contre le sien, le sang de Lillian se transforma en feu liquide. Elle ne savait que faire de ses mains frémissantes, jusqu'à ce qu'elles frôlent le dos de son habit. Elle les plaqua alors de chaque côté de sa colonne vertébrale, et sentit ses muscles durs jouer sous ses paumes en dépit des épaisseurs de tissu.

— Est-ce cela que vous vouliez ? murmura-t-il d'une voix sourde.

Les orteils de Lillian se crispèrent dans ses escarpins quand elle sentit son souffle tiède lui chatouiller la tempe. Elle répondit d'un hochement de tête, déçue et mortifiée d'avoir perdu son pari. Westcliff allait lui montrer à quel point il était facile de la relâcher, et elle serait ensuite, et à jamais, l'objet de ses moqueries impitoyables.

— Vous pouvez me laisser partir, à présent, chuchota-t-elle.

Mais Westcliff ne bougea pas. Inclinant la tête, il prit une inspiration un peu tremblante. Lillian se rendit compte qu'il respirait le parfum de sa gorge… qu'il l'absorbait avec une gourmandise appliquée, et grandissante. « Le parfum ! » songea-t-elle, stupéfaite. Ainsi, elle n'avait pas été victime de son imagination. La magie opérait de nouveau. Mais pourquoi Westcliff semblait-il être le seul homme à y être sensible ? Pourquoi…

Mais ses pensées se dispersèrent comme il accentuait la pression de ses mains. Avec un frisson, elle cambra le dos.

— Bon sang ! chuchota Westcliff avec force.

Avant même qu'elle comprenne ce qui se passait, il la poussa contre un mur proche. Son regard férocement accusateur quitta ses yeux pour se poser sur ses lèvres. La bataille silencieuse qu'il menait contre lui-même se prolongea encore une seconde, puis il succomba avec un juron et s'empara de sa bouche.

Prenant le visage de Lillian entre ses mains, il se mit à lui mordiller, à lui titiller doucement les lèvres, comme si celles-ci étaient un mets exotique à savourer. Elle sentit que ses jambes menaçaient de se dérober sous elle. C'était Westcliff, que diable ! s'efforça-t-elle de se rappeler. Westcliff, l'homme qu'elle haïssait... Mais lorsque sa bouche se fit plus ferme sur la sienne, elle ne put s'empêcher de lui rendre son baiser. Arquée contre lui, elle se dressa instinctivement sur la pointe des pieds jusqu'à ce que leurs corps s'épousent parfaitement, et que le point douloureusement sensible entre ses cuisses chevauche le relief dur qui tendait son pantalon. Se rendant brusquement compte de ce qu'elle faisait, elle rougit et tenta de s'écarter. En vain. Lui empoignant les fesses, Westcliff la retint contre lui tandis que, de la langue, il explorait sa bouche avec une sensualité brûlante. Lillian haletait, et elle laissa échapper un cri étouffé quand sa main tâtonna vers son corsage.

— Je veux vous sentir, murmura-t-il contre ses lèvres tremblantes en tirant sur le tissu. Je veux vous embrasser partout...

Confinés dans leur étroite prison, ses seins se gonflaient douloureusement. Lillian fut saisie de l'envie folle d'arracher son corset et de le supplier d'apaiser sa chair tourmentée de la bouche et des mains. Au lieu de cela, elle enfouit les doigts dans ses cheveux tandis qu'il l'embrassait avec une fièvre croissante, jusqu'à ce que ses pensées perdent toute cohérence et qu'un flot de désir la submerge.

Brusquement, la griserie cessa. Westcliff arracha sa bouche à la sienne et la repoussa contre le mur. La respiration saccadée, il se détourna à demi et demeura immobile, les poings serrés.

Après un long moment, Lillian réussit à recouvrer à peu près ses esprits. L'effet du parfum avait été un peu trop puissant... Quand elle parla, sa voix était sourde, un peu éraillée, comme si elle venait juste de se réveiller.

— Eh bien, je… je suppose que cela répond à ma question. Alors… concernant ma demande de parrainage… ?

Westcliff ne daigna pas la regarder.

— Je vais y réfléchir, marmonna-t-il, avant de quitter l'orangerie à grands pas.

7

— Annabelle, que t'arrive-t-il ? s'enquit Lillian le lendemain matin, quand elle rejoignit ses trois amies sur la terrasse pour le petit déjeuner. Tu as une mine épouvantable. Pourquoi ne portes-tu pas ta tenue d'équitation ? Je croyais que tu participais à la course de sauts prévue ce matin. Et pourquoi as-tu disparu aussi soudainement hier soir ? Cela ne te ressemble pas, de disparaître ainsi sans rien…

— Je n'ai pas eu le choix, coupa Annabelle d'un ton irrité, en refermant les doigts autour de sa tasse à thé en porcelaine.

Elle était pâle, les traits tirés, les yeux cernés. Elle avala une gorgée de thé avant de continuer :

— C'est à cause de ton maudit parfum… Dès qu'il l'a senti, il s'est déchaîné.

Prise de court, Lillian sentit son estomac se contracter.

— Il… il a fait de l'effet à Westcliff, alors ? parvint-elle à articuler.

— Grands dieux non, pas à lord Westcliff ! Il n'aurait pu être plus indifférent, dit-elle en se frottant les yeux. C'est mon mari qui a complètement perdu la tête. Il m'a traînée jusqu'à notre chambre et… Bref, je me contenterai de dire que M. Hunt m'a tenue éveillée toute la nuit. *Toute la nuit*, répéta-t-elle, maussade, avant d'avaler une longue gorgée de thé.

— À faire quoi ? demanda Daisy, l'air interdit.

Vivement soulagée que lord Westcliff n'ait pas été attiré par Annabelle, Lillian jeta un regard moqueur à sa jeune sœur.

— À ton avis ? Ils ont joué à la bataille ?

— Oh, murmura Daisy, comprenant enfin.

Elle considéra alors Annabelle avec une franche curiosité.

— Mais j'avais l'impression que tu aimais bien faire… *ça*… avec M. Hunt.

— Oui, bien sûr, mais…

Annabelle s'interrompit et devint écarlate.

— C'est-à-dire que, lorsqu'un homme est excité à ce point…

Elle se tut de nouveau quand elle s'aperçut que Lillian elle-même buvait ses paroles. Étant le seul membre marié de leur petit groupe, Annabelle possédait une connaissance des hommes et des relations intimes qui éveillait une intense curiosité chez les autres. D'une manière générale, elle se montrait assez prolixe, sans toutefois dévoiler les détails privés de sa relation avec M. Hunt. Elle baissa la voix pour ajouter :

— Disons simplement que mon mari n'a pas besoin d'une potion quelconque pour accroître davantage son appétit charnel.

— Tu es sûre que c'était le parfum ? insista Lillian. Peut-être que quelque chose d'autre l'a…

— C'était le parfum, affirma Annabelle, catégorique.

— Mais pour… pourquoi n'a-t-il pas troublé lord Westcliff quand… quand tu le portais ? intervint Evangeline. Pourquoi ton mar… mari et pas un autre homme ?

— Et pourquoi est-ce que personne ne nous a remarquées, Evangeline et moi ? renchérit Daisy, d'un ton boudeur.

Annabelle porta sa tasse à ses lèvres en observant Lillian par-dessus le bord.

— Et toi ? Quelqu'un t'a remarquée ?

— En fait… commença Lillian, les yeux fixés sur le contenu de sa propre tasse, oui. Westcliff. *Encore*. Vous parlez d'une chance, j'ai trouvé l'aphrodisiaque qui n'agit que sur un homme que je méprise !

Annabelle avala de travers tandis que Daisy plaquait la main sur sa bouche pour réprimer un éclat de rire. Quand Annabelle eut cessé de tousser, elle fixa sur Lillian un regard un peu larmoyant.

— Je n'ose imaginer à quel point Westcliff doit être vexé de se découvrir aussi irrésistiblement attiré par toi alors que vous ne vous supportez pas.

— Pour se faire pardonner, je lui ai suggéré de demander à la comtesse de nous parrainer, Daisy et moi.

— Formidable ! s'exclama Daisy. Il a accepté ?

— Il va y réfléchir.

Contemplant d'un air songeur les écharpes de brume qui s'attardaient à la lisière de la forêt, Annabelle murmura :

— Je ne comprends pas… Pourquoi le parfum agit-il seulement sur M. Hunt et sur lord Westcliff ? Et pourquoi n'a-t-il aucun effet sur le comte quand c'est moi qui le porte, alors que quand c'est toi…

— Peut-être que… que ce qui le rend magique, c'est qu'il aide à trou… trouver le véritable amour, avança Evangeline.

— Balivernes ! déclara Lillian. Westcliff n'est pas l'amour de ma vie ! C'est un crétin supérieur et pompeux avec qui je n'ai jamais réussi à avoir une conversation aimable. Et la femme qui aura la malchance de l'épouser moisira ici, dans le Hampshire, avec obligation de lui rendre compte de tous ses faits et gestes. Non, merci.

— Lord Westcliff n'a rien d'un gentilhomme campagnard vieux jeu, observa Annabelle. Il réside assez souvent dans sa maison londonienne, et il est invité partout. Quant à ses airs supérieurs… je peux difficilement en discuter. Sinon pour dire que lorsqu'on le connaît mieux et qu'il laisse tomber la garde, il peut se montrer tout à fait charmant.

Lillian secoua la tête, la bouche pincée.

— Si c'est le seul homme que ce parfum peut attirer, je vais cesser d'en mettre.

— Oh non ! protesta Annabelle, les yeux soudain pétillants de malice. J'aurais pensé que tu voudrais continuer à le torturer.

— Oui, porte-le, renchérit Daisy. Nous n'avons aucune preuve que le comte sera le seul à être séduit par ton parfum.

Lillian se tourna vers Evangeline, qui arborait un faible sourire.

— Je dois le porter ? lui demanda-t-elle. Très bien, ajouta-t-elle quand Evangeline hocha la tête. Je ne voudrais pas rater une occasion de torturer Westcliff.

Elle tira la fiole de la poche de sa veste.

— Quelqu'un en veut ?

Annabelle eut l'air consterné.

— Non ! Garde-le loin, très loin de moi.

Les deux autres avaient déjà tendu la main. Avec un grand sourire, Lillian tendit le flacon à Daisy, qui s'en tamponna généreusement les poignets et le lobe des oreilles.

— Voilà, fit-elle avec satisfaction. J'en ai mis deux fois plus qu'hier soir. Si l'amour de ma vie se trouve dans un rayon d'un kilomètre, il accourra ventre à terre.

Une fois en possession du flacon, Evangeline appliqua un peu de parfum sur sa gorge.

— Même s'il n'a p… pas d'effet, il sent très bon.

Lillian remit la fiole dans sa poche et se leva. Du plat de la main, elle lissa l'ample jupe couleur chocolat de sa tenue d'équitation, dont le côté le plus long était relevé et retenu par un bouton quand elle marchait. Une fois en selle, la jupe détachée retomberait élégamment sur le flanc du cheval pour dissimuler ses jambes. Ses cheveux avaient été tressés, puis soigneusement épinglés sur la nuque, et un petit chapeau orné d'une plume était perché sur sa tête.

— C'est l'heure pour les cavaliers de se rassembler dans la cour de l'écurie. Aucune de vous ne vient ?

— Pas après la nuit dernière, répondit Annabelle avec un regard éloquent.

— Je ne monte pas très bien, avoua Evangeline.

— Lillian et moi non plus, avoua Daisy, qui jeta à son aînée un regard d'avertissement.

— Si, je monte bien, protesta Lillian. Tu sais très bien que je suis aussi à l'aise sur un cheval que n'importe quel homme !

— Uniquement quand tu montes comme un homme, riposta Daisy.

Devant l'expression perplexe d'Annabelle et d'Evangeline, elle expliqua :

— À New York, Lillian et moi montions à califourchon la plupart du temps. C'est beaucoup plus sûr, en fait, et bien plus confortable. Nos parents s'en moquaient tant que nous restions dans notre propriété et que nous portions des culottes d'équitation sous nos jupes. Lors de nos rares sorties en compagnie de messieurs, nous montions en amazone, mais aucune de nous deux n'est très à l'aise dans cette position. Lillian est excellente en saut quand elle monte normalement. Mais, à ma connaissance, elle n'a jamais essayé de sauter en amazone. L'équilibre est totalement différent, et les muscles qu'on utilise ne sont pas les mêmes, et le parcours de sauts à Stony Cross Park...

— Daisy, tais-toi, marmonna Lillian.

— ... est très difficile, et je suis convaincue que...

— Ferme-la !

— ... que ma sœur va se rompre le cou, conclut Daisy en fusillant Lillian du regard à son tour.

— Lillian, ma chérie… commença Annabelle, l'air tracassé.

— Je dois y aller, coupa Lillian. Je ne veux pas être en retard.

— Je sais que le parcours de sauts de lord West-cliff ne convient pas à une novice.

— Je ne suis pas une novice, affirma Lillian entre ses dents.

— Il y a des obstacles difficiles, avec des barrières rigides. Simon… enfin, M. Hunt m'a montré ce parcours peu de temps après sa construction, et m'a expliqué comment aborder les différents obstacles. Et même alors, ce fut très difficile. Si ta posture n'est pas parfaite, cela peut gêner la liberté de mouvement de la tête et du cou du cheval, et tu…

— Je m'en sortirai, l'interrompit froidement Lillian. Bon sang, Annabelle, je ne te croyais pas une telle poule mouillée !

Habituée à la langue acérée de son amie, Annabelle étudia un instant son expression butée.

— Pourquoi est-il nécessaire que tu te mettes en danger ?

— Tu devrais savoir que je ne recule jamais devant un défi.

— Et c'est une qualité admirable, répondit doucement Annabelle. Sauf quand tu l'appliques à un exercice vain.

C'était la première fois depuis qu'elles se connaissaient qu'elles étaient aussi près de se quereller.

— Écoute, répliqua Lillian avec impatience, si je tombe, tu pourras me faire la leçon, et je prendrai même des notes. En attendant, personne ne m'empêchera de monter aujourd'hui… et s'il y a bien un exercice vain, c'est de continuer à gaspiller ta salive.

Sur ce, elle pivota et s'éloigna. Annabelle laissa échapper une exclamation exaspérée, tandis que Daisy murmurait d'un air résigné :

— Après tout, c'est son cou. Si elle veut se le casser... Je suis désolée, ajouta-t-elle à l'adresse d'Annabelle. Elle ne voulait pas paraître cinglante. Tu sais comment elle est.

— Inutile de t'excuser à sa place, répliqua Annabelle. C'est Lillian qui devrait être désolée... Encore que je devrais sans doute aller me faire pendre avant qu'elle ne l'admette.

Daisy haussa les épaules.

— Il y a des circonstances où ma sœur doit supporter les conséquences de ses actes. Mais un des traits que j'adore chez elle, c'est que lorsqu'on lui prouve qu'elle avait tort, elle le reconnaît, et se moque même d'elle-même.

— J'aime ta sœur, Daisy. Au point que je ne peux pas la laisser marcher aveuglément droit vers le danger. Car il est évident qu'elle ne se rend pas compte combien ce parcours est dangereux. Westcliff est un cavalier hors pair, et ce parcours est adapté à ses capacités. Même mon mari, qui est pourtant expérimenté, dit que c'est un défi. Dans ces conditions, que Lillian s'y attaque quand elle ne maîtrise pas le saut en amazone... La pensée qu'elle puisse se blesser ou se tuer m'est insupportable !

— M. Hunt est sur la ter... terrasse, intervint Evangeline. Il est debout près des portes-fenêtres.

Toutes trois tournèrent les yeux vers la haute silhouette du mari d'Annabelle. Vêtu de sa tenue d'équitation, il était en compagnie de trois hommes, qui l'avaient rejoint dès qu'il avait posé le pied sur la terrasse, et qui riaient à cet instant d'une plaisanterie – sans doute grivoise – qu'il venait de faire. Mais quand il aperçut Annabelle, son sourire se fit si tendre que Daisy en ressentit presque de l'envie. Il y avait comme un lien invisible entre ces deux-là, si intense que rien n'aurait pu le rompre.

— Si vous voulez bien m'excuser, murmura Annabelle en se levant.

Elle se dirigea vers son mari, qui lui prit la main dès qu'elle fut près de lui et la porta à ses lèvres pour en embrasser la paume. Sans la lâcher, il pencha la tête vers sa femme.

— Tu crois qu'elle lui parle de Lillian ? demanda Daisy à Evangeline.

— Je l'espère.

— Oh, pourvu qu'il agisse discrètement ! gémit Daisy. Au moindre signe d'affrontement, Lillian se transformera en bourrique.

— J'imagine que M. Hunt se montrera circonspect. Il est connu pour être un négociateur fort habile en affaires, non ?

— Tu as raison, acquiesça Daisy, un peu rasérénée. Et il est habitué à traiter avec Annabelle, qui a, elle aussi, un tempérament assez emporté.

Tandis qu'elles s'entretenaient, Daisy ne put s'empêcher de remarquer que le même phénomène se reproduisait dès qu'elle se retrouvait seule avec Evangeline : celle-ci semblait se détendre, et son bégaiement disparaissait.

Evangeline se pencha en avant et, avec une grâce dont elle n'avait pas conscience, posa le menton sur sa main, le coude appuyé sur la table.

— Que crois-tu qu'il se passe entre eux ? Je veux dire entre Lillian et lord Westcliff.

Inquiète pour sa sœur, Daisy eut un sourire contraint.

— Je crois qu'elle a eu peur, hier, quand elle s'est rendu compte qu'elle pourrait trouver lord Westcliff séduisant. Et quand elle a peur, elle a tendance à avoir des réactions inconsidérées. D'où sa détermination à aller se faire tuer à cheval aujourd'hui.

— Mais pourquoi aurait-elle peur ? s'étonna Evangeline. Cela devrait lui faire plaisir d'attirer l'attention d'un homme comme le comte.

— Pas quand elle sait qu'ils seraient à couteaux tirés en permanence si quelque chose en résultait.

Et Lillian n'a aucune envie d'être écrasée par un homme aussi puissant que Westcliff. Moi non plus, je ne voudrais pas cela pour elle.

Evangeline acquiesça, quoique à contrecœur.

— Je suppose que le comte trouverait difficile de s'accommoder de la personnalité haute en couleur de Lillian.

— Plutôt, admit Daisy. Evangeline, ma chérie… j'imagine que ce n'est pas très adroit de ma part d'y faire allusion, mais ton bégaiement a disparu depuis quelques minutes.

Cachant un sourire gêné derrière sa main, Evangeline avoua :

— Je me sens toujours mieux quand je suis loin de chez moi… loin de ma famille. Et cela m'aide lorsque je me rappelle que je dois parler lentement et penser à l'avance à ce que je vais dire. Mais ça empire quand je suis fatiguée ou quand je dois m'adresser à des étr… étrangers. Il n'y a rien de plus terrifiant que de me rendre à un bal et de faire face à une pièce pleine de gens que je ne connais pas.

— Ma chérie, dit Daisy d'une voix douce, la prochaine fois que tu affronteras une pièce pleine d'inconnus… tu pourrais te dire que certains d'entre eux sont simplement des amis qui attendent de te connaître.

Lorsque Lillian parvint aux écuries, une quinzaine d'hommes et deux femmes étaient déjà rassemblés. Les hommes portaient des vestes sombres, des culottes fauves ou moutarde et de hautes bottes ; les femmes, des jaquettes moulantes ornées de brandebourgs et de volumineuses jupes asymétriques relevées d'un côté. Des valets et des garçons d'écurie circulaient entre eux, amenant les chevaux ou aidant les cavaliers à grimper en selle depuis l'un des trois montoirs. Quelques-uns des invités avaient leurs propres chevaux, les autres se contentant de profiter des écuries renommées des Marsden. Même si elle les avait visités lors de son séjour précédent, Lillian fut de nouveau frappée par la beauté des pursang que l'on proposait aux invités.

Lillian attendait près d'un des montoirs en compagnie de M. Winstanley – un jeune homme dont les traits avenants étaient gâchés par un menton fuyant –, et de deux autres gentlemen, lord Hew et lord Bazeley. Tous trois s'entretenaient aimablement en attendant leur monture. N'éprouvant que peu d'intérêt pour la conversation, Lillian regardait vaguement autour d'elle lorsqu'elle aperçut Westcliff qui traversait la cour. Il portait une veste qui, bien que de coupe excellente, avait été visiblement beaucoup portée, et des bottes de cuir patiné par l'usage.

Son pouls s'emballa alors que des souvenirs malvenus l'assaillaient. Les oreilles brûlantes, elle se rappela soudain son chuchotement rauque : « Je veux vous embrasser partout… » En proie à un frémissement gênant, elle vit Westcliff s'approcher d'un cheval qu'elle se souvenait d'avoir déjà vu. Il s'appelait Brutus, et il n'existait pas de cavaliers qui ne l'aient mentionné dans la conversation à un moment ou à un autre. Ce magnifique bai, puissant et intelligent, était probablement le cheval de chasse le plus admiré d'Angleterre. Sa musculature lui permettait d'affronter n'importe quel terrain, mais aussi de sauter les obstacles sans difficultés.

— On dit qu'avec Brutus, Westcliff n'a pas besoin de second cheval, fit remarquer l'un des invités.

— Qu'est-ce que cela signifie ? s'enquit Lillian avec curiosité.

Winstanley eut un sourire incrédule, comme si c'était là une chose que tout le monde savait.

— Au cours d'une chasse, expliqua-t-il, on monte en général un cheval le matin, puis on change de monture l'après-midi. Mais, apparemment, Brutus possède la vigueur et la résistance de deux chevaux.

— Comme son propriétaire, renchérit l'un de ses compagnons, ce qui les fit tous s'esclaffer.

Détournant les yeux, Lillian constata que Westcliff s'entretenait avec Simon Hunt. Un pli soucieux barrait le front du comte. Brutus piaffa, puis donna un coup de tête affectueux à son maître, et se calma quand Westcliff lui caressa les naseaux.

Lillian fut tirée de sa contemplation par un garçon d'écurie – l'un de ceux avec lesquels elle avait joué au rounders la veille – qui avait amené un cheval gris, à la robe lustrée, jusqu'au montoir près duquel elle se tenait. Elle lui adressa un clin d'œil complice, qu'il lui rendit, puis le regarda vérifier les sangles de la selle d'amazone honnie. Le cheval était à la fois mince et puissant, avec un regard vif et intelligent, et il ne mesurait pas plus de treize paumes de haut… Une monture parfaite pour une dame.

— Comment s'appelle-t-il ? demanda-t-elle.

— Starlight, mademoiselle. Vous vous entendrez très bien avec lui. Avec Brutus, c'est le mieux élevé de l'écurie.

Lillian flatta le cou soyeux du cheval.

— Tu as l'air d'un gentleman, Starlight. Si seulement je pouvais te monter convenablement, au lieu de t'imposer cette selle ridicule.

— M. le comte m'avait recommandé, si vous vouliez monter, mademoiselle, de vous donner Starlight, fit le garçon d'écurie, l'air impressionné que Westcliff ait pris la peine de lui choisir lui-même une monture.

— Comme c'est aimable de sa part, marmonna Lillian en glissant le pied dans l'étrier pour se hisser en selle.

Elle s'efforça de s'asseoir le plus droit possible, en portant le plus gros de son poids sur le côté droit, la jambe droite accrochée à la fourche, la gauche allongée le long du flanc de sa monture. Ce n'était pas inconfortable, mais Lillian savait qu'au bout d'un moment, cette position inhabituelle deviendrait douloureuse. Pourtant, quand elle s'empara des rênes et se pencha pour flatter l'encolure de Starlight, un frisson de plaisir la parcourut. Elle adorait l'équitation, et ce cheval était supérieur à tous ceux de l'écurie familiale.

— Euh… mademoiselle… dit le garçon d'écurie à voix basse en indiquant timidement sa jupe, toujours boutonnée.

À présent que Lillian était en selle, on voyait une bonne partie de sa jambe gauche.

— Merci, fit-elle en drapant sa jupe sur sa jambe.

Satisfaite, elle pressa doucement le talon contre le flanc de Starlight, qui répondit aussitôt à sa sollicitation.

Tout en rejoignant un groupe de cavaliers qui se dirigeaient vers la forêt, Lillian éprouva une excitation anticipée à la pensée du parcours d'obstacles. Ils étaient au nombre de douze, lui avait-on dit, et disposés aussi bien dans les champs que dans la forêt. C'était une épreuve qu'elle était certaine de réussir. Même sur la selle d'amazone, elle avait une bonne assiette, et son cheval, qu'elle venait de mettre au petit galop sans aucune difficulté, se révélait merveilleusement dressé.

Quand elle parvint au début du parcours, elle aperçut le premier obstacle, qui devait faire à peu près soixante centimètres de haut sur un mètre quatre-vingts de long.

— Cela ne va pas nous poser de problème, n'est-ce pas, Starlight ? murmura-t-elle.

Elle remit sa monture au pas comme ils approchaient du groupe de cavaliers qui attendaient. Mais avant qu'elle les ait atteints, quelqu'un vint chevaucher à ses côtés. C'était Westcliff, qui montait son cheval bai avec une aisance et une économie de mouvements qui lui donna la chair de poule, comme cela lui arrivait chaque fois qu'elle assistait à un spectacle exécuté à la perfection. Elle devait l'admettre, le comte avait splendide allure sur un cheval.

À la différence des autres gentlemen présents, il ne portait pas de gants. Se rappelant soudain le contact de ses doigts un peu calleux sur sa peau, Lillian déglutit avec peine et détourna les yeux de ses mains. Un coup d'œil à son visage lui révéla que quelque chose le contrariait bel et bien. Il avait les sourcils froncés, et sa mâchoire crispée formait une ligne inflexible.

Lillian réussit à esquisser un sourire désinvolte.

— Bonjour, milord.

— Bonjour, mademoiselle Bowman.

Il parut choisir ses mots avec précaution avant de continuer :

— Votre monture vous convient-elle ?

— Oui, c'est un cheval magnifique. Apparemment, c'est vous que je dois remercier pour ce choix.

Il plissa légèrement la bouche, comme pour signifier que cela n'avait guère d'importance.

— Mademoiselle Bowman… j'ai appris que vous n'étiez pas habituée à monter en amazone.

Le sourire de Lillian s'évanouit. Elle se souvint qu'une minute plus tôt, Simon Hunt avait parlé à Westcliff, et comprit qu'Annabelle devait être à l'origine de cette information. « Elle n'avait pas à s'en mêler ! » songea-t-elle sans chercher à dissimuler son irritation.

— Je me débrouillerai, rétorqua-t-elle d'un ton brusque. Ne vous en faites pas.

— Je crains fort de ne pas pouvoir autoriser l'une de mes invitées à compromettre sa sécurité.

— Westcliff, je monte aussi bien que n'importe qui d'autre ici. Et quoi qu'on ait pu vous dire par ailleurs, je sais monter en amazone. Alors, si vous vouliez bien me laisser tranquille…

— Si on m'en avait informé plus tôt, j'aurais pu trouver le temps de vous accompagner sur le parcours afin de juger de votre niveau de compétence. À présent, il est trop tard.

— Vous êtes en train de dire que je ne peux pas monter aujourd'hui ? s'écria-t-elle, ulcérée par son ton catégorique et son air autoritaire.

Westcliff soutint son regard sans broncher.

— Pas sur le parcours d'obstacles. Mais vous pouvez monter ailleurs dans le domaine. Si vous le souhaitez, j'évaluerai vos capacités un peu plus tard dans la semaine, et vous aurez peut-être une autre occasion. Aujourd'hui, toutefois, je ne peux vous le permettre.

Peu accoutumée à ce qu'on lui dise ce qu'elle pouvait ou ne pouvait pas faire, Lillian ravala un flot d'accusations offensantes. Au prix d'un immense effort, elle parvint à répondre avec calme :

— J'apprécie votre sollicitude, milord. Mais j'aimerais vous suggérer un compromis : regardez-moi sauter les deux ou trois premiers obstacles, et si vous jugez que je ne m'en sors pas bien, je me plierai à votre décision.

— Je n'accepte pas de compromis en matière de sécurité. Vous vous plierez à ma décision *maintenant*, mademoiselle Bowman.

Il se montrait injuste, et ne lui interdisait de participer à la course que pour faire étalage de son pouvoir. Luttant pour contrôler sa fureur, Lillian sentit frémir les muscles autour de sa bouche. À son grand désespoir, elle perdit la bataille contre elle-même.

— Je peux très bien sauter, déclara-t-elle d'un air résolu. Et je vais vous le prouver.

8

Sans laisser à Westcliff le temps de réagir, Lillian planta le talon dans le flanc de Starlight et se pencha sur son encolure pour anticiper le saut. Le cheval répondit aussitôt et s'élança au grand galop. Bien que crispant les cuisses, Lillian sentit sa position devenir moins assurée, et dut lutter pour empêcher son corps de pivoter au moment d'approcher l'obstacle. Elle sentit l'élan formidable de Starlight pour décoller du sol et éprouva, l'espace d'un instant éphémère, l'allégresse de voler au-dessus de l'obstacle. Elle eut néanmoins du mal à conserver son assise en retrouvant le sol, et l'impact violent se répercuta douloureusement dans sa cuisse droite. Mais elle avait réussi, et avec les honneurs !

Alors qu'elle ramenait son cheval, un sourire de triomphe aux lèvres, elle ne manqua pas de remarquer les regards surpris des autres cavaliers, qui s'interrogeaient certainement sur la raison d'un saut aussi impulsif. Soudain, une forme sombre passa à côté d'elle dans un martèlement de sabots et, sans avoir la possibilité de protester ou de se défendre, elle fut littéralement arrachée à sa selle et jetée brutalement sur une surface dure. Impuissante, elle se retrouva en équilibre instable en travers des cuisses de Westcliff, qui galopa encore quelques mètres avant d'arrêter sa monture et d'en descendre, l'entraînant avec lui. Il la saisit aux épaules sans ménagement et, le visage livide, s'inclina vers elle.

— Vous pensiez me convaincre de quelque chose avec cette démonstration stupide ? gronda-t-il en la secouant. L'utilisation de mes chevaux est un privilège que j'accorde à mes invités – un privilège que vous venez de perdre. À partir de maintenant, ne vous avisez pas de mettre ne serait-ce qu'un pied dans les écuries, ou je me chargerai personnellement de vous jeter hors de mon domaine.

En proie à une rage identique à la sienne, Lillian articula d'une voix basse et tremblante :

— Ôtez vos mains de ma personne, espèce de salaud !

Elle eut la satisfaction de voir ses yeux s'étrécir sous l'insulte. Mais il ne desserra pas son étreinte pour autant, et sa respiration se fit saccadée, comme s'il mourait d'envie d'user de violence envers elle. Alors qu'ils se défiaient du regard, une brûlante décharge d'énergie parut circuler entre eux, donnant à Lillian l'irrésistible envie de le frapper, de le blesser, de se jeter sur lui pour le bourrer de coups. Jamais un homme ne l'avait exaspérée à ce point. La tension saturée d'hostilité s'accrut entre eux au point qu'ils devinrent tous deux écarlates et haletants. Leur antagonisme était tel que ni l'un ni l'autre n'avait conscience de la présence des témoins, muets de stupéfaction, qui se tenaient à faible distance.

Une voix masculine suave rompit leur confrontation silencieuse.

— Westcliff… tu aurais dû m'avertir que tu préparais un divertissement, je serais arrivé plus tôt.

— Ne te mêle pas de ça, Saint-Vincent !

— Je n'oserais pas. Je voulais simplement te complimenter sur la manière dont tu faisais face à la situation. Très diplomatique. Délicate, même.

Sous le sarcasme, le comte relâcha brutalement Lillian. Elle tituba en arrière, et fut aussitôt attrapée à la taille par deux mains expertes. Décontenancée, elle tourna la tête, et découvrit le visage remarquable de Sebastian, lord Saint-Vincent, vaurien et séducteur à la redoutable réputation.

Lillian l'avait aperçu à de nombreuses reprises, mais ils n'avaient jamais été présentés, et le vicomte évitait toujours avec soin les jeunes filles faisant tapisserie lors des bals auxquels il lui arrivait d'assister. De loin, il avait une allure saisissante. De près, la beauté exotique de ses traits était presque pétrifiante. Saint-Vincent possédait les yeux les plus extraordinaires qu'elle ait jamais vus : bleu pâle, semblables à ceux d'un chat, et ombrés de cils noirs. Ses traits, quoique parfaitement ciselés, demeuraient virils. Contrairement à ce à quoi Lillian s'attendait, Saint-Vincent paraissait narquois, mais pas du tout débauché, et son sourire, d'un charme irrésistible, réussit à désarmer sa colère.

Reportant son attention sur le visage fermé de Westcliff, Saint-Vincent arqua un sourcil et demanda d'un ton léger :

— Dois-je escorter la coupable jusqu'au manoir, milord ?

— Emmène-la hors de ma vue, maugréa ce dernier, avant que je ne sois poussé à dire quelque chose que je regretterais.

— Allez-y, dites-le, riposta Lillian.

Westcliff fit un pas vers elle, l'air furibond. D'un geste vif, Saint-Vincent tira Lillian derrière lui.

— Westcliff, tes invités attendent. Et bien qu'ils savourent certainement ce drame fascinant, les chevaux s'impatientent.

Le comte parut livrer une brève, mais intense bataille contre lui-même avant de réussir à contraindre son visage à l'impassibilité. D'un geste de la tête en direction du manoir, il ordonna silencieusement à Saint-Vincent de faire disparaître Lillian de la scène.

— Puis-je la ramener sur mon cheval ? s'enquit Saint-Vincent poliment.

— Non, répondit Westcliff, glacial. Elle peut très bien marcher.

Saint-Vincent fit aussitôt signe à un garçon d'écurie de prendre en charge les deux chevaux abandonnés. Offrant le bras à Lillian, qui fulminait, il déclara, une étincelle espiègle dans ses yeux clairs :

— Vous serez donc enfermée dans le donjon. Et j'ai l'intention de vous passer moi-même les poucettes.

— N'importe quelle torture plutôt que sa compagnie, riposta Lillian en relevant le long pan de sa jupe pour le boutonner.

Alors qu'ils s'éloignaient, elle entendit Westcliff lancer :

— Tu peux t'arrêter à la glacière en passant. Elle a besoin d'être refroidie.

Tout en essayant de remettre un semblant d'ordre dans ses émotions, Marcus suivit Lillian Bowman d'un regard qui aurait pu roussir le dos de sa veste d'équitation. Lui, qui était accoutumé à prendre du recul vis-à-vis de n'importe quelle situation pour l'évaluer objectivement, ne comprenait pas comment, en quelques minutes, il avait perdu toute espèce de contrôle sur lui-même.

Quand Lillian avait galopé vers l'obstacle, il avait vu le déséquilibre momentané de son corps – qui pouvait se révéler fatal sur une selle d'amazone –, et la certitude instantanée de sa chute l'avait affolé. À cette allure, elle risquait de se briser le cou ou la colonne vertébrale. Et il ne pouvait absolument rien faire d'autre que regarder, glacé d'horreur et nauséeux. Lorsque cette petite idiote avait touché le sol, saine et sauve, son épouvante s'était transformée en rage. Il n'avait pas eu conscience d'aller vers elle, et s'était soudain retrouvé face à elle, les mains crispées sur ses épaules, avec l'envie folle de la serrer dans ses bras de soulagement et de l'embrasser, puis de lui arracher les membres un par un à mains nues.

La raison d'une réaction aussi extrême était… une chose à laquelle il refusait de penser.

Le visage renfrogné, Marcus s'approcha du garçon d'écurie qui tenait les rênes de Brutus, et les lui prit des mains. Plongé dans ses réflexions moroses, il s'aperçut vaguement que Simon Hunt avait suggéré aux invités de commencer le parcours sans l'attendre pour ouvrir la voie.

Simon le rejoignit, l'air impassible.

— Tu vas monter ? lui demanda-t-il avec calme.

En guise de réponse, Marcus sauta en selle.

— Cette fille est insupportable, grommela-t-il en défiant Hunt du regard, au cas où ce dernier aurait eu l'idée de le contredire.

— Ton intention était-elle de la pousser à sauter ?

— Je lui ai ordonné exactement le contraire. Tu as dû m'entendre.

— Oui, moi et tous les autres, répondit Hunt, ironique. Ma question se rapportait à ta tactique, Westcliff. Il est évident qu'une femme comme Mlle Bowman requiert une approche plus subtile qu'une interdiction pure et simple. De plus, je t'ai déjà vu à une table de négociations, et ton pouvoir de persuasion est sans égal, Shaw excepté peut-être. Si tu avais usé de doigté et de flatterie, il ne t'aurait pas fallu une minute pour obtenir ce que tu voulais. Au lieu de cela, tu as fait preuve d'une subtilité de matraque pour lui prouver que tu étais le maître.

— Je n'avais jamais remarqué ton don pour l'hyperbole, grommela Marcus.

— Et maintenant, continua Hunt d'un ton égal, tu l'as laissée aux bons soins de Saint-Vincent. Dieu sait pourtant qu'il risque de lui dérober sa vertu avant même d'avoir atteint le manoir.

Marcus lui jeta un regard acéré, sa colère teintée d'une inquiétude soudaine.

— Il ne ferait pas ça.

— Pourquoi?

— Ce n'est pas son genre de femme.

Hunt rit doucement.

— Parce que Saint-Vincent a un genre de femme? Je n'ai jamais remarqué aucune similarité entre ses conquêtes, hormis le fait qu'il s'agissait de femmes. Brune, blonde, ronde, mince... il est remarquablement dépourvu de préjugés en la matière.

— Qu'elles aillent toutes au diable! siffla Marcus.

Pour la première fois de sa vie, il découvrait ce qu'était la jalousie.

Lillian s'efforçait de poser un pied devant l'autre, alors qu'elle n'avait qu'une envie : rebrousser chemin et frapper Westcliff de toutes ses forces.

— Ce crétin arrogant et pompeux...

— Du calme, murmura Saint-Vincent. Westcliff est d'une humeur redoutable, et je n'aimerais pas avoir à l'affronter pour vous défendre. Je peux le battre aisément à l'épée, mais pas à mains nues.

— Pourquoi? marmonna Lillian. Vous devez avoir une meilleure allonge que lui.

— Il possède le coup droit le plus vicieux que je connaisse. Et j'ai la déplorable habitude d'essayer de me protéger le visage – ce qui laisse la voie ouverte aux coups bas.

La suffisance éhontée que ces propos trahissaient fit rire Lillian malgré elle. Tandis que sa colère refluait, elle se fit la réflexion qu'avec un visage pareil, on ne pouvait guère blâmer le vicomte de vouloir le protéger.

— Vous vous êtes souvent battu avec le comte?

— Pas depuis l'école. Westcliff faisait tout à la perfection... Un peu trop, même, et je devais le provoquer de temps à autre pour empêcher sa vanité de prendre des proportions excessives. Dites-moi... et si nous coupions par le jardin ?

Se souvenant des innombrables histoires qui couraient sur son compte, Lillian hésita.

— Je ne suis pas sûre que ce serait sage.

— Et si je promets sur l'honneur de ne pas vous faire d'avances ? dit Saint-Vincent en souriant.

— Dans ce cas, d'accord.

Saint-Vincent la guida à travers un petit bosquet, puis sur un chemin gravillonné qu'ombrageait une rangée de vieux ifs.

— Je devrais sans doute vous avertir que, mon sens de l'honneur étant complètement perverti, mes promesses sont sans valeur.

— Alors, je devrais vous avertir que *mon* coup droit est au moins dix fois plus vicieux que celui de Westcliff.

Saint-Vincent eut un large sourire.

— Dites-moi, mon cœur, que s'est-il passé pour que vous éprouviez une telle animosité l'un envers l'autre, le comte et vous ?

Surprise par l'usage inconvenant de ce terme affectueux, Lillian songea à le réprimander, puis y renonça. Après tout, ç'avait été gentil de sa part de renoncer à sa chevauchée matinale pour la ramener au manoir.

— Nous nous sommes détestés au premier regard, je le crains. Je trouve que Westcliff est un rustre suffisant, et il me considère comme une peste mal élevée. Peut-être avons-nous tous deux raison, conclut-elle en haussant les épaules.

— Je pense, moi, qu'aucun de vous deux n'a raison.

— Eh bien, en vérité... je suis un peu peste, admit Lillian.

— Vraiment ? fit Saint-Vincent sans parvenir à dissimuler son amusement.

Lillian hocha la tête.

— J'aime faire ce que je veux, et je ne supporte pas qu'on me mette des bâtons dans les roues. Il paraît que j'ai le même caractère que ma grand-mère, qui était lavandière sur les docks.

Qu'on puisse être apparenté à une blanchisseuse eut l'air de beaucoup divertir Saint-Vincent.

— Vous étiez proche de votre grand-mère?

— Oh, c'était une vieille dame épatante, pleine d'entrain, très grossière. Elle racontait des choses qui vous faisaient rire à en avoir mal au ventre. Oh… pardon… Je crois que je ne suis pas censée prononcer le mot «ventre» devant un gentleman.

— Je suis choqué, dit Saint-Vincent avec gravité, mais je m'en remettrai.

Regardant autour de lui comme pour s'assurer qu'il ne risquait pas d'être entendu, il ajouta d'un ton de conspirateur :

— Je ne suis pas vraiment un gentleman, vous savez.

— Mais vous êtes vicomte, non?

— Ce qui est rarement synonyme de gentleman. Vous ne connaissez pas grand-chose à l'aristocratie, n'est-ce pas?

— Je crois que j'en sais déjà plus que je ne le souhaite.

Saint-Vincent lui adressa un curieux sourire.

— Et moi qui pensais que vous aviez l'intention d'épouser l'un de nous. Je me trompe, ou votre sœur et vous n'êtes pas deux princesses dollars amenées des colonies pour dénicher des maris titrés?

— Des *colonies*? répéta Lillian avec un sourire réprobateur. Au cas où vous ne seriez pas au courant, milord, nous avons gagné la Révolution.

— Ah. J'ai dû oublier de lire le journal, ce jour-là. Mais pour répondre à ma question…?

— Oui, répondit Lillian en rougissant légèrement. Nos parents nous ont amenées ici pour dénicher un mari. Ils veulent infuser un peu de sang bleu dans la lignée familiale.

— Et vous, c'est ce que vous voulez ?

— Aujourd'hui, mon seul désir est de *faire couler* un peu de sang bleu, marmonna-t-elle.

— Quelle créature féroce vous faites ! s'exclama Saint-Vincent en riant. Je plains Westcliff s'il vous irrite de nouveau. En fait, je crois que je devrais le prévenir...

Sa voix mourut quand il vit le visage de Lillian se contracter de douleur et entendit son gémissement étouffé.

Elle éprouvait un élancement horrible dans la cuisse droite, et se serait effondrée sur le sol s'il ne l'avait soutenue d'un bras passé autour de sa taille.

— Oh, mince ! fit-elle d'une voix tremblante en refermant les mains sur sa cuisse.

Un spasme contracta violemment le muscle, et elle pâlit.

— Mince, mince...

— Qu'est-ce que c'est ? s'enquit Saint-Vincent en l'aidant à s'asseoir au bord du chemin. Une crampe ?

— Oui... Oh, bonté divine, ça fait mal ! souffla-t-elle en se mordant la lèvre pour ne pas crier.

Il s'inclina vers elle, le front plissé d'inquiétude.

— Mademoiselle Bowman... commença-t-il, une intonation pressante dans sa voix jusque-là calme, vous serait-il possible d'ignorer temporairement ce que vous avez entendu sur ma réputation ? Juste le temps que je vous aide ?

Le scrutant, Lillian ne vit sur son visage rien d'autre que le désir sincère de la soulager. Aussi hocha-t-elle la tête.

— Bien, murmura-t-il avant de l'asseoir à demi.

Sans cesser de parler, pour distraire son attention de la douleur, il glissa la main sous ses jupes d'un geste habile.

— Cela ne prendra qu'un instant. Je prie le ciel pour que personne ne vienne à passer et ne nous surprenne ainsi... Cela semblerait plus que compromettant. Et je doute qu'on puisse se servir encore de l'excuse traditionnelle, quoique un peu galvaudée, de la crampe dans la jambe...

— Je m'en moque, haleta-t-elle. Faites ce qu'il faut.

Elle sentit la main de Saint-Vincent remonter le long de sa jambe, et elle perçut la chaleur de sa peau à travers le mince tissu de sa culotte longue tandis qu'il cherchait le muscle contracté.

— J'y suis. Retenez votre souffle, mon cœur.

Lillian obéit. De la paume, il appuya fortement sur le muscle et le fit rouler. Elle faillit hurler quand une brûlure fulgurante lui déchira les chairs. La douleur disparut brusquement, la laissant toute faible.

S'appuyant contre le bras de Saint-Vincent, elle expira lentement.

— Je vous remercie. Ça va beaucoup mieux.

Un mince sourire étira ses lèvres tandis qu'il rabattait ses jupes sur ses jambes d'un geste adroit.

— Ce fut avec plaisir.

— Ça ne m'était jamais arrivé auparavant, murmura-t-elle en pliant la jambe avec précaution.

— C'est sans aucun doute une conséquence de votre exploit de tout à l'heure. Vous avez dû vous froisser un muscle.

— Oui, je l'ai senti.

S'empourprant légèrement, elle admit à contre-cœur :

— Je ne suis pas habituée à sauter en amazone – je ne l'ai jamais fait qu'à califourchon.

Le sourire du vicomte s'accentua lentement.

— Intéressant, commenta-t-il. Il apparaît clairement que mon expérience en matière d'Américaines est beaucoup trop limitée. Je ne m'étais pas rendu compte qu'elles étaient si pittoresques.

— Je suis plus pittoresque que la moyenne, avoua-t-elle d'un ton penaud.

— J'adorerais rester ici à bavarder avec vous, mon cœur, mais il vaudrait mieux que je vous raccompagne, si vous êtes capable de marcher, à présent. Il n'est pas bon pour vous de passer trop de temps seule avec moi.

Il se redressa d'un mouvement fluide, et lui tendit la main.

— Pourtant, cela semble m'avoir fait du bien, répliqua Lillian en acceptant sa main.

Saint-Vincent lui offrit de nouveau le bras et l'observa tandis qu'elle pliait la jambe avec précaution.

— Tout va bien?

— Oui, merci. Vous avez été très gentil, milord.

Il la regarda avec, dans ses prunelles pâles, une lueur étrange.

— Je ne suis pas gentil, mon ange. Je me montre aimable avec les gens uniquement quand j'ai l'intention d'en tirer avantage.

Lillian répondit d'un sourire désinvolte, et se risqua à demander :

— Suis-je en danger avec vous, milord?

Bien que son expression demeurât détendue, ses yeux la fixèrent avec une intensité troublante.

— J'en ai peur.

— Hmm...

Lillian étudia son profil délicatement ciselé, en songeant que, en dépit de ce qu'il prétendait, il n'avait pas cherché à tirer avantage d'elle, quelques instants auparavant.

— Vous êtes terriblement peu discret quant à vos coupables intentions. Au point que je me demande si je dois vraiment m'inquiéter.

Sa seule réponse fut un sourire énigmatique.

Après avoir quitté lord Saint-Vincent, Lillian gravit les marches qui menaient à la terrasse, d'où lui parvenaient des rires et des exclamations féminines. Une dizaine de jeunes filles étaient debout autour de l'une des tables, penchées sur des verres remplis de liquides variés. L'une d'elles avait les yeux bandés et trempait avec précaution les doigts dans un des verres, le résultat provoquant immanquablement des éclats de rire. Assises un peu plus loin, quelques douairières les observaient avec un intérêt amusé.

Apercevant sa sœur dans le groupe, Lillian se dirigea vers elle.

— À quoi jouez-vous ? demanda-t-elle.

Daisy se tourna vers elle, surprise.

— Lillian ! Pourquoi es-tu déjà de retour ? Tu as eu un problème sur le parcours ?

Lillian la tira un peu à l'écart.

— On peut dire ça, répondit-elle d'un ton acerbe, avant de lui raconter les péripéties de la matinée.

Consternée, Daisy écarquilla les yeux.

— Mon Dieu ! Je n'arrive pas à imaginer lord Westcliff perdant la tête ainsi… Quant à toi… qu'est-ce qui t'a pris de laisser lord Saint-Vincent faire une chose pareille ?

— Je souffrais trop, se défendit Lillian. Je n'arrivais plus à penser. Je n'arrivais même plus à bouger. Si tu avais déjà eu une crampe, tu saurais à quel point c'est douloureux.

— Je préférerais perdre carrément la jambe plutôt que de laisser quelqu'un comme lord Saint-Vincent s'en approcher, déclara Daisy à voix basse.

Elle se tut, comme pour évaluer la situation, puis ne put s'empêcher de demander :

— C'était comment ?

Lillian réprima un rire.

— Comment le saurais-je ? Quand ma jambe a eu cessé de me faire mal, il avait retiré la main.

— Tu crois qu'il risque d'en parler à quelqu'un ? demanda Daisy, soudain inquiète.

— Non, je ne le pense pas. Il a l'air d'être un gentleman, bien qu'il prétende le contraire. Bien plus gentleman, en tout cas, que ne l'a été lord Westcliff ce matin.

— Comment a-t-il su que tu ne savais pas monter en amazone ?

— Ne joue pas les idiotes. Il est évident qu'Annabelle l'a dit à son mari, qui l'a répété à Westcliff.

— J'espère que tu n'en voudras pas à Annabelle. Elle n'imaginait pas que cela prendrait de telles proportions.

— Elle aurait dû la boucler, maugréa Lillian.

— Elle craignait que tu ne tombes si tu sautais en amazone. Comme nous tous, du reste.

— Eh bien, je ne suis pas tombée !

— Tu aurais pu.

Lillian hésita. Puis l'honnêteté l'emporta.

— Il ne fait aucun doute que j'aurais fini par tomber, admit-elle.

— Tu ne seras pas fâchée contre Annabelle, alors ?

— Bien sûr que non. Ce ne serait pas juste de m'en prendre à elle à cause du comportement infect de Westcliff.

Soulagée, Daisy l'entraîna vers la table.

— Viens essayer ce jeu. C'est idiot, mais très amusant.

Les jeunes filles se serrèrent pour leur faire de la place. Pendant que Daisy expliquait les règles à sa sœur, on banda les yeux d'Evangeline et on changea la disposition des quatre verres.

— Comme tu peux le voir, dit Daisy, l'un des verres contient de l'eau savonneuse, un autre, de l'eau pure et un troisième du blcu de lessive. Le dernier est vide. Les verres indiquent le genre d'homme que tu épouseras.

Elles regardèrent Evangeline choisir l'un des verres à tâtons. Le doigt plongé dans l'eau savonneuse, elle attendit qu'on lui retire le bandeau, et afficha un air déçu en découvrant le résultat tandis que les autres filles gloussaient.

— L'eau savonneuse signifie qu'elle va épouser un homme pauvre, expliqua Daisy.

S'essuyant les doigts, Evangeline s'exclama néanmoins avec bonne humeur :

— Je sup... suppose que le simple fait que je trouv... trouve un mari est en soi une bonne chose.

La fille suivante faillit renverser un verre, puis plongea les doigts dans le bleu de lessive.

— Le bleu de lessive signifie qu'elle épousera un auteur célèbre, dit Daisy à Lillian. À présent, à toi !

Lillian lui adressa un regard éloquent.

— Rassure-moi, tu n'y crois pas vraiment ?

— Oh, ne sois pas cynique ! Amuse-toi un peu !

Daisy s'empara du bandeau et, se hissant sur la pointe des pieds, le noua fermement autour de la tête de sa sœur.

Celle-ci sourit en entendant les cris d'encouragement autour d'elle et, les mains à demi levées, demanda :

— Que se passe-t-il si je prends le verre vide ?

— Tu mourras vieille f... fille ! répondit Evangeline au milieu des éclats de rire.

— Et on ne soulève pas les verres pour évaluer leur poids, l'avertit quelqu'un. Vous ne pourrez pas éviter le verre vide si tel est votre destin !

— Pour le moment, je le veux, le verre vide, rétorqua Lillian, ce qui suscita de nouveaux rires.

Rencontrant la surface lisse d'un verre, elle en suivit la paroi du bout des doigts et plongea ceux-ci dans le liquide froid. Il y eut une explosion d'applaudissements et d'exclamations.

— J'épouse un écrivain, moi aussi ?

— Non, tu as choisi l'eau pure, répondit Daisy. Un mari riche et séduisant s'annonce pour toi, ma chérie!

— Oh, quel soulagement! plaisanta Lillian en ôtant le bandeau. C'est à toi, maintenant?

Sa sœur secoua la tête.

— J'ai été la première à essayer. J'ai renversé deux verres et j'ai fait plein de saletés.

— Ça signifie quoi? Que tu ne vas pas te marier du tout?

— Ça signifie que je suis maladroite, répondit joyeusement Daisy. À part ça, qui sait? Peut-être que mon sort n'est pas encore fixé. La bonne nouvelle, c'est que ton mari à toi semble être en route.

— Si c'est le cas, il est en retard, ce crétin, riposta Lillian, au grand amusement de Daisy et d'Evangeline.

9

Malheureusement, la nouvelle de l'altercation entre Lillian et lord Westcliff se répandit comme une traînée de poudre. En fin d'après-midi, elle parvint aux oreilles de Mercedes Bowman, et le résultat ne fut pas beau à voir.

Les yeux exorbités, la voix stridente, Mercedes arpentait la chambre de sa fille à grands pas.

— Peut-être aurait-on pu fermer les yeux si tu t'étais contentée de faire une remarque inappropriée en présence de lord Westcliff, rugit-elle en agitant ses bras osseux en tous les sens. Mais que tu te disputes avec le comte en personne, puis que tu lui désobéisses devant tout le monde... Te rends-tu compte de ce que l'on va penser de nous ? Non seulement tu ruines tes propres chances de te marier, mais aussi celles de ta sœur ! Qui voudrait s'allier à une famille dont l'un des membres est un... un *philistin* ?

Un peu honteuse, Lillian adressa un regard contrit à Daisy, assise dans un coin. Celle-ci secoua légèrement la tête pour la rassurer.

— Si tu persistes à te conduire comme une sauvage, je vais être obligée de prendre des mesures drastiques, Lillian Odelle !

Lillian se tassa davantage dans le canapé à la mention de son second prénom, qu'elle haïssait et qui annonçait toujours une punition sévère.

— Pendant une semaine, tu ne t'aventureras pas hors de cette chambre sans moi. Je surveillerai chacune de tes actions, chacun de tes gestes et chaque mot qui passera tes lèvres, jusqu'à ce que je sois convaincue que tu sauras te conduire en être humain raisonnable. Ce sera une punition partagée, car je prends aussi peu de plaisir à ta compagnie que toi à la mienne. Mais je ne vois pas d'alternative. Et si tu t'avises de prononcer un seul mot de protestation, je double la punition ! Quand tu ne seras pas sous ma surveillance directe, tu resteras ici, à lire et à méditer sur ta mauvaise conduite. M'as-tu bien comprise, Lillian ?

— Oui, mère.

À l'idée d'être aussi étroitement surveillée une semaine durant, elle se sentait déjà comme un animal en cage. Ravalant un grognement de dépit, elle garda les yeux obstinément fixés sur le tapis.

— Dès ce soir, enchaîna Mercedes, les yeux étincelants dans son visage livide, tu présenteras tes excuses à lord Westcliff. Et tu le feras en ma présence afin que je…

— Non ! s'exclama Lillian en se redressant et en défiant sa mère du regard. Ni vous ni personne ne pourra m'obliger à lui présenter des excuses. Plutôt mourir !

— Tu feras ce que je te dis. Tu présenteras tes excuses les plus plates au comte, ou tu demeureras cloîtrée dans cette chambre jusqu'à la fin de notre séjour !

Comme Lillian ouvrait la bouche, Daisy s'interposa en toute hâte.

— Mère, puis-je parler à Lillian en privé, s'il vous plaît ? Juste un instant. *S'il vous plaît*.

Mercedes les regarda tour à tour, secoua la tête comme si elle se demandait pourquoi le destin l'avait affligée de filles aussi insupportables, puis sortit au pas de charge.

— Elle est vraiment en colère, cette fois, murmura Daisy, rompant le pesant silence. Je ne l'ai jamais vue dans un tel état. Il se peut que tu sois obligée de faire ce qu'elle demande.

Lillian la dévisagea avec une rage impuissante.

— Je ne présenterai pas mes excuses à ce crétin aux airs supérieurs !

— Lillian, cela ne te coûterait rien. Prononce simplement les mots. Tu n'as pas besoin d'être sincère. Contente-toi de dire : « Lord Westcliff, je suis… »

— C'est hors de question. Et cela me coûterait quelque chose, figure-toi : ma fierté.

— Est-ce que cela vaut la peine d'être enfermée dans cette chambre et de manquer toutes les soirées et les soupers où tout le monde s'amusera ? S'il te plaît, ne sois pas aussi têtue ! Lillian, je t'aiderai à trouver comment te venger de lord Westcliff, je te le promets. Ce sera une vengeance vraiment diabolique… Pour l'heure, fais ce que mère te demande. Tu vas peut-être perdre une bataille, mais tu gagneras la guerre. De plus…

Daisy chercha désespérément un autre argument susceptible de la faire capituler.

— De plus, rien ne pourrait satisfaire davantage lord Westcliff que de te savoir confinée dans ta chambre durant tout ton séjour. Tu ne pourrais plus l'agacer ou le tourmenter. Loin des yeux, loin des pensées. Ne lui donne pas cette satisfaction, Lillian !

C'était peut-être le seul argument capable de l'influencer. Lillian étudia le visage pâle de sa sœur, ses yeux sombres, intelligents, surmontés de sourcils un peu trop marqués. Une fois de plus, elle se demanda comment la personne qui était la première à se joindre à elle dans ses aventures pouvait la ramener aussi facilement à la raison. La plupart des gens, trompés par le tempérament souvent fantasque de Daisy, ne soupçonnaient pas que derrière sa façade d'elfe se cachait un socle d'impitoyable bon sens.

— Je le ferai, concéda-t-elle avec raideur. Encore que je risque de m'étrangler avec les mots.

Daisy laissa échapper un soupir de soulagement.

— Je vais jouer les intermédiaires. Je vais dire à mère que tu as accepté, et qu'elle a tout intérêt à ne pas te sermonner davantage sans quoi tu risques de changer d'avis.

Lillian s'effondra sur le canapé, imaginant déjà la satisfaction pleine de suffisance de Westcliff quand elle serait forcée de lui présenter ses excuses. Enfer et damnation, ça s'annonçait insupportable ! En proie à une brûlante hostilité, elle se divertit en imaginant une série de vengeances sophistiquées, qui s'achevaient sur la vision de Westcliff demandant grâce.

Une heure plus tard, la famille Bowman au grand complet gagnait le rez-de-chaussée. Leur destination finale était la salle à manger, où quatre heures de bombance les attendaient de nouveau. Ayant appris peu de temps auparavant les frasques de son aînée, M. Bowman peinait à contenir sa fureur.

Vêtue d'une robe de soie lavande dont le corsage était orné de dentelle blanche, Lillian suivait ses parents d'un pas résolu.

— À l'instant où tu deviendras un élément susceptible de faire échouer un contrat potentiel, je te renvoie à New York ! déclara son père d'un ton courroucé. Jusqu'à présent, cette histoire de chasse au mari en Angleterre m'a coûté très cher, et sans aucun résultat. Je te préviens, ma fille, que si tes bêtises perturbent mes négociations avec le comte...

— Je suis sûre que non, l'interrompit Mercedes, affolée de voir vaciller son rêve d'un gendre titré. Lillian présentera ses excuses à lord Westcliff, et tout s'arrangera, vous verrez.

Ralentissant le pas, elle jeta par-dessus son épaule un regard menaçant à sa fille aînée.

Lillian était partagée entre l'envie de se voûter sous le poids du remords et celle de laisser libre cours à son ressentiment. Son père ne s'emportait que contre ce qui risquait de compromettre ses affaires... Si tel n'avait pas été le cas, ses agissements lui auraient été parfaitement indifférents. La seule chose qu'il ait jamais demandée à ses filles, c'était de s'abstenir de l'ennuyer. Si elle n'avait pas eu trois frères, Lillian n'aurait jamais su ce que c'était de recevoir ne serait-ce que des miettes d'attention masculine.

— Afin d'être certain que tu aurais l'occasion de t'excuser en bonne et due forme, reprit son père en s'arrêtant pour la fixer d'un œil dur, j'ai demandé au comte d'avoir la bonté de nous recevoir dans la bibliothèque avant le dîner. C'est là que tu lui présenteras tes excuses, pour ma plus grande satisfaction et la sienne.

Lillian s'arrêta net. La rancœur formait dans sa gorge une boule qui menaçait de l'étouffer.

— Est-ce qu'il sait pourquoi vous avez demandé à le voir ? parvint-elle à articuler.

— Non. Et je ne pense pas qu'il s'attende à des excuses de la part de ma fille, dont tout le monde connaît les manières exécrables. Cependant, tu as intérêt à ce qu'elles soient convaincantes, sous peine de regagner New York par le premier bateau.

Lillian eut garde de prendre les menaces de son père à la légère. La pensée d'être contrainte de quitter l'Angleterre, pis, d'être séparée de Daisy...

— Oui, père, dit-elle entre ses dents.

La famille se remit en marche dans un silence tendu.

Abîmée dans ses pensées moroses, Lillian sentit la main de sa sœur se glisser dans la sienne.

— Ça ne signifie rien, chuchota Daisy. Prononce la phrase vite fait et...

— Silence ! intima leur père.

La porte de la bibliothèque était entrouverte, et il frappa un coup décidé sur le battant avant de faire entrer sa femme, puis ses filles dans la pièce fleurant bon le cuir, le vélin et le bois ciré. Lord Westcliff, qui était penché sur une pile de documents, se redressa, et ses yeux noirs s'étrécirent quand il vit Lillian. Sombre, austère et impeccablement vêtu, il incarnait l'aristocrate anglais dans toute sa perfection. Il parut soudain impossible à Lillian de faire coïncider l'homme qui se tenait devant elle et la brute moqueuse et mal rasée qu'elle avait renversée sous son poids sur le terrain de rounders.

— Je vous remercie d'avoir accepté de me recevoir, milord, dit Thomas Bowman d'un ton brusque. Je vous promets qu'il n'y en aura pas pour longtemps.

— Monsieur Bowman, je ne m'attendais pas à avoir le privilège de rencontrer votre famille dans son ensemble.

— Je crains que « privilège » soit un bien grand mot, en l'occurrence, répliqua M. Bowman, amer. Il semblerait que l'une de mes filles se soit mal conduite en votre présence. Elle souhaite vous exprimer ses regrets. Va, dit-il en incitant Lillian à avancer.

Westcliff fronça les sourcils.

— Monsieur Bowman, il n'est pas nécessaire…

— Permettez à ma fille de vous présenter ses excuses, coupa Thomas en poussant Lillian vers lui.

Dans le silence tendu qui s'était abattu dans la bibliothèque, Lillian leva les yeux vers Westcliff. Son froncement de sourcils s'était accentué et, brusquement, elle comprit qu'il ne voulait pas d'excuses de sa part. Pas de cette manière humiliante, en tout cas. D'une certaine façon, cela lui rendit la chose moins douloureuse.

Après avoir dégluti, elle plongea le regard dans les yeux sombres et impénétrables.

— Je suis désolée de ce qui s'est passé, milord. Vous êtes un hôte généreux et vous méritez beaucoup plus de respect que je ne vous en ai montré ce matin. Je n'aurais pas dû contester votre décision ni vous parler comme je l'ai fait. J'espère que vous voudrez bien accepter mes excuses et les considérer comme sincères.

— Non, dit-il doucement.

Interdite, Lillian cligna des yeux. Il rejetait ses excuses ?

— C'est à moi de vous présenter mes excuses, mademoiselle Bowman, et non à vous, continua-t-il. Votre réaction fougueuse a été provoquée par une crise d'autoritarisme de ma part. Je ne peux vous blâmer d'avoir réagi comme vous l'avez fait à mon arrogance.

Lillian lutta pour dissimuler son étonnement, une tâche difficile quand Westcliff venait de faire exactement le contraire de ce qu'elle attendait. Elle lui avait offert une occasion en or de piétiner sa fierté – et il s'en était abstenu. Elle n'y comprenait rien. À quel jeu jouait-il ?

— Bien que je l'aie mal exprimé ce matin, murmura-t-il, j'étais sincèrement inquiet pour votre sécurité. C'est ce qui a provoqué ma colère.

Les yeux toujours fixés sur lui, Lillian sentit se dissiper le ressentiment qui l'oppressait. Quelle gentillesse de sa part ! Il ne paraissait pas jouer un rôle, et semblait authentiquement compréhensif. Le soulagement la submergea et, pour la première fois de la journée, elle parvint à respirer librement.

— Ce n'était pas la seule raison de votre colère, dit-elle. Vous n'aimez pas non plus qu'on vous désobéisse.

Westcliff eut un rire un peu rauque.

— En effet, admit-il en esquissant un lent sourire.

Un sourire qui transforma les contours sévères de son visage, et, en bannissant sa réserve naturelle, lui conféra une séduction mille fois plus attrayante que la simple beauté. Un étrange petit frisson fort agréable courut sous la peau de Lillian.

— Serai-je de nouveau autorisée à monter vos chevaux ? s'enhardit-elle à demander.

— Lillian ! gronda sa mère.

Les yeux de Westcliff brillèrent d'amusement, comme s'il savourait son audace.

— Je n'irais pas jusque-là.

Prisonnière de son regard velouté, Lillian prit conscience que leur animosité habituelle avait cédé la place à une espèce de provocation amicale… tempérée par quelque chose de presque… *érotique*. Dieu tout-puissant ! Quelques mots aimables de Westcliff, et elle était prête à se ridiculiser.

Voyant qu'ils avaient fait la paix, Mercedes s'écria avec un enthousiasme débordant :

— Oh, cher lord Westcliff, quel gentleman magnanime vous faites ! Et vous n'êtes pas autoritaire le moins du monde. Vous avez de toute évidence eu peur pour mon petit ange entêté, ce qui est une preuve supplémentaire de votre bienveillance infinie.

Le sourire du comte se fit sarcastique comme il coulait un regard perplexe en direction de Lillian, l'air de se demander si « petit ange entêté » était la description la plus adéquate.

— Puis-je vous escorter jusqu'au salon, madame Bowman ? s'enquit-il, affable, en offrant le bras à Mercedes.

Euphorique à l'idée d'être vue au bras de lord Westcliff en personne, Mercedes accepta avec un soupir de plaisir. Durant le trajet de la bibliothèque au salon, elle ne cessa de s'étendre avec volubilité sur ses impressions du Hampshire, non sans lancer de petites piques censées être spirituelles, mais qui provoquèrent un échange de regards désespérés entre Daisy et Lillian. Lord Westcliff accueillit ses observations lourdes avec une politesse circonspecte, la perfection de ses manières faisant apparaître celles de Mercedes encore pires en comparaison. Pour la première fois de son existence, Lillian songea que ses manquements délibérés à l'étiquette n'étaient peut-être pas aussi intelligents qu'elle le croyait. Elle n'avait certes aucun désir de devenir guindée et compassée... mais en même temps, cela ne lui nuirait peut-être pas de se conduire avec un peu plus de dignité.

Lord Westcliff fut sans aucun doute infiniment soulagé de se soustraire à la compagnie des Bowman en arrivant au salon, mais il n'en laissa rien transparaître. Après leur avoir souhaité une bonne soirée, il prit congé avec un bref salut et rejoignit un petit groupe qui incluait sa sœur, lady Olivia, et le mari de celle-ci, M. Shaw.

Daisy regarda sa sœur avec de grands yeux.

— Pourquoi lord Westcliff s'est-il montré aussi gentil avec toi ? chuchota-t-elle. Et pourquoi diable a-t-il offert le bras à mère et accepté de subir son bavardage infernal ?

— Je n'en ai pas la moindre idée, avoua Lillian. Mais il possède de toute évidence une grande résistance à la douleur.

Simon Hunt et Annabelle apparurent à l'autre extrémité de la pièce. Tout en lissant d'un air absent sa robe bleu-argent, Annabelle balaya la foule du regard. Quand elle croisa celui de Lillian, son visage prit une expression affligée. Elle était visiblement au courant de l'altercation sur le parcours d'obstacles. Annabelle forma silencieusement les mots « Je suis désolée ». Et parut soulagée lorsque Lillian la rassura d'un signe de tête et répondit tout aussi silencieusement « Tout va bien ».

Finalement, les invités se dirigèrent en procession vers la salle à manger, les Bowman et les Hunt venant en dernier, car ils étaient de rang très inférieur.

— L'argent ferme toujours la marche, constata M. Bowman, laconique.

Lillian devina que son père supportait assez mal les règles de préséance toujours si clairement définies dans ce genre de circonstances. Elle se rendit alors compte que lorsque la comtesse était absente, lord Westcliff et sa sœur, lady Olivia, avaient tendance à alléger le protocole et encourageaient les invités à entrer à leur gré dans la salle à manger.

Des valets en livrée bleue, qui paraissaient presque aussi nombreux que les invités, plaçaient ces derniers à table et remplissaient leurs verres de vin et d'eau.

Lillian fut surprise de se retrouver non seulement assise à la table de lord Westcliff, mais troisième à sa droite. Occuper une place si près du maître de maison était une faveur insigne, très rarement accordée à une célibataire, roturière de surcroît. Se demandant si le valet de pied ne s'était pas trompé, elle glissa un coup d'œil discret à ses voisins les plus proches, et s'aperçut qu'eux aussi paraissaient déconcertés par sa présence. La comtesse elle-même l'observait en fronçant les sourcils.

Lillian adressa un regard interrogateur à lord Westcliff dès qu'il eut pris sa place.

Il haussa un sourcil brun.

— Quelque chose ne va pas ? Vous semblez un peu perturbée, mademoiselle Bowman.

La réponse adéquate aurait sans doute été de rougir et de le remercier de cet honneur inattendu. Mais Lillian s'entendit répondre avec une franchise impudente :

— Je me demande pourquoi je suis assise au haut bout de la table. Après ce qui s'est passé ce matin, je pensais que vous m'auriez fait placer sur la terrasse, voire plus loin.

Un silence complet s'abattit autour de la table quand les invités comprirent que Lillian faisait ouvertement allusion à leur altercation. Mais West-cliff les prit au dépourvu en se mettant à rire tranquillement, les yeux rivés aux siens. Après un moment, les autres convives émirent des petits rires forcés.

— Connaissant votre tendance à semer le désordre, mademoiselle Bowman, j'en suis venu à la conclusion qu'il était plus sûr de vous avoir sous les yeux et, si possible, à portée de main.

On aurait eu beaucoup de mal à déceler un quelconque sous-entendu dans son ton léger, pourtant, Lillian ressentit une étrange sensation, comme si un flot de miel chaud se répandait d'un nerf à l'autre.

Portant une coupe de champagne à ses lèvres, elle fit le tour de la salle des yeux. Daisy, à l'autre extrémité de la table, parlait avec animation, et faillit renverser un verre de vin comme elle accompagnait son discours d'un grand geste. Annabelle était à la table voisine, et ne semblait pas consciente des innombrables regards masculins admiratifs attachés sur elle. Ses deux voisins paraissaient aux anges, tandis que Simon Hunt, quelques chaises plus loin, les fixait d'un regard menaçant de mâle possessif.

Evangeline, sa tante Florence et les parents de Lillian figuraient parmi les invités assis à la table la plus éloignée. Comme à son habitude, Evangeline gardait les yeux fixés sur son assiette et n'adressait pratiquement pas la parole aux messieurs qui l'entouraient.

« Pauvre Evangeline, songea Lillian avec compassion, il va falloir que nous nous occupions de cette maudite timidité. »

Elle pensa à ses frères célibataires, et se demanda si une union entre l'un d'eux et Evangeline serait possible. Dieu savait que n'importe lequel – depuis l'aîné, Raphaël, jusqu'aux jumeaux, Ransom et Rhys – ferait un meilleur mari pour elle que son cousin Eustace. Il n'existait pas de gaillards plus robustes que ces trois-là. D'un autre côté, ils risquaient de terrifier Evangeline. Ils possédaient un bon naturel, mais on ne pouvait les qualifier de raffinés. Ni même de civilisés.

Son attention fut détournée par la longue file de valets de pied apportant le premier service : soupières fumantes remplies de potage à la tortue et plateaux d'argent garnis de turbot en sauce, de terrine d'écrevisse et de truite aux herbes. Sans doute y aurait-il une huitaine de services suivis d'une ronde de desserts. Réprimant un soupir à la pensée du dîner interminable qui l'attendait, Lillian tourna les yeux vers Westcliff, dont le regard discrètement scrutateur était fixé sur elle. Il ne dit cependant rien, si bien qu'elle finit par briser le silence.

— Brutus semble être un cheval d'exception, milord. J'ai remarqué que vous n'utilisiez ni cravache ni éperon avec lui.

La conversation autour d'eux mourut, et Lillian se demanda si elle avait fait un nouveau faux pas. Peut-être qu'une célibataire n'était pas censée parler à moins qu'on ne lui adresse directement la parole. Pourtant, Westcliff lui répondit aussitôt :

— J'utilise rarement l'un ou l'autre avec mes chevaux, mademoiselle Bowman. En général, j'arrive à obtenir le résultat que je souhaite sans eux.

Comme tous ceux qui vivaient sur le domaine, Brutus n'aurait sans doute pas songé à désobéir à son maître, songea Lillian, ironique.

— Il paraît posséder un tempérament beaucoup plus calme qu'un pur-sang ordinaire, observa-t-elle.

Westcliff s'adossa à sa chaise tandis qu'un valet déposait une part de truite dans son assiette. La lueur vacillante des bougies joua sur ses cheveux sombres, et Lillian ne put s'empêcher de se rappeler leur texture lorsqu'elle y avait plongé les doigts.

— Brutus est issu d'un croisement, en fait. Entre un pur-sang et un cheval de trait irlandais.

— Vraiment ? dit Lillian sans chercher à dissimuler sa surprise. J'aurais cru que vous ne montiez que des chevaux au pedigree irréprochable.

— Beaucoup préfèrent les races pures, admit le comte. Mais un chasseur doit être doté d'une puissante aptitude au saut et d'une excellente capacité à changer de direction. Un croisé comme Brutus combine la vitesse et le style d'un pur-sang avec les prouesses athlétiques d'un cheval de trait irlandais.

Les autres convives écoutaient avec attention. Quand Westcliff eut terminé, un gentleman commenta avec jovialité :

— Superbe animal que ce Brutus. Il descend d'Éclipse, n'est-ce pas ? On discerne toujours l'influence de Darley Arabian...

— C'est faire preuve d'un esprit très ouvert que de monter un demi-sang, murmura Lillian.

Westcliff eut un mince sourire.

— Je peux avoir l'esprit ouvert, à l'occasion.

— Je l'ai entendu dire, en effet... mais je n'en avais jamais eu la preuve jusqu'à présent.

De nouveau, toutes les conversations s'arrêtèrent. Au lieu de prendre la mouche, Westcliff l'observa avec un intérêt non dissimulé. Était-ce celui d'un homme qui la trouvait attirante, ou qui la considérait comme une curiosité de la nature ? C'était difficile à dire, mais il était bel et bien intéressé.

— J'ai toujours essayé d'approcher les choses d'une manière logique, dit-il. Ce qui conduit parfois à rompre avec la tradition.

Lillian lui adressa un sourire moqueur.

— Parce que vous ne trouvez pas toujours logiques les idées traditionnelles ?

Westcliff secoua légèrement la tête, et l'étincelle dans son regard devint plus brillante quand, portant son verre de vin à ses lèvres, il la regarda par-dessus le bord.

Un gentleman plaisanta sur la manière de guérir Westcliff de ses idées libérales tandis qu'on apportait le plat suivant. La succession des plateaux chargés de mets difficiles à identifier fut accueillie avec des murmures de plaisir. Il y en avait quatre par table, douze en tout, disposés à intervalles réguliers sur des petites dessertes pliantes. Le personnel entreprit aussitôt de les découper et un fumet de viande épicée se répandit dans l'atmosphère. Pivotant à demi sur sa chaise, Lillian jeta un coup d'œil au plateau le plus proche. Et eut un sursaut d'horreur en découvrant la tête calcinée d'une bête indéterminée, du crâne de laquelle s'élevait de la vapeur.

Son mouvement provoqua la chute bruyante de ses couverts en argent, qu'un valet s'empressa de remplacer.

— Qu'est-ce… qu'est-ce que c'est que ça ? balbutia-t-elle, incapable de s'arracher à la contemplation de cette « chose » immonde.

— Une tête de veau, répondit l'une des convives avec une condescendance amusée. Un mets anglais très prisé. Ne me dites pas que vous n'en avez jamais goûté ?

Tout en s'efforçant de garder une expression impassible, Lillian secoua la tête. Elle tressaillit quand le valet de pied écarta les mâchoires fumantes et entreprit de découper la langue.

— Certains prétendent que la langue est le morceau le plus délicieux, continua la femme, mais d'autres préfèrent la cervelle. Pour ma part, je considère que les yeux sont les friandises les plus délectables.

Écœurée, Lillian ferma les paupières. Un flot de bile lui monta à la gorge. La cuisine anglaise ne l'avait certes jamais enthousiasmée, mais rien ne l'avait préparée à la vue repoussante de cette tête de veau. Rouvrant les yeux, elle regarda autour d'elle. Des têtes de veau... Partout! Découpées, ouvertes, leurs cervelles vidées à la cuiller, leurs ris découpés en tranches fines...

Elle allait être malade.

Sentant le sens refluer de son visage, Lillian se tourna vers l'autre extrémité de la table, où Daisy regardait d'un air dubitatif les morceaux choisis que l'on déposait cérémonieusement dans son assiette. Lentement, Lillian porta sa serviette à ses lèvres. Non. Elle ne pouvait se permettre d'être malade. Mais le parfum riche de la tête de veau flottait tout autour d'elle et, alors que résonnaient le cliquetis des couverts et les murmures appréciateurs des convives, elle lutta pour réprimer une vague de nausée. On posa devant elle une petite assiette qui contenait quelques tranches de... quelque chose et... un œil gélatineux, à la base conique, qui roula mollement vers le rebord.

— Doux Jésus, gémit-elle, le front soudain emperlé de sueur.

Une voix calme sembla percer le brouillard nauséeux qui l'étreignait.

— Mademoiselle Bowman...

Lançant un regard désespéré dans la direction de la voix, elle distingua le visage impassible de lord Westcliff.

— Oui, milord? dit-elle d'une voix pâteuse.

— Veuillez pardonner ce qui semblera peut-être une requête excentrique, commença-t-il, semblant choisir ses mots avec un soin inhabituel. Mais il m'est venu à l'esprit que le moment était tout à fait opportun pour observer un papillon d'une espèce rare qui vit sur le domaine. Il ne sort qu'en début de soirée, ce qui est évidemment une particularité. Peut-être vous souvenez-vous que j'y ai fait allusion lors d'une conversation précédente.

— Un papillon ? répéta Lillian en déglutissant à plusieurs reprises pour juguler un haut-le-cœur.

— Peut-être me permettrez-vous de vous escorter, votre sœur et vous, jusqu'à la serre, où de nouvelles éclosions ont été signalées. Je regrette que cela nous prive de ce plat particulier, mais nous reviendrons à temps pour jouir du reste du dîner.

Plusieurs convives cessèrent de manger, déconcertés par cette étrange proposition.

Comprenant qu'il lui fournissait une excuse pour quitter la table, en compagnie de sa sœur par respect des convenances, Lillian hocha la tête.

— Les papillons, répéta-t-elle dans un souffle. Oui, j'aimerais beaucoup les voir.

— Moi aussi, lança Daisy depuis l'autre bout de la table.

Elle se leva d'un bond, ce qui obligea ses voisins à se lever à leur tour précipitamment par courtoisie.

— Comme c'est aimable à vous de vous souvenir de notre intérêt pour les insectes du Hampshire, milord, poursuivit Daisy.

Westcliff s'approcha de Lillian pour l'aider à se lever.

— Respirez par la bouche, lui chuchota-t-il.

Tous les regards étaient fixés sur eux.

— Milord, intervint alors lord Wymark, puis-je vous demander de quelle espèce rare il s'agit ?

Après une imperceptible hésitation, Westcliff répondit avec gravité :

— L'azuré du... pissenlit...

Il marqua une pause avant d'ajouter :

— ... à taches pourpres.

Wymark fronça les sourcils.

— Je me targue d'être un lépidoptériste amateur, milord. Et, si je connais l'azuré du serpolet – qui vit en Cornouailles –, je n'ai jamais entendu parler de l'azuré du pissenlit.

Il y eut un court silence.

— C'est un hybride, expliqua Westcliff. *Morpho purpureus practicus*. À ma connaissance, il n'a été observé que dans les environs de Stony Cross Park.

— J'aimerais aller jeter un coup d'œil à cette colonie avec vous, si vous le permettez, fit Wymark en reposant sa serviette, prêt à se lever. La découverte d'un nouvel hybride est toujours...

— Demain soir, coupa Westcliff d'un ton autoritaire. L'azuré du pissenlit est sensible à la présence humaine. Il vaut mieux aller le voir en petits groupes de deux ou trois personnes.

— Fort bien, milord, murmura Wymark, visiblement mécontent. Demain soir, donc.

Reconnaissante, Lillian s'accrocha au bras de Westcliff, Daisy prit l'autre, et tous trois quittèrent la pièce d'un pas digne.

10

Lillian allait être vaincue par la nausée quand Westcliff la conduisit jusqu'à une serre extérieure qu'éclairaient doucement les torches qu'on venait d'allumer. Elle inspira de grandes goulées d'air pur tout en se laissant guider vers un canapé en rotin. Westcliff faisait preuve de bien plus de compassion que Daisy qui, secouée de rire, s'était appuyée contre une colonne.

— Oh... Seigneur... hoqueta-t-elle, ta *tête*, Lillian ! Tu es devenue verte. J'ai bien cru que tu allais vomir tripes et boyaux devant tout le monde.

— Moi aussi, avoua Lillian avec un frisson.

— J'en déduis que vous n'êtes pas amateur de tête de veau, commenta Westcliff en s'asseyant près d'elle.

Tirant de sa poche un mouchoir blanc, il en tamponna le front humide de Lillian.

— Je ne suis pas amateur de quoi que ce soit qui me regarde dans les yeux au moment où je suis censée le manger.

Daisy recouvra sa respiration pour lâcher :

— Oh, arrête ! Il ne t'a regardée qu'un instant...

Une pause, puis :

— ... et les yeux lui sont sortis de la tête !

Elle se tordit de plus belle, et Lillian la foudroya du regard avant de fermer les yeux.

— Pour l'amour du ciel, est-ce qu'il faut vraiment que tu…

— Respirez par la bouche, lui rappela Westcliff. Essayez de baisser la tête.

Docile, Lillian posa le front sur ses genoux. Elle sentit qu'il refermait sa main sur sa nuque glacée pour masser, avec une légèreté exquise, les tendons raidis de son cou. Ses doigts étaient chauds, un peu calleux, et le doux pétrissage était si agréable que sa nausée ne tarda pas à refluer. Westcliff paraissait savoir exactement où la toucher, et ses doigts se posaient instinctivement sur les endroits les plus sensibles de son cou et de ses épaules. S'abandonnant à ses soins, Lillian sentit tout son corps se détendre, et sa respiration retrouver un rythme égal.

Il la fit se redresser bien trop tôt à son goût, au point qu'elle dut ravaler un gémissement de protestation. Mortifiée, elle dut s'avouer qu'elle aurait aimé qu'il continue à s'occuper d'elle. Elle aurait voulu rester assise là toute la soirée, avec sa main sur son cou… son dos, et… ailleurs.

Rouvrant les yeux, elle cilla en découvrant son visage si près du sien. Étrange comme ses traits sévères devenaient un peu plus séduisants chaque fois qu'elle les regardait, songea-t-elle. Les doigts la démangeaient de suivre l'arête puissante de son nez, le tracé de sa bouche, si ferme et pourtant si douce, le contour de sa joue que bleuissait imperceptiblement une barbe naissante. Le tout offrant une combinaison d'une séduction on ne peut plus virile. Le plus attirant dans son visage, cependant, c'étaient ses yeux de velours sombre, dont les cils raides jetaient une ombre sur le relief accusé de ses pommettes.

Se rappelant son exposé fantaisiste sur les azurés à taches pourpres, Lillian laissa échapper un gloussement amusé. Elle qui avait toujours considéré Westcliff comme un homme absolument dénué d'humour… Elle s'était trompée.

— Je croyais que vous ne mentiez jamais, fit-elle.

Il esquissa un sourire.

— J'avais deux options : vous voir malade à la table du dîner ou mentir pour vous faire sortir rapidement. Entre deux maux, j'ai choisi le moindre. Vous vous sentez mieux ?

— Oui...

Lillian s'aperçut alors qu'elle reposait au creux de son bras, et que ses jupes étaient en partie drapées sur l'une de ses jambes. Son corps solide épousait parfaitement le sien. Baissant les yeux, elle vit que le tissu de son pantalon moulait étroitement ses cuisses musclées. Une curiosité peu digne d'une dame s'éveilla en elle, et elle serra les poings pour lutter contre l'envie de glisser la paume sur sa jambe.

— Le coup de l'azuré du pissenlit était habile, reprit-elle en levant les yeux vers son visage. Mais lui inventer un nom latin était positivement inspiré.

Westcliff eut un grand sourire.

— J'ai toujours espéré que le latin me serait utile un jour.

Il l'écarta un peu pour sortir sa montre de la poche de son gilet.

— Nous regagnerons la salle à manger dans environ un quart d'heure. Normalement, les têtes de veau devraient avoir disparu.

Lillian fit une grimace.

— Je déteste la nourriture anglaise ! Toutes ces gelées, ces choses visqueuses et tremblotantes, et le gibier qu'on fait faisander si longtemps qu'il est plus vieux que moi quand il arrive à table...

Le sentant rire, elle s'interrompit et se tourna à demi vers lui.

— Qu'y a-t-il de si amusant ?

— Vous me faites redouter de retourner à ma propre table.

— Vous devriez! s'exclama-t-elle, ce qui le fit éclater de rire.

— Excusez-moi, fit la voix de Daisy non loin, mais je vais saisir l'occasion pour utiliser le... les... Oh, je n'ai pas la moindre idée du mot poli! Je vous retrouverai à l'entrée de la salle à manger.

Westcliff retira le bras, qu'il avait gardé autour de Lillian, et regarda Daisy comme s'il avait momentanément oublié sa présence.

— Daisy... commença Lillian, mal à l'aise.

Elle soupçonnait sa sœur d'inventer une excuse pour les laisser seuls. L'ignorant, Daisy s'esquiva sur un sourire malicieux et un petit geste de la main.

Lillian se sentit soudain nerveuse. Il y avait peut-être pénurie de papillons rares dans le jardin, mais ceux qui dansaient dans son estomac les compensaient largement. Westcliff se tourna pour lui faire face, le bras reposant sur le dossier du canapé.

— J'ai parlé à la comtesse, dit-il, une ombre de sourire s'attardant sur ses lèvres.

Lillian fut lente à répondre, car elle tentait désespérément de repousser l'image qui l'avait brusquement assaillie : il inclinait la tête vers elle, puis insinuait la langue entres ses lèvres pour explorer sensuellement sa bouche...

— À quel sujet? demanda-t-elle, un peu hébétée.

Westcliff lui décocha un regard d'une ironie éloquente.

— Oh, murmura-t-elle. Vous devez parler de ma... ma requête pour son parrainage...

— Parce qu'il s'agit d'une requête?

Tendant la main vers elle, Westcliff replaça une mèche échappée de son chignon derrière l'oreille. Du bout du doigt, il suivit doucement la courbe du pavillon.

— Pour autant que je me souvienne, cela ressemblait fortement à une extorsion, ajouta-t-il en caressant du pouce le lobe sensible. Vous ne portez jamais de boucles d'oreilles. Pourquoi ?

— Je… balbutia-t-elle, brusquement essoufflée. Mes oreilles sont très sensibles, parvint-elle à articuler. Les pinces me font mal… et la pensée de les percer avec une aiguille…

Elle s'interrompit avec une inspiration heurtée comme il suivait du bout du majeur les fragiles circonvolutions de l'intérieur de son oreille. Du pouce, il dessina ensuite la ligne de sa mâchoire et frôla le dessous de son menton, jusqu'à ce qu'une rougeur brûlante se répande sur ses joues. Ils étaient assis si près l'un de l'autre… Ce devait être qu'il sentait son parfum. C'était la seule explication à cette caresse quasi amoureuse.

— Votre peau est aussi douce que de la soie, murmura-t-il. De quoi parlions-nous ?… Ah oui, de la comtesse ! J'ai réussi à la persuader d'être votre protectrice, à vous et à votre sœur, pour la prochaine saison.

Lillian écarquilla les yeux de stupéfaction.

— Vraiment ? Comment ? Vous avez dû la menacer ?

— Je vous apparais comme le genre d'homme capable de menacer sa mère sexagénaire ?

— Oui.

Un rire grave roula dans sa gorge.

— Je connais d'autres méthodes que la menace. Vous ne les avez pas encore découvertes, c'est tout.

Il y avait là un sous-entendu qu'elle ne parvenait pas à identifier, mais qui fit courir un fourmillement d'excitation le long de son échine.

— Pourquoi l'avez-vous persuadée de m'aider ?

— Parce que je me réjouis d'avance à l'idée de vous imposer à elle.

— Eh bien, si vous comptez me faire passer pour une espèce de peste…

— Et, l'interrompit Westcliff, je me sentais obligé de me racheter après vous avoir un peu brutalisée ce matin.

— Ce n'était pas entièrement votre faute, admit-elle à contrecœur. Je suppose que j'ai dû me montrer quelque peu provocatrice.

— Quelque peu, acquiesça-t-il avec flegme en suivant du bout des doigts la ligne d'implantation de ses cheveux. Je dois vous prévenir que le consentement de ma mère n'est pas inconditionnel. Si vous la poussez à bout, elle regimbera. En conséquence, je vous conseille d'essayer de bien vous tenir en sa présence.

— C'est-à-dire ? demanda Lillian, affreusement consciente de la douce exploration de ses doigts.

Si sa sœur ne revenait pas bientôt, Westcliff allait l'embrasser. Et elle voulait qu'il le fasse, si fort que ses lèvres commencèrent à trembler.

Cette question le fit sourire.

— Eh bien, quoi que vous puissiez faire par ailleurs, ne…

Il s'interrompit abruptement et regarda autour d'eux comme s'il avait senti que quelqu'un approchait. Lillian, pour sa part, n'entendait rien, hormis le bruissement des feuilles dans les arbres. Cependant, un instant plus tard, une silhouette élancée se profila à la lueur des torches, et l'éclat d'une chevelure dorée identifia le visiteur comme lord Saint-Vincent. La main de Westcliff retomba aussitôt, et le charme sensuel se brisa.

Saint-Vincent avançait à grandes enjambées détendues, les mains enfoncées dans les poches de sa veste. Il sourit à leur vue, et son regard s'attarda sur le visage de Lillian.

Il ne faisait aucun doute que cet homme remarquablement beau, aux traits d'ange déchu, devait hanter les rêves de bien des femmes. Et qu'il devait être maudit par d'innombrables maris trompés.

L'amitié entre les deux hommes apparaissait comme improbable aux yeux de Lillian. Le comte, avec sa droiture et ses principes, devait certainement désapprouver la vie déréglée de Saint-Vincent. Mais, comme c'était souvent le cas, cette amitié se trouvait peut-être renforcée plutôt que minée par leurs différences.

— Je vous aurais trouvés plus vite, confia le vicomte en s'arrêtant devant eux, si je n'avais été attaqué par une nuée d'azurés à taches pourpres.

Il baissa la voix pour ajouter d'un ton de conspirateur :

— Je ne veux pas vous alarmer, mais mon devoir est de vous prévenir : ils ont l'intention de servir une terrine de rognons au cinquième service.

— Ça, je pourrai le supporter, dit Lillian, contrite. Ce n'est qu'avec les animaux servis dans leur état naturel que je semble avoir des problèmes.

— Mais c'est normal, mon chou. Nous sommes des barbares, tous autant que nous sommes, et vous aviez raison d'être consternée à la vue des têtes de veau. Je n'aime pas cela, moi non plus. En fait, je consomme très peu de bœuf, sous quelque manière que ce soit.

— Vous êtes végétarien ? demanda Lillian, qui avait souvent entendu prononcer ce mot ces derniers temps.

À la suite des recommandations de l'hôpital de Ramsgate, de nombreuses discussions avaient eu lieu sur l'opportunité d'observer un régime à base de végétaux.

Saint-Vincent lui adressa un sourire éblouissant.

— Non, mon ange, je suis cannibale.

— Saint-Vincent, gronda Westcliff en voyant la perplexité de Lillian.

Le vicomte continua de sourire sans manifester le moindre repentir.

— C'est une bonne chose que je sois passé par là, mademoiselle Bowman. Vous n'êtes pas en sécurité seule avec Westcliff, vous savez.

— Vraiment ?

Lillian se tendit en songeant qu'il ne se serait jamais permis une telle boutade s'il avait eu vent de ses intermèdes intimes avec le comte. Elle n'osa pas regarder celui-ci, mais le sentit se figer.

— Vraiment, confirma Saint-Vincent. Ce sont les plus droits, moralement parlant, qui font les pires choses en privé. Alors qu'avec un dépravé notoire comme moi, vous ne craignez absolument rien. D'ailleurs, vous feriez mieux de retourner dans la salle à manger sous ma protection. Dieu sait quel projet lascif se dissimule dans l'esprit du comte.

Amusée que Westcliff soit l'objet de telles taquineries, Lillian se leva avec un petit rire. Le comte l'imita tout en considérant son ami d'un air légèrement renfrogné.

Prenant le bras que Saint-Vincent lui offrait, Lillian s'interrogea sur la raison de sa présence ici. Se pouvait-il qu'il s'intéresse à elle ? Non, certainement pas. Tout le monde savait que les jeunes filles à marier ne figuraient pas dans la vie amoureuse de Saint-Vincent. Toutefois, il était assez divertissant de se retrouver seule en compagnie de deux hommes dont l'un était l'amant dont toutes les femmes d'Angleterre rêvaient, et l'autre le célibataire le plus convoité. Elle ne put réprimer un sourire à la pensée que de nombreuses filles n'hésiteraient pas à tuer père et mère pour être à sa place, à cet instant.

— Pour autant que je me souvienne, reprit Saint-Vincent en l'entraînant vers la maison, notre ami Westcliff vous a interdit de monter ses chevaux, mais il n'a rien dit concernant une promenade en voiture. Seriez-vous disposée à m'accompagner pour un petit tour dans la campagne demain matin ?

Lillian réfléchit assez longtemps pour permettre à Westcliff de donner son avis sur cette invitation. Ce qu'il ne manqua pas de faire.

— Mlle Bowman sera occupée demain matin, fit-il d'une voix brusque, derrière eux.

Lillian ouvrait la bouche pour répliquer vertement lorsque Saint-Vincent lui jeta un regard de côté qui lui intimait, non sans malice, de le laisser se débrouiller avec le comte.

— Occupée avec quoi ? s'enquit-il.

— Sa sœur et elle seront reçues par la comtesse.

— Ah, quel magnifique vieux dragon, commenta Saint-Vincent d'un ton songeur en s'effaçant pour laisser Lillian franchir le seuil. Je me suis toujours merveilleusement entendu avec la comtesse. Laissez-moi vous donner un conseil : elle adore qu'on la flatte, bien qu'elle s'en défende. Quelques mots de louanges, et elle vous mangera dans la main.

Lillian jeta un coup d'œil par-dessus son épaule.

— Est-ce vrai, milord ?

— Je l'ignore, puisque je n'ai jamais pris la peine de la flatter.

— Westcliff considère que la flatterie et le charme sont une perte de temps, expliqua Saint-Vincent à Lillian.

— J'ai cru le remarquer.

Saint-Vincent se mit à rire.

— Je proposerai donc une sortie en voiture après-demain. Cela vous semble-t-il possible ?

— Tout à fait, je vous remercie.

— Parfait, dit Saint-Vincent, avant d'ajouter avec désinvolture : À moins, Westcliff, que tu n'aies d'autres revendications quant à l'emploi du temps de Mlle Bowman ?

— Aucune autre revendication, répondit Westcliff.

Évidemment, songea Lillian avec une rancœur soudaine. De toute évidence, Westcliff ne tenait pas à sa compagnie, sauf quand il s'agissait d'épargner à ses invités la vision d'une femme vomissant tripes et boyaux sur la table du dîner.

Ils rejoignirent Daisy, qui haussa les sourcils à la vue de Saint-Vincent et demanda :

— D'où sortez-vous ?

— Si ma mère était encore en vie, vous pourriez le lui demander, répondit-il aimablement. Mais je doute qu'elle l'ait su.

— Saint-Vincent ! gronda Westcliff pour la seconde fois de la soirée. Ce sont des jeunes filles innocentes.

— Vraiment ? Comme c'est fascinant ! Très bien, j'essaierai de me conduire convenablement. Quels sont les sujets dont on peut discuter avec d'innocentes jeunes filles ?

— Quasiment aucun, déclara Daisy avec un dépit qui provoqua son hilarité.

Avant de pénétrer dans la salle à manger, Lillian s'arrêta pour demander à Westcliff :

— À quelle heure devons-nous rendre visite à la comtesse ? Et où ?

Le regard du comte était froid et indéchiffrable. C'était à partir du moment où Saint-Vincent avait proposé cette promenade en voiture que son humeur avait paru changer, avait remarqué Lillian. Mais pourquoi cela lui déplaisait-il ? Il serait risible de supposer qu'il était jaloux, vu qu'elle était la dernière femme au monde pour laquelle il était susceptible d'éprouver de l'intérêt. La seule conclusion raisonnable, c'était qu'il craignait que Saint-Vincent n'essaye de la séduire, et qu'il ne voulait pas avoir à affronter les problèmes qui ne manqueraient pas de s'ensuivre.

— À 10 heures, dans le petit salon des Marsden.

— Je crains de ne pas connaître cette pièce...

— Peu de personnes la connaissent. Ce salon se trouve à l'étage, il est réservé à la famille.

Elle plongea son regard dans le sien, à la fois reconnaissante et perplexe. Il s'était montré gentil envers elle, et pourtant, leur relation ne pouvait être considérée comme amicale. Si seulement elle parvenait à se débarrasser de sa curiosité grandissante à son égard ! C'était bien plus facile quand elle ne voyait en lui qu'un snob suffisant. Mais il était capable d'humour, de sensualité, de compassion, avait-elle découvert, et se révélait bien plus complexe qu'elle ne le pensait.

— Milord, commença-t-elle, prisonnière de son regard, je... je suppose que je devrais vous remercier pour...

— Entrons, l'interrompit-il, visiblement impatient de se soustraire à sa présence. Nous nous sommes attardés suffisamment longtemps.

— Nerveuse ? chuchota Daisy, le lendemain, alors que Lillian et elle gagnaient le salon des Marsden en compagnie de leur mère.

Bien que celle-ci n'eût pas été spécifiquement invitée à rencontrer la comtesse, elle était déterminée à être incluse dans la visite.

— Non, répondit Lillian. Je suis certaine que nous n'avons rien à craindre tant que nous n'ouvrons pas la bouche.

— J'ai entendu dire qu'elle détestait les Américains.

— Dommage pour elle, railla Lillian, vu que ses deux filles ont épousé des Américains.

— Taisez-vous, toutes les deux, murmura Mercedes, avant de frapper à la porte.

Pas de réponse. Daisy et Lillian échangèrent un regard perplexe. La comtesse avait-elle décidé de ne pas les recevoir, finalement ? L'air soucieux, Mercedes frappa avec davantage de force.

Cette fois, une voix revêche leur parvint.

— Cessez donc ce tambourinement infernal et entrez !

Mal à l'aise, les Bowman pénétrèrent dans la pièce. Quoique petit, le salon était ravissant, avec ses murs recouverts d'un papier bleu orné de fleurs et sa rangée de hautes fenêtres ouvrant sur le jardin. La comtesse de Westcliff était assise sur un canapé. Plusieurs rangs de perles noires ornaient sa gorge, et d'innombrables bijoux scintillaient à ses doigts et à ses poignets. Contrastant avec sa chevelure argentée, ses épais sourcils sombres formaient une ligne sévère au-dessus de ses yeux. Ses traits comme sa silhouette étaient dépourvus d'angles : elle avait le visage rond et un corps à la limite de l'embonpoint. Lord Westcliff devait avoir hérité du physique de son père, songea Lillian, car il y avait très peu de ressemblance entre sa mère et lui.

— Je n'en attendais que deux, fit la comtesse en jetant un regard dur à Mercedes. Pourquoi y en a-t-il trois ?

— Votre Grâce, commença Mercedes avec un sourire empreint de flagornerie, tout en s'abîmant dans une révérence maladroite, laissez-moi d'abord vous dire à quel point M. Bowman et moi-même apprécions votre complaisance à l'égard de nos deux anges…

— « Votre Grâce » ne peut s'adresser qu'à une duchesse, coupa la comtesse. Votre intention était-elle de vous moquer ?

— Oh non, certainement pas, Votre… c'est-à-dire, milady, fit Mercedes en toute hâte, le visage blême. Je ne me moquais pas. Comment oserais-je ! Je voulais simplement…

— Je m'entretiendrai seule avec vos filles, déclara la comtesse d'un ton impérieux. Vous pouvez revenir les chercher dans deux heures précises.

— Oui, milady !

Mercedes s'élança hors de la pièce. Se raclant la gorge pour dissimuler une soudaine envie de rire, Lillian jeta un coup d'œil à Daisy, qui luttait également pour dissimuler son amusement au spectacle de leur mère si proprement congédiée.

— Quel bruit déplaisant, remarqua la comtesse en regardant Lillian d'un air réprobateur. Abstenez-vous, s'il vous plaît, de le reproduire.

— Oui, milady, fit Lillian en s'efforçant de paraître humble.

— Vous pouvez vous approcher, ordonna la comtesse en les regardant à tour de rôle tandis qu'elles s'exécutaient. Je vous ai observées hier soir, toutes les deux, et j'ai assisté à un véritable catalogue de toutes les inconvenances possibles. On m'a demandé de vous parrainer lors de la prochaine saison, ce qui me conforte dans mon opinion que mon fils est déterminé à me rendre la vie aussi difficile que possible. Parrainer une paire d'Américaines maladroites ! Je vous préviens que si vous ne prêtez pas attention à chaque mot que je prononce, je n'aurai de cesse que vous soyez mariées à des aristocrates de pacotille sur le Continent, et envoyées moisir dans le coin le plus reculé d'Europe.

Lillian fut plus qu'un peu impressionnée. Cette menace n'était pas à prendre à la légère. Glissant un regard en direction de Daisy, elle constata que celle-ci s'était considérablement calmée.

— Asseyez-vous !

Dociles, elles prirent place sur les chaises que leur indiquait la comtesse. Celle-ci s'empara ensuite d'un parchemin couvert de notes écrites à l'encre cobalt.

— J'ai dressé la liste des erreurs que vous avez commises hier soir, les informa-t-elle en chaussant un minuscule pince-nez. Nous allons les passer en revue une à une.

— Comment la liste peut-elle être aussi longue ? demanda Daisy, consternée. Le dîner n'a duré que quatre heures… Combien d'erreurs avons-nous pu commettre durant ce laps de temps ?

Les fixant d'un regard froid par-dessus le bord du parchemin, la comtesse laissa la liste se dérouler… encore et encore… jusqu'à ce que son extrémité frôle le sol.

— Bonté divine, marmonna Lillian.

Ce juron n'échappa pas à la comtesse, dont les sourcils se froncèrent jusqu'à former une barre sombre.

— S'il restait la moindre place sur ce parchemin, j'y ajouterais cette grossièreté.

Réprimant un profond soupir, Lillian se tassa sur sa chaise.

— Veuillez vous tenir droite, s'il vous plaît. Le dos d'une dame ne doit jamais toucher le dossier de sa chaise. À présent, commençons avec les présentations. Vous avez toutes deux la lamentable manie de serrer les mains. Cela vous fait apparaître comme déplorablement désireuses de vous faire bien voir. La règle veut que l'on se contente de saluer lors d'une présentation, sauf si celle-ci concerne deux jeunes femmes. Et puisque nous abordons ce sujet, vous ne devez jamais saluer un homme qui ne vous a pas été présenté, même si vous le connaissez de vue. De même, vous ne devez pas saluer un gentleman qui vous a adressé quelques remarques dans la maison d'un ami commun, ou avec qui vous vous êtes entretenues de manière ponctuelle. Un court échange verbal ne constitue pas une présentation en bonne et due forme, et ne doit donc pas être reconnu par un salut.

— Et si le gentleman vous a rendu un service ? s'enquit Daisy. Comme ramasser le gant que vous avez laissé tomber, par exemple.

— Adressez-lui vos remerciements sur le moment, mais ne le saluez pas pour autant ensuite, puisque vous n'avez pas vraiment fait connaissance.

— C'est faire preuve d'ingratitude, fit observer Daisy.

La comtesse ne lui prêta pas attention.

— À présent, passons au dîner. Vous ne devez pas demander un autre verre de vin lorsque vous avez terminé le premier. Quand votre hôte fait circuler la carafe de vin durant le dîner, c'est à l'intention des messieurs, non des dames. Hier soir, ajouta-t-elle en jetant un regard noir à Lillian, je vous ai entendue demander que l'on remplisse votre verre, mademoiselle Bowman. C'est très mal élevé.

— Mais lord Westcliff l'a rempli sans mot dire, protesta Lillian.

— Simplement pour vous éviter d'attirer davantage l'attention.

— Mais pourquoi...

La voix de Lillian mourut sous le regard sévère de la comtesse. Elle se rendit compte que si elle demandait des explications sur chaque point de l'étiquette, l'après-midi risquait d'être interminable.

La comtesse continua à décortiquer la manière de se tenir à table, y compris la façon de couper une pointe d'asperge ou de manger une caille.

— ... on doit utiliser une fourchette pour le blanc-manger et le gâteau de riz, et non pas une cuillère. Et à ma grande consternation, j'ai vu que vous utilisiez toutes deux votre couteau pour les rissoles.

Elle ponctua ses propos d'un regard éloquent, comme si elle s'attendait que la honte les consume.

— Qu'est-ce que les rissoles ? hasarda Lillian.

Non sans circonspection, Daisy répondit :

— Je crois que ce sont ces petits pâtés bruns recouverts d'une sauce verte.

— Je les ai plutôt appréciés, déclara Lillian.

Sa sœur lui adressa un sourire narquois.

— Tu sais ce qu'il y avait dedans ?

— Non, et je ne veux pas le savoir !

Ignorant leur échange, la comtesse reprit :

— Les rissoles, les pâtés et toutes les préparations qui sortent d'un moule doivent être mangés avec une fourchette uniquement, jamais avec l'aide d'un couteau.

Elle marqua une pause pour parcourir sa liste, et ses petits yeux d'oiseau s'étrécirent.

— À présent, dit-elle en fixant Lillian, venons-en au sujet des têtes de veaux...

Avec un gémissement, Lillian se couvrit les yeux de la main et se voûta sur sa chaise.

11

Ceux qui étaient accoutumés aux grandes enjambées décidées de lord Westcliff auraient été surpris de le voir gravir l'escalier à pas lents. Il tenait une lettre à la main, dont le contenu lui avait occupé l'esprit durant ces dernières minutes. Mais les nouvelles qu'il venait de recevoir n'étaient pas seules responsables de son humeur pensive.

Bien qu'il eût aimé le nier, il était impatient de voir Lillian Bowman... Et immensément curieux de découvrir comment elle s'était débrouillée avec sa mère. La comtesse aurait mangé toute crue n'importe quelle fille, mais il soupçonnait qu'avec Lillian, elle était tombée sur un os.

Lillian. Par sa faute, il en était à lutter pour rassembler les bribes éparpillées de son sang-froid. Il éprouvait une méfiance innée envers tout sentiment, en particulier les siens, et une profonde aversion pour tout ce qui menaçait sa dignité. La lignée des Marsden était célèbre pour son austérité, et comptait des générations d'hommes solennels investis de lourdes responsabilités. Le propre père de Marcus souriait rarement et, le cas échéant, son sourire précédait en général quelque chose de très déplaisant. Le vieux comte s'était appliqué à éradiquer toute trace de frivolité ou d'humour chez son fils unique, et s'il n'y avait pas totalement réussi, son influence avait néanmoins été déterminante. L'existence de Marcus, régie par des attentes et des devoirs implacables, ne tolérait aucune distraction. Surtout sous la forme d'une fille rebelle.

Jamais il n'envisagerait de courtiser une jeune femme comme Lillian Bowman. Il ne pouvait l'imaginer heureuse au sein de l'aristocratie britannique. Son irrévérence et son individualité ne lui permettraient pas de s'intégrer avec aisance dans le monde de Marcus. En outre, il était couramment admis que, ses deux sœurs ayant épousé des Américains, il lui revenait de préserver la lignée prestigieuse de sa famille avec une épouse anglaise.

Marcus avait toujours su qu'il finirait par épouser l'une des innombrables jeunes filles qui faisaient leur entrée dans le monde à chaque saison, toutes si semblables que le choix de l'une ou de l'autre paraissait sans importance. N'importe laquelle de ces filles timides et raffinées aurait convenu, et pourtant, il n'avait jamais réussi à s'intéresser à elles. Alors que Lillian Bowman l'obsédait depuis qu'il avait posé les yeux sur elle. Il n'y avait à cela aucune raison logique. Lillian n'était pas la plus jolie femme qu'il connaisse ni la plus accomplie. Elle avait la langue acérée, des opinions arrêtées, et son caractère affirmé convenait bien mieux à un homme qu'à une femme.

Comme lui aussi possédait un caractère volontaire, ils étaient voués à s'affronter, et l'altercation qui avait eu lieu sur le parcours d'obstacles illustrait parfaitement l'impossibilité d'une union entre eux. Mais cela ne changeait rien au fait que Marcus désirait Lillian Bowman comme jamais il n'avait désiré une femme. Sa fraîcheur et son originalité l'attiraient alors même qu'il luttait contre la tentation qu'elle représentait. Il avait commencé à rêver d'elle la nuit, à rêver qu'ils jouaient à se bagarrer, et qu'il finissait par pénétrer son corps chaud qui se débattait jusqu'à ce qu'elle crie de plaisir. Dans d'autres rêves, ils gisaient tous deux dans une immobilité sensuelle, leurs chairs jointes encore palpitantes… ou bien ils nageaient dans la rivière, et son corps nu glissait contre le sien tandis que les boucles de ses cheveux de sirène s'enroulaient autour de son torse et de ses épaules.

Marcus n'avait jamais ressenti la morsure d'une passion latente avec autant d'acuité. Nombre de femmes auraient été tout à fait disposées à satisfaire ses besoins. Il suffirait de quelques mots murmurés, d'un coup discret frappé à la porte d'une chambre, et il se retrouverait entre des bras féminins complaisants. Mais il lui semblait indécent d'utiliser une femme comme substitut d'une autre qu'il ne pouvait avoir.

Alors qu'il s'approchait de la porte du salon privé, Marcus s'arrêta à côté de la porte entrouverte en entendant la voix de sa mère. Apparemment, elle condamnait l'habitude des sœurs Bowman de s'adresser aux valets de pied qui les servaient à table.

— Mais pourquoi ne devrais-je pas remercier quelqu'un qui me rend service ? entendit-il Lillian demander avec un étonnement sincère. Il est poli de dire merci, non ?

— Vous ne devez pas plus remercier un serviteur que vous ne remerciez un cheval de vous autoriser à le monter ou une table de supporter les plats que vous posez sur elle.

— Mais nous ne parlons pas d'animaux ou d'objets inanimés, n'est-ce pas ? Un valet de pied est une personne.

— Non, répliqua froidement la comtesse. Un valet de pied est un serviteur.

— Et un serviteur est une personne, s'entêta Lillian.

— Quelle que soit la façon dont vous considérez un valet de pied, trancha la comtesse, exaspérée, vous ne devez pas le remercier pendant le dîner. Les serviteurs ne s'attendent à une telle condescendance ni ne la désirent, et si vous persistez à les mettre dans la situation inconfortable d'avoir à vous répondre, ils auront une mauvaise opinion de vous… comme tout le monde. Et ne m'insultez pas en me regardant de cet air ahuri, mademoiselle Bowman ! Vous venez d'une famille aisée – vous avez certainement des serviteurs, dans votre résidence new-yorkaise !

— En effet, mais nous leur parlons, riposta Lillian avec effronterie.

Marcus s'efforça de réprimer une brusque envie de rire. Il avait rarement, sinon jamais, entendu quiconque oser se disputer avec la comtesse. Après avoir frappé légèrement à la porte, il pénétra dans la pièce, interrompant un échange potentiellement caustique. Lillian se retourna pour le regarder. Sa peau d'ivoire était marquée de deux taches roses au niveau des pommettes. Ses cheveux coiffés en un chignon sophistiqué auraient dû la vieillir, mais ne faisaient que souligner sa jeunesse. En dépit de son immobilité, l'air autour d'elle semblait chargé de tension. Elle lui évoquait une écolière pressée d'échapper à la leçon pour aller courir dehors.

— Bonjour, fit Marcus. J'espère que votre discussion se déroule comme vous le souhaitez ?

Lillian lui adressa un regard éloquent.

S'efforçant de ne pas sourire, Marcus s'inclina devant sa mère.

— Milady, une lettre vient d'arriver d'Amérique.

Sa mère lui adressa un regard aigu, mais ne répondit pas, alors qu'elle savait pertinemment que la lettre devait venir d'Aline.

« Espèce de garce têtue », songea Marcus, contrarié. La comtesse ne pardonnerait jamais à sa fille aînée d'avoir épousé un homme issu de la plèbe. Le mari d'Aline, McKenna, avait travaillé autrefois comme garçon d'écurie sur le domaine. Alors qu'il n'avait pas vingt ans, il était parti chercher fortune en Amérique où il était devenu un riche industriel. Aux yeux de la comtesse, cependant, le succès de McKenna ne rachèterait jamais ses origines, elle s'était donc violemment opposée à ce qu'il épouse sa fille. Le bonheur évident d'Aline ne signifiait rien pour la comtesse, qui avait élevé l'hypocrisie au rang des beaux-arts. Aline se serait contentée d'avoir une liaison avec McKenna que sa mère n'aurait rien trouvé à redire. Qu'elle l'ait épousé constituait, en revanche, une offense impardonnable.

— J'ai pensé que vous voudriez prendre connaissance de son contenu sans attendre, poursuivit Marcus en s'approchant pour lui tendre la lettre.

Le visage de sa mère se crispa. Les yeux plissés par le mécontentement, elle n'esquissa pas un geste. Marcus prenait un plaisir malin à lui imposer une réalité qu'elle tenait si ouvertement à ignorer.

— Pourquoi ne pas me dire ce qu'elle contient ? fit-elle d'une voix cassante. Il est évident que vous ne partirez pas avant de l'avoir fait.

— Très bien, répondit Marcus en glissant la lettre dans sa poche. Toutes mes félicitations, milady... vous voilà grand-mère. Lady Aline a donné naissance à un garçon en bonne santé, prénommé John McKenna Junior. Je suis certain, enchaîna-t-il avec une pointe de sarcasme, que vous serez soulagée de savoir que la mère et l'enfant se portent bien.

Du coin de l'œil, il vit les sœurs Bowman échanger un regard interloqué. Elles s'interrogeaient visiblement sur les causes de l'hostilité qui alourdissait l'atmosphère.

— Comme il est plaisant d'apprendre que ma fille aînée a engendré l'homonyme de notre ancien garçon d'écurie ! commenta la comtesse d'un ton acerbe. Ce sera le premier d'une tripotée d'enfants, j'en suis sûre. Il est regrettable, en revanche, que le comté n'ait toujours pas d'héritier... un fait qui relève de votre responsabilité, je crois. Venez m'annoncer votre mariage imminent avec une femme bien née, Westcliff, et je manifesterai quelque satisfaction. En attendant, je ne vois guère de raisons de se féliciter.

Même s'il ne manifesta aucune émotion en entendant la réponse de sa mère à la nouvelle de la naissance de son petit-fils – pour ne rien dire de son allusion exaspérante à un héritier –, Marcus eut le plus grand mal à ravaler une remarque féroce. Alors qu'il sentait son humeur s'assombrir dangereusement, il eut conscience du regard intense que Lillian posait sur lui.

Un curieux sourire flottait sur ses lèvres. Marcus haussa les sourcils et lui demanda, sarcastique :

— Quelque chose vous amuse, mademoiselle Bowman ?

— Oui, murmura-t-elle. Je me disais qu'il était miraculeux que vous ne vous soyez pas précipité pour épouser la première paysanne venue.

— Petite idiote impertinente ! s'exclama la comtesse.

L'insolence de Lillian fit sourire Marcus, qui sentit l'étau qui lui oppressait la poitrine se desserrer.

— Vous pensez que je le devrais ? demanda-t-il calmement, comme si la question méritait que l'on s'y attarde.

— Oh, oui, affirma Lillian, une étincelle malicieuse dans le regard. Les Marsden auraient besoin d'un peu de sang neuf. Selon moi, la famille est en grand danger de devenir « suréduquée ».

— Suréduquée ? répéta Marcus, saisi de l'irrépressible envie de se jeter sur elle et de l'emporter quelque part. Qu'est-ce qui vous donne cette impression, mademoiselle Bowman ?

— Oh, je ne sais pas... Peut-être l'importance stupéfiante que vous attachez à l'usage d'une fourchette ou d'une cuillère pour manger son riz au lait.

— Les bonnes manières ne sont pas l'apanage de l'aristocratie, mademoiselle Bowman, répliqua-t-il d'un ton qui lui parut pompeux, même à ses propres oreilles.

— Selon moi, milord, une attention excessive portée aux manières et aux rituels est l'apanage de ceux qui ne savent pas quoi faire de leur temps.

Son impertinence fit sourire Marcus.

— Subversif, et cependant sensé, reconnut-il. Je ne suis pas certain de désapprouver.

— N'encourage pas son effronterie, Westcliff, l'avertit la comtesse.

— Très bien... Je vous laisse à votre tâche de Sisyphe.

— Qu'est-ce que ça veut dire ? risqua Daisy.

Sans cesser de regarder Marcus, Lillian lui répondit :

— Il semblerait que tu aies manqué l'une de ces leçons sur la mythologie grecque, ma chérie. Aux Enfers, Sisyphe a été condamné à une tâche éternelle : rouler un rocher gigantesque jusqu'en haut d'une pente, pour le voir dégringoler avant qu'il atteigne le sommet.

— Alors, si la comtesse est Sisyphe, conclut Daisy, je suppose que nous sommes...

— Les rochers, dit lady Westcliff, provoquant le rire des deux filles.

— Continuez à nous instruire, milady, je vous en prie, dit Lillian quand Marcus, après avoir salué, quitta la pièce. Nous essaierons de ne pas vous écraser en redescendant.

Lillian fut en proie à une mélancolie inhabituelle durant tout l'après-midi. Comme l'avait souligné Daisy, se voir infliger les leçons de la comtesse n'égayait pas vraiment l'âme. Mais son abattement était dû à autre chose qu'à ces heures passées en compagnie d'une vieille femme irritable. Il avait à voir avec les propos tenus après que lord Westcliff fut entré dans le salon pour annoncer la nouvelle de la naissance de son neveu. S'il semblait s'en réjouir, la réaction cinglante de sa mère n'avait, en revanche, pas paru le surprendre. De l'échange plein de rancœur qui s'était ensuivi, Lillian avait retenu l'importance – non, la nécessité – pour Westcliff d'épouser «une femme bien née», comme l'avait dit la comtesse.

Une femme bien née… Une femme qui saurait comment manger une rissole et se garderait de remercier le valet de pied qui la lui servait. Une femme qui ne commettrait jamais l'erreur de traverser une pièce pour aller parler à un gentleman, mais attendrait docilement qu'il s'approche d'elle. L'épouse de Westcliff serait une délicate fleur anglaise, aux cheveux blond cendré, à la bouche en bouton de rose et au caractère paisible. «Suréduquée», songea Lillian avec une pointe d'animosité envers cette inconnue. Pourquoi cela la tracassait-il tant que Westcliff soit destiné à épouser une fille qui se fondrait sans peine dans son existence aristocratique?

Les sourcils froncés, elle se rappela la façon dont le comte lui avait caressé le visage, la veille au soir. Une caresse subtile, mais totalement inappropriée puisqu'elle venait d'un homme n'ayant absolument aucune vue sur elle. Pourtant, il avait semblé incapable de s'en empêcher. «C'est l'effet du parfum», décida-t-elle sombrement. Elle qui se faisait une telle joie de torturer Westcliff en le séduisant malgré lui! Et voilà qu'elle était prise à son propre piège. C'était *elle* qui subissait la torture. Chaque fois que Westcliff la regardait, la touchait, lui souriait, cela faisait naître en elle un sentiment qu'elle n'avait jamais éprouvé auparavant, une aspiration douloureuse qui la poussait à vouloir l'impossible.

182

Une alliance entre eux aurait paru ridicule aux yeux de n'importe qui... D'autant qu'il incombait à Westcliff d'engendrer un héritier au sang pur. Il existait d'autres hommes titrés qui ne pouvaient se permettre de se montrer aussi sélectifs que lui. Des hommes dont l'héritage s'était amenuisé au fil du temps et qui avaient donc besoin de la fortune de Lillian. Avec la protection de la comtesse, elle trouverait un candidat acceptable, l'épouserait et en aurait fini avec cette interminable chasse au mari. C'est alors qu'une pensée désagréable la frappa soudain : le monde de l'aristocratie britannique était assez restreint, et elle serait amenée à rencontrer Westcliff et son épouse anglaise à d'innombrables reprises... Cette perspective était plus que déconcertante ; elle était horrible.

L'aspiration de Lillian s'aiguisa jusqu'à la jalousie. Elle savait que Westcliff ne serait jamais vraiment heureux avec le genre de femme qu'on lui destinait. Il se fatiguerait d'une compagne qu'il ne pourrait harceler, et une existence tranquille lui apparaîtrait d'un ennui abyssal. Westcliff avait besoin de quelqu'un qui le provoquerait et l'intéresserait. Quelqu'un qui saurait atteindre, dissimulé sous plusieurs couches de suffisance aristocratique, l'homme bon et chaleureux qu'il était. Quelqu'un qui le taquinerait, l'exaspérerait et le ferait rire.

— Quelqu'un comme moi, chuchota Lillian avec un soupir misérable.

12

Un grand bal avait lieu ce soir-là. La nuit était belle, et les portes-fenêtres ouvertes laissaient entrer l'air frais. La lumière qui ruisselait des lustres se reflétait sur le parquet comme autant de gouttes scintillantes. La musique constituait un fond parfait pour les bavardages et les rires des invités.

Lillian n'osait accepter une coupe de punch de peur de tacher sa robe de bal en satin crème. L'ample jupe, d'une élégante simplicité, formait des plis soyeux, tandis qu'une large bande de satin assorti soulignait la finesse de la taille. L'unique ornement était une délicate aspersion de petites perles au bord du décolleté profond. Alors qu'elle tirait sur son gant blanc pour effacer un pli, elle aperçut lord Westcliff de l'autre côté de la pièce, saisissant en habit sombre et chemise immaculée.

Comme à l'ordinaire, il était entouré d'un groupe d'hommes et de femmes. L'une de celles-ci, une belle blonde aux courbes voluptueuses, s'inclina vers lui pour murmurer quelque chose qui fit naître un léger sourire sur ses lèvres. Il ne cessa pas pour autant de parcourir la salle d'un regard froid… jusqu'à ce qu'il repère Lillian. Bien que bref, son coup d'œil l'enveloppa de la tête aux pieds. Lillian sentit sa présence de manière si palpable que la quinzaine de mètres qui les séparaient auraient pu tout aussi bien ne pas exister. Troublée, elle lui adressa un signe de tête et se détourna.

— Qu'y a-t-il ? murmura Daisy en la rejoignant. Tu as l'air ailleurs.

Lillian la gratifia d'un sourire ironique.

— J'essaie de me souvenir de tout ce que la comtesse nous a appris, mentit-elle. Et plus particulièrement les règles de salutations. Mais je crois que si quelqu'un s'avise de me saluer, je vais pousser un hurlement et m'enfuir dans la direction opposée.

— Je suis terrifiée à l'idée de commettre une erreur, lui confia Daisy. C'était tellement plus facile quand je n'avais pas conscience du nombre de choses que je faisais de travers ! Pour une fois, je serai très contente de faire tapisserie.

Toutes deux tournèrent les yeux vers les niches semi-circulaires alignées le long d'un des murs. Evangeline était assise, seule, dans la plus éloignée. Vêtue d'une robe rose qui jurait avec sa chevelure rousse, elle gardait la tête baissée sur la coupe de punch qu'elle tenait à la main. Tout, dans son attitude, trahissait son refus de parler à qui que ce soit.

— Ce n'est pas possible, déclara Daisy. Viens. Allons la sortir de cette alcôve.

Lillian acquiesça. Mais alors qu'elle emboîtait le pas à sa sœur, une voix profonde résonna tout près de son oreille :

— Bonsoir, mademoiselle Bowman.

Elle tressaillit, se figea, et pivota, pour se retrouver nez à nez avec lord Westcliff, qui avait traversé la pièce à une vitesse confondante.

— Milord.

Westcliff s'inclina sur sa main, salua Daisy, puis regarda de nouveau Lillian.

— Je constate que vous avez survécu à la rencontre avec ma mère.

— Il serait plus juste de dire qu'elle a survécu à sa rencontre avec nous, milord, corrigea Lillian en souriant.

— La comtesse se divertissait énormément, de toute évidence. Rares sont les jeunes filles qui ne sont pas paralysées en sa présence.

— Si je ne suis pas paralysée en votre présence, milord, je ne vois vraiment pas pourquoi je le serais en la sienne.

Il sourit, puis détourna les yeux, et deux petits plis se creusèrent entre ses sourcils, comme s'il réfléchissait à un problème de taille. Après un moment qui parut interminable, il reporta son attention sur Lillian.

— Mademoiselle Bowman...

— Oui ?

— Me ferez-vous l'honneur de m'accorder une danse ?

Lillian cessa de respirer, de bouger et de penser. Westcliff ne l'avait jamais invitée à danser auparavant, en dépit des multiples occasions où il aurait pu le faire, ne serait-ce que par politesse. C'était l'une des nombreuses raisons pour lesquelles elle l'avait haï. Il se considérait comme tellement supérieur, et elle comme tellement insignifiante, qu'il n'allait certainement pas prendre une telle peine. Dans ses rêves les plus malveillants, elle s'était plu à imaginer une invitation comme celle-ci, à laquelle elle répondrait par un refus méprisant. Au lieu de quoi, elle se retrouvait étonnée et muette.

— Si vous voulez bien m'excuser, entendit-elle Daisy lancer d'un ton joyeux, je dois aller voir Evangeline...

Et elle décampa avec une célérité remarquable.

Lillian prit une inspiration tremblante.

— Est-ce une épreuve imaginée par la comtesse ? Pour voir si j'ai retenu ses leçons ?

Westcliff s'esclaffa. Ayant recouvré ses esprits, Lillian ne put s'empêcher de remarquer les regards appuyés des gens qui les entouraient, lesquels devaient se demander ce qu'elle avait dit pour provoquer son amusement.

— Non, murmura-t-il. Je crois que c'est une épreuve que je m'impose à moi-même pour voir si je...

Il parut oublier ce qu'il était en train de dire et plongea son regard dans le sien.

— Une valse, proposa-t-il doucement.

N'ayant pas confiance en elle – elle était en proie à un désir irrépressible de se glisser entre ses bras –, Lillian secoua la tête.

— Je pense... je pense que ce serait une erreur. Je vous remercie, mais...

— Lâche ! souffla-t-il, lui retournant son accusation.

Elle ne fut pas plus capable que lui de résister au défi qu'il lui lançait.

— Je ne comprends pas pourquoi vous voudriez danser avec moi maintenant, alors que vous vous en êtes toujours soigneusement abstenu.

Sa remarque était bien plus révélatrice qu'elle ne le souhaitait, et elle se maudit comme il la scrutait.

— Je voulais vous inviter, murmura-t-il, à sa grande surprise. Mais il semblait toujours y avoir une bonne raison pour ne pas le faire.

— Pourquoi...

— De plus, coupa Westcliff en prenant sa main gantée dans la sienne, à quoi cela aurait-il servi que je vous invite puisqu'un refus était couru d'avance.

D'un geste adroit, il glissa sa main sous son bras et l'entraîna vers le centre de la pièce.

— Ce n'était pas couru d'avance.

Westcliff lui jeta un regard sceptique.

— Êtes-vous en train de me dire que vous auriez accepté ?

— Peut-être.

— J'en doute.

— Je viens de le faire, non ?

— Vous étiez obligée. Il s'agissait d'une dette d'honneur.

Lillian ne put s'empêcher de rire.

— À quel sujet, milord ?

— La tête de veau, lui rappela-t-il.

— En vérité, si vous n'aviez pas servi un plat aussi horrible, je n'aurais pas eu besoin que l'on vienne à mon secours !

— Vous n'auriez pas eu besoin qu'on vienne à votre secours si vous n'aviez pas aussi peu d'estomac.

— Vous n'êtes pas censé faire allusion aux parties du corps en présence d'une dame, riposta-t-elle d'un ton vertueux. C'est votre mère qui l'a dit.

Westcliff eut un grand sourire.

— Me voilà mouché comme il faut.

Prenant plaisir à leur chamaillerie, Lillian lui rendit son sourire. Toutefois, celui-ci mourut quand l'orchestre se mit à jouer une valse lente et que Westcliff lui fit face. Son cœur se mit à battre une chamade effrénée. Elle regarda la main qu'il lui présentait, mais se trouva incapable de la prendre. Elle ne pouvait lui permettre de l'enlacer en public… Elle craignait ce que son visage risquait de révéler.

Après quelques instants, elle entendit sa voix grave.

— Prenez ma main.

Comme hébétée, elle lui obéit, et ses doigts tremblants rencontrèrent les siens.

Un autre silence, puis, doucement :

— Posez votre autre main sur mon épaule.

Elle s'exécuta lentement, sentit sous sa paume les muscles fermes.

— À présent, regardez-moi, chuchota-t-il.

Elle souleva les paupières, et son cœur fit une cabriole quand elle plongea dans le regard ténébreux.

Les yeux rivés aux siens, Westcliff l'entraîna dans la valse, profitant de l'élan du premier tour pour l'attirer plus près de lui. Comme Lillian aurait dû s'y attendre, Westcliff menait la danse d'un pas sûr, une main plaquée fermement au creux de ses reins, et l'autre la guidant sans aucune hésitation.

C'était par trop facile. Jamais rien, dans sa vie, n'avait égalé la perfection de leurs corps se mouvant en harmonie comme s'ils avaient valsé ensemble un millier de fois déjà. Seigneur Dieu, il savait danser ! Et avec un tel naturel, une telle aisance qu'elle ne put retenir un rire essoufflé à la fin d'un tour. Elle se sentait légère comme une plume entre ses bras. Les autres couples s'évanouirent, et elle eut l'impression qu'ils tournoyaient seuls, loin, très loin, dans quelque endroit intime. La conscience aiguë qu'elle avait du corps de Marcus, de son souffle qui lui frôlait la joue de temps à autre, finit par l'emporter dans un curieux rêve éveillé... rêve dans lequel il l'emmènerait à l'étage après la valse, la déshabillerait et la déposerait doucement sur son lit. Il l'embrasserait partout, comme il le lui avait un jour murmuré... lui ferait l'amour et la garderait entre ses bras comme elle sombrerait dans le sommeil. Jamais encore elle n'avait eu envie de partager ce genre d'intimité avec un homme.

— Marcus... dit-elle, distraite, éprouvant son prénom sur sa langue.

Il lui adressa un regard perçant. Appeler quelqu'un par son prénom était profondément personnel, si intime qu'il était réservé au conjoint ou à la famille proche. Avec un sourire espiègle, Lillian donna à la conversation un tour plus approprié.

— J'aime bien ce prénom. Il n'est pas courant de nos jours. Était-ce celui de votre père ?

— Non, d'un oncle. Le seul du côté maternel.

— Vous étiez heureux de porter son prénom ?

— N'importe quel prénom aurait été acceptable du moment que ce n'était pas celui de mon père.

— Vous le haïssiez ?

Westcliff secoua la tête.

— Pire que cela.

— Qu'y a-t-il de pire que la haine ?

— L'indifférence.

Elle l'observa avec une curiosité non dissimulée.

— Et la comtesse ? risqua-t-elle. Vous est-elle indifférente, elle aussi ?

Le coin de sa bouche se retroussa en un demi-sourire.

— Je considère ma mère comme une tigresse vieillissante, dont les dents et les griffes sont émoussées, mais qui est encore capable d'infliger des blessures. Je m'arrange donc pour essayer de conserver une distance prudente dans nos rapports.

Lillian affecta de lui jeter un regard indigné.

— Et pourtant, vous m'avez jetée dans sa cage, ce matin !

— Je savais que vous possédiez vous aussi des griffes et des dents. C'était un compliment, ajouta-t-il en voyant son expression.

— Merci de le préciser, fit-elle, ironique. J'aurais pu ne pas m'en douter.

À la grande consternation de Lillian, la valse se termina sur la note douce et prolongée d'un violon solo. Dans le flot des danseurs qui quittaient la piste, croisés par ceux qui les remplaçaient, Westcliff s'immobilisa abruptement. Il continuait de la tenir par la taille, se rendit-elle compte, confuse. Comme elle esquissait un pas hésitant en arrière, il resserra spontanément son étreinte. Étonnée par sa réaction et ce qu'elle trahissait, Lillian cessa de respirer.

Se ressaisissant, le comte se força à la lâcher. Elle ressentit néanmoins la force du désir qui irradiait de lui en vagues brûlantes. Il était toutefois assez mortifiant de penser que, alors que ses sentiments à elle étaient sincères, les siens n'étaient peut-être dus qu'à un simple parfum. Elle aurait donné n'importe quoi pour ne pas être autant attirée par lui, sachant qu'il n'en résulterait que désillusion – peut-être même un cœur brisé.

— J'avais raison, n'est-ce pas ? demanda-t-elle d'une voix enrouée, sans le regarder. C'était une erreur de danser ensemble.

Westcliff mit si longtemps à répondre qu'elle crut qu'il s'en abstiendrait.

— Oui, lâcha-t-il enfin, la voix rauque d'une émotion qu'elle n'aurait su identifier.

Parce qu'il ne pouvait se permettre de la désirer, parce qu'il savait aussi bien qu'elle qu'une union entre eux serait un désastre.

Soudain, rester près de lui devint trop douloureux.

— Alors, je suppose que cette valse sera notre première et notre dernière, observa-t-elle d'un ton léger. Bonsoir, milord, et merci pour...

— Lillian, l'entendit-elle chuchoter.

Mais elle se détourna et s'éloigna avec un sourire crispé, alors même qu'un frisson la parcourait.

Le reste de la soirée aurait été un supplice pour Lillian si Sebastian, lord Saint-Vincent, n'était venu à son secours à point nommé. Il surgit à côté d'elle au moment où elle s'apprêtait à rejoindre Evangeline et Daisy.

— Quelle gracieuse danseuse vous faites, mademoiselle Bowman.

Dans le regard que Saint-Vincent attachait sur elle brillait une promesse malicieuse à laquelle elle trouvait difficile de résister. Le sourire énigmatique qu'il affichait aurait pu s'adresser aussi bien à un ami qu'à un ennemi. Lillian remarqua le nœud de sa cravate légèrement de guingois. Il y avait un soupçon de désordre dans sa tenue, comme s'il s'était rhabillé avec trop de hâte après avoir quitté le lit d'une maîtresse... et avait l'intention d'y retourner bientôt.

En réponse à son compliment, Lillian, un peu embarrassée, sourit en haussant les épaules, et se rappela trop tard l'admonestation de la comtesse à ce sujet.

— Si j'apparaissais gracieuse, milord, c'est grâce aux talents de lord Westcliff, pas aux miens.

— Vous êtes trop modeste, mon ange. J'ai vu Westcliff danser avec d'autres femmes, et l'effet était loin d'être le même. Vous semblez vous être raccommodée avec lui. Êtes-vous amis, désormais ?

La question semblait anodine, mais Lillian perçut plusieurs sous-entendus. Elle réfléchit un instant avant de répondre, non sans remarquer que lord Westcliff accompagnait une femme aux cheveux auburn à la table des rafraîchissements. Celle-ci rayonnait, toute à son plaisir d'avoir suscité l'intérêt du comte. La jalousie piqua Lillian au cœur comme une aiguille.

— Je ne sais pas, milord. Il est possible que votre définition de l'amitié ne soit pas la même que la mienne.

— Quelle fille intelligente vous faites, commenta Saint-Vincent. Laissez-moi vous escorter jusqu'à la table des rafraîchissements et nous comparerons nos définitions.

— Non, merci.

C'était avec regret qu'elle avait décliné sa proposition, car elle mourait de soif. Mais pour la paix de son esprit, mieux valait éviter la proximité de Westcliff.

Suivant son regard, Saint-Vincent aperçut le comte en compagnie de la femme auburn.

— Il vaut peut-être mieux que nous nous abstenions, en effet, acquiesça-t-il avec désinvolture. Westcliff serait mécontent de vous voir en ma compagnie. Après tout, il m'a sommé de garder mes distances.

— Vraiment? fit Lillian en fronçant les sourcils. Pourquoi cela?

— Il ne veut pas que vous soyez compromise ou que vous ayez à souffrir d'une manière quelconque de nos relations. Ma réputation, vous comprenez...

— Westcliff n'a pas à décider de mes fréquentations, marmonna Lillian, furibonde. Cet individu imbu de lui-même, ce monsieur je-sais-tout, je voudrais bien...

Elle s'interrompit, tentant de juguler sa colère.

— J'ai soif, déclara-t-elle d'un ton brusque. Je veux aller à la table des rafraîchissements. Avec vous.

— Si vous insistez, murmura Saint-Vincent. Que souhaitez-vous boire? De la limonade? Du punch ou...

— Du champagne.

— Si tel est votre désir...

Il l'accompagna jusqu'à la longue table devant laquelle se pressait une file d'invités. Jamais Lillian n'avait éprouvé une satisfaction aussi aiguë que lorsque Westcliff aperçut Saint-Vincent à ses côtés. Sa bouche se durcit et il la fixa d'un regard noir. Avec un sourire de défi, Lillian accepta la coupe de champagne que lui tendait son compagnon et la vida en quelques gorgées peu distinguées.

— Pas si vite, ma belle, entendit-elle Saint-Vincent murmurer. Le champagne va vous monter à la tête.

— J'en veux une autre, répliqua Lillian en se tournant vers le vicomte.

— Dans quelques minutes. Vous êtes un peu empourprée. L'effet est charmant, mais je pense que vous avez assez bu pour le moment. Voulez-vous danser?

— Volontiers.

Posant sa coupe vide sur le plateau que portait le valet de pied le plus proche, elle gratifia Saint-Vincent d'un sourire délibérément éclatant.

— Comme c'est intéressant ! Après une année entière à faire tapisserie, je reçois deux invitations à danser le même soir. Je me demande pourquoi.

— Eh bien… commença Saint-Vincent en l'entraînant à pas lents vers la foule des danseurs. Je suis un méchant homme qui, à l'occasion, peut faire preuve d'un peu de gentillesse. Et je cherchais une gentille fille qui pouvait, à l'occasion, faire preuve d'un peu de méchanceté.

— Et vous en avez trouvé une ? s'enquit Lillian en riant.

— Apparemment.

— Qu'aviez-vous l'intention de faire, une fois que vous l'auriez trouvée ?

La complexité de ses expressions le rendait intéressant. Il avait l'air d'un homme capable de tout… et, en, l'occurrence, c'était exactement ce qu'elle voulait.

— Je vous le ferai savoir, murmura Saint-Vincent. Plus tard.

Danser avec lui était fort différent de son expérience avec Westcliff. Il n'y avait pas cette sensation d'exquise harmonie physique, d'entente naturelle et évidente… mais Saint-Vincent n'en demeurait pas moins un danseur accompli, et tandis qu'ils tournoyaient autour de la salle, il ne cessa de lancer des commentaires provocateurs qui la firent rire. Bien que respectueuses, les mains qui la guidaient avec assurance trahissaient une grande expérience du corps féminin.

— Jusqu'à quel point votre réputation est-elle méritée ? s'aventura-t-elle à lui demander.

— Elle ne l'est qu'à moitié… ce qui fait de moi un personnage totalement infréquentable.

Lillian l'observa avec un amusement empreint de perplexité.

— Comment un homme comme vous peut-il être ami avec lord Westcliff ? Vous êtes tellement différents.

— Nous nous connaissons depuis l'âge de huit ans. Et, en tête de mule qu'il est, Westcliff refuse d'admettre que je suis une cause perdue.

— Pourquoi seriez-vous une cause perdue ?

— Vous n'avez pas besoin de le savoir. La valse se termine, continua-t-il, l'empêchant de formuler une autre question, et il y a une femme, près de la frise dorée, qui nous observe avec attention. Il s'agit de votre mère, n'est-ce pas ? Permettez-moi de vous ramener auprès d'elle.

Lillian secoua la tête.

— Mieux vaut que vous me quittiez maintenant. Croyez-moi, vous n'avez pas besoin de faire la connaissance de ma mère.

— Bien sûr que si. Si elle vous ressemble un tant soit peu, je la trouverai captivante.

— Si elle me ressemble un tant soit peu, je vous prie d'avoir la décence de garder votre opinion pour vous.

— N'ayez aucune crainte, répliqua-t-il avec nonchalance, je n'ai jamais rencontré une femme que je n'aimais pas.

— C'est bien la dernière fois que vous affirmerez une telle chose, prédit-elle, maussade.

Tandis qu'ils se frayaient un chemin dans la foule des invités, il déclara :

— Je vais l'inviter à nous accompagner en promenade demain, car vous avez grand besoin d'un chaperon.

— Je n'ai pas à avoir de chaperon, riposta Lillian. Un homme et une femme peuvent effectuer une promenade sans chaperon à condition que la voiture soit découverte et qu'ils ne restent pas absents plus de...

— Vous avez besoin d'un chaperon, répéta-t-il avec une douce insistance qui la fit se sentir soudain nerveuse et timide.

Il était impossible que son regard signifie ce qu'elle pensait qu'il signifiait! Elle laissa échapper un petit rire tremblant.

— Sinon... fit-elle, cherchant quelque commentaire audacieux à faire, sinon, vous me compromettrez?

Son sourire, comme sa personne tout entière, était subtil et paisible.

— Quelque chose comme cela.

Elle éprouva un chatouillement curieux, mais pas déplaisant, au fond de la gorge, comme si elle avait avalé une cuillère entière de mélasse. Saint-Vincent ne se comportait pas du tout comme les séducteurs qui pullulaient dans les romans dont Daisy raffolait. Ces personnages odieux tendaient plutôt à dissimuler leurs viles intentions jusqu'à l'instant paroxystique où ils agressaient l'innocente héroïne pour lui ravir sa virginité. Saint-Vincent, au contraire, semblait absolument déterminé à la prévenir contre lui, et elle ne parvenait pas à l'imaginer se démenant suffisamment pour obliger une fille à faire quelque chose contre son gré.

Lorsque Lillian le présenta à sa mère, le regard de celle-ci se fit aussitôt calculateur. Mercedes considérait tout célibataire de l'aristocratie, quel que fût son âge, son apparence ou sa réputation, comme une proie potentielle. Elle était prête à tout pour que ses filles épousent des hommes titrés, et peu lui importait qu'ils soient jeunes et beaux ou vieux et séniles. Elle avait demandé un rapport complet sur presque tous les pairs importants du royaume et mémorisé des dizaines de pages de renseignements sur l'aristocratie britannique. Tandis qu'elle observait l'élégant vicomte qui se tenait devant elle, on pouvait presque voir défiler les informations dans son cerveau.

Étonnamment, toutefois, il ne fallut que quelques minutes pour que Mercedes se détende dans la charmante compagnie de Saint-Vincent. Il la flatta et la taquina tant et si bien qu'elle consentit à la promenade en voiture. Il prêta une telle attention à ses propos qu'elle ne tarda pas à rougir et à glousser comme une jeune fille. Lillian n'avait jamais vu sa mère se comporter ainsi en présence d'un homme. Il devint vite évident que si Westcliff la rendait nerveuse, Saint-Vincent lui faisait l'effet inverse. Il possédait un talent particulier pour qu'une femme – n'importe laquelle apparemment – se sente séduisante. Il était bien plus raffiné que la plupart des Américains et, cependant, plus chaleureux et accessible que les Anglais. Son charme était si prenant, en vérité, que durant quelques instants, Lillian en oublia de parcourir la salle des yeux à la recherche de Westcliff.

S'emparant de la main de Mercedes, Saint-Vincent s'inclina et murmura :

— À demain matin, donc.

— À demain, répéta Mercedes, l'air ébloui.

Soudain, Lillian eut un aperçu fugitif de ce à quoi ressemblait sa mère lorsqu'elle était jeune et que les déceptions ne l'avaient pas encore durcie.

Se penchant vers Lillian, Saint-Vincent lui souffla à l'oreille :

— Seriez-vous tentée à présent par cette seconde coupe de champagne ?

Elle acquiesça d'un léger signe de tête, attentive à l'agréable mélange de fragrances qui émanaient de lui : une pointe d'eau de Cologne de luxe, un soupçon de savon à barbe et l'odeur propre, un peu poivrée, de sa peau.

— Ici ? demanda-t-il à voix basse. Ou dans le jardin ?

En comprenant qu'il lui demandait de s'éclipser avec lui, Lillian s'alarma. Seule avec Saint-Vincent dans le jardin... Il ne faisait aucun doute que la chute de nombre d'imprudentes avait commencé ainsi. Alors que, hésitante, elle laissait son regard errer dans la salle, elle aperçut Westcliff enlaçant une femme pour valser, exactement comme il l'avait fait avec elle. Westcliff, à jamais inaccessible, songea-t-elle, de nouveau en proie à la colère. Elle avait besoin de distraction. Et de réconfort. Ce que Saint-Vincent semblait désireux de lui procurer.

— Dans le jardin, chuchota-t-elle.

— Dans dix minutes. Il y a une fontaine avec une sirène juste derrière...

— Je la connais.

— Si jamais vous ne parvenez pas à vous esquiver...

— J'y parviendrai, assura-t-elle en s'efforçant de sourire.

Saint-Vincent l'observa un instant, le regard perspicace, mais aussi étrangement compatissant.

— Je peux vous aider à vous sentir mieux, mon ange, chuchota-t-il.

— Vraiment ? demanda-t-elle d'un ton morne, en rougissant malgré elle.

Une étincelle prometteuse s'alluma dans les yeux clairs de Saint-Vincent, et il répondit d'un bref signe de tête avant de prendre congé.

13

Après avoir enrôlé Daisy et Evangeline pour jouer les alibis, Lillian quitta la salle de bal en leur compagnie sous prétexte de se rafraîchir un peu. Selon un plan rapidement conçu, les deux filles attendraient sur la terrasse tandis qu'elle irait rejoindre lord Saint-Vincent dans le jardin. Elles regagneraient ensemble la salle de bal, feignant d'être restées ensemble tout le temps.

— Es-tu sû... sûre qu'il est prudent de te retrouver seule avec lord Saint-Vincent? s'inquiéta Evangeline alors qu'elles traversaient le vestibule.

— Sûre et certaine, affirma Lillian. Oh, il essayera peut-être de prendre quelque liberté, mais, après tout, c'est le but du jeu, non? De plus, je veux voir si mon parfum agit sur lui.

— Il n'agit sur personne, répliqua Daisy, morose. En tout cas, pas quand c'est moi qui le porte.

— Et toi, Evangeline? s'enquit Lillian. Tu as eu plus de chance?

— Elle n'a permis à personne de s'approcher assez près pour le découvrir, répondit Daisy à sa place.

— Eh bien, moi, je vais offrir à Saint-Vincent l'occasion d'en aspirer une longue et bonne bouffée. Dieu sait que ce parfum devrait avoir un minimum d'effet sur un débauché notoire.

— Mais si quelqu'un vous voit...

— Personne ne nous verra, coupa Lillian avec une pointe d'impatience. S'il existe en Angleterre un homme plus expérimenté que lord Saint-Vincent lorsqu'il s'agit de s'éclipser pour un rendez-vous galant, j'aimerais le connaître.

— Tu as intérêt à être prudente, l'avertit Daisy. Un rendez-vous galant, c'est dangereux. J'ai lu un tas d'histoires à ce sujet, et elles se terminent rarement bien.

— Ce sera un rendez-vous très court, assura Lillian. Un quart d'heure tout au plus. Que pourrait-il arriver en si peu de temps ?

— D'après ce que... que dit Annabelle, beaucoup de choses, rétorqua Evangeline, la mine sombre.

— Où est Annabelle, au fait ? interrogea Lillian. Je ne l'ai pas vue de la soirée.

— Elle ne se sentait pas bien, la pauvre, expliqua Daisy. Elle avait le teint verdâtre, et je crains qu'elle n'ait mangé quelque chose, à midi, qui ne lui a pas réussi.

Lillian fit une grimace et frissonna ostensiblement.

— À coup sûr, quelque chose du genre anguille, oreille de veau ou patte de poulet...

— Arrête ! s'exclama Daisy. Tu vas te rendre malade.

Après avoir franchi l'une des portes-fenêtres, elles s'avancèrent sur la terrasse déserte. Daisy se tourna vers sa sœur.

— Si tu n'es pas revenue dans un quart d'heure, Evangeline et moi partirons à ta recherche.

— Je ne m'attarderai pas, promit Lillian. Tout ira bien, continua-t-elle en adressant un clin d'œil à Evangeline. Pense à toutes les choses intéressantes que j'aurai à vous raconter !

— C'est bien ce qui... qui me fait peur, répliqua Evangeline.

Relevant ses jupes, Lillian descendit d'un pas léger l'escalier menant aux jardins en terrasse éclairés par des torches. Se laissant guider par le chuchotis de la fontaine, elle suivit un chemin pavé jusqu'à un petit dégagement éclairé d'une unique torche. C'est alors qu'elle surprit un mouvement. Une... non, deux personnes étroitement enlacées étaient assises sur l'un des bancs qui entouraient la fontaine. Étouffant une exclamation de surprise, elle recula dans l'ombre d'une haie. Lord Saint-Vincent lui avait demandé de le retrouver ici... mais l'homme sur le banc, ce n'était quand même pas... *lui* ? Déconcertée, Lillian fit quelques pas pour jeter un coup d'œil au-delà de la haie.

Elle ne tarda pas à s'apercevoir que le couple était si absorbé par ses jeux amoureux qu'il n'aurait pas remarqué le passage d'une horde d'éléphants. Les cheveux châtain clair de la jeune femme tombaient en boucles souples sur son dos, que découvrait sa robe en partie dégrafée. Elle laissait échapper de petits soupirs frissonnants tandis que l'homme l'embrassait au creux du cou. Relevant la tête, il la fixa d'un regard brûlant de passion, puis s'inclina sur elle pour s'emparer de sa bouche. Soudain, Lillian reconnut le couple : il s'agissait de lady Olivia et de son mari, M. Shaw. À la fois gênée et curieuse, Lillian battit en retraite derrière la haie juste au moment où M. Shaw glissait la main dans l'ouverture de la robe de sa femme. C'était là la scène la plus intime dont elle eût jamais été témoin.

Jamais non plus elle n'avait entendu sons plus intimes : doux soupirs, mots d'amour chuchotés, puis le petit rire inexplicable de M. Shaw qui lui arracha un frisson. Le visage brûlant, elle s'éloigna sur la pointe des pieds. Cette démonstration de tendresse passionnée avait provoqué en elle un étrange sentiment. L'amour dans le mariage... Lillian n'avait jamais osé en espérer autant pour elle-même.

Une haute silhouette masculine apparut devant elle. L'homme la rejoignit, entoura du bras ses épaules crispées et lui glissa dans la main une coupe de champagne.

— Milord ? chuchota Lillian.

Son souffle lui chatouilla l'oreille quand il murmura :

— Venez avec moi.

Elle se laissa guider docilement le long d'un chemin plus sombre, qui aboutissait à un autre dégagement au milieu duquel se dressait une lourde table de pierre. Du verger voisin parvenaient des effluves de fruits mûrs.

— Nous nous arrêtons là ? s'enquit-il quand ils eurent atteint la table.

Lillian hocha la tête et, appuyant la hanche contre le rebord, elle but son champagne. Elle était incapable de regarder Saint-Vincent. Repensant à l'impair qu'elle avait failli commettre en interrompant la scène intime entre les Shaw, elle s'empourpra.

— Allons, vous n'êtes pas gênée tout de même ? dit Saint-Vincent d'une voix amusée. Un petit aperçu de... Ce n'était rien, vous savez.

Il avait ôté ses gants, et elle sentit ses doigts nus se glisser sous son menton, pour lui relever doucement le visage.

— Comme vous avez rougi, murmura-t-il. Seigneur Dieu, j'avais oublié qu'une telle innocence existait. Si je l'ai jamais su.

Saint-Vincent était fascinant à la lueur des torches. Les ombres soulignaient le modelé admirable de ses pommettes, et ses boucles épaisses avaient des reflets d'icône byzantine.

— Ils sont mariés, après tout, continua-t-il en refermant les mains autour de la taille de Lillian qu'il souleva pour l'asseoir sur la table.

— Oh, je... je ne désapprouve pas leur conduite, parvint-elle à articuler. En fait, je pense qu'ils ont beaucoup de chance. Ils semblent très heureux ensemble. Et maintenant que je connais l'aversion de la comtesse pour les Américains, je suis surprise que lady Olivia ait été autorisée à épouser M. Shaw.

— C'est l'œuvre de Westcliff. Il était déterminé à ne pas laisser l'hypocrisie de sa mère se mettre en travers du bonheur de sa sœur. Vu son propre passé scandaleux, la comtesse n'avait guère le droit de désapprouver le choix de sa fille.

— La comtesse a un passé scandaleux ?

— Grands dieux, oui ! Sa piété de façade dissimule une vie entière de débauche. C'est d'ailleurs la raison pour laquelle elle et moi nous nous entendons si bien. C'est avec des hommes comme moi qu'elle avait des liaisons quand elle était plus jeune.

Lillian faillit en laisser tomber sa coupe. Après l'avoir posée sur la table, elle regarda Saint-Vincent sans cacher sa surprise.

— Ce n'est pas du tout le genre de femme auquel on aurait prêté des liaisons.

— N'avez-vous jamais remarqué l'absence de ressemblance entre Westcliff et lady Olivia ? Le comte et sa sœur Aline sont des enfants légitimes, alors qu'il est de notoriété publique que lady Olivia ne l'est pas.

— Oh...

— Mais on ne peut guère blâmer la comtesse d'avoir été infidèle, continua Saint-Vincent d'un ton égal, si l'on considère avec qui elle était mariée.

Feu le comte était un sujet qui intéressait énormément Lillian. C'était un personnage mystérieux duquel personne ne semblait être enclin à parler.

— Lord Westcliff m'a dit un jour que son père était une brute, observa-t-elle dans l'espoir de pousser Saint-Vincent à lui en révéler davantage.

— Vraiment ? Voilà qui est étonnant, fit-il remarquer, une lueur d'intérêt dans le regard. Westcliff ne parle jamais de son père à qui que ce soit.

— Et alors ? Je veux dire, c'était une brute ?

— Non, répondit calmement Saint-Vincent. Le traiter de brute serait bien trop gentil, car cela implique un certain manque de conscience de sa propre cruauté. Le vieux comte était un démon. Je ne connais qu'une partie des atrocités qu'il a commises, et je ne veux pas en savoir plus.

Il fit une pause, l'air songeur, avant de continuer :

— Je ne crois pas que beaucoup de personnes auraient survécu au style d'éducation des Marsden, qui allait de la négligence à l'abomination. Presque toute ma vie, j'ai vu Westcliff lutter pour ne pas devenir ce que son père voulait qu'il soit. Mais les attentes qui pèsent sur lui sont considérables... et cela détermine ses choix personnels plus souvent qu'il ne le souhaiterait.

— Des choix personnels comme...

Il la regarda droit dans les yeux.

— Comme celui d'une épouse, par exemple.

Lillian comprit immédiatement. Aussi prit-elle le temps de réfléchir avant de répondre :

— Il n'est pas nécessaire de me mettre en garde à ce sujet. Je suis parfaitement consciente que lord Westcliff ne songerait jamais à courtiser quelqu'un comme moi.

— Oh, il y a songé, répliqua Saint-Vincent, ce qui la laissa stupéfaite.

— Comment le savez-vous ? demanda-t-elle, avec l'impression que son cœur avait cessé de battre. Vous a-t-il dit quelque chose ?

— Non. Mais il est évident qu'il vous désire. Dès que vous êtes dans les parages, il ne peut détacher les yeux de vous. Et quand nous avons dansé ensemble, ce soir, il me regardait comme s'il voulait m'étriper. Cependant...

— Cependant ? le pressa Lillian.

— Quand Westcliff finira par se marier, son choix sera des plus conventionnels : une jeune Anglaise malléable qui n'exigera rien de lui.

Lillian n'avait jamais pensé autre chose, évidemment. Il n'empêche que, parfois, la vérité n'est pas facile à admettre. Du reste, sur quoi aurait-elle pu raisonnablement pleurer ? Elle n'avait jamais rien eu à perdre. Westcliff n'avait jamais fait la moindre promesse ni prononcé un seul mot affectueux. Quelques baisers et une valse ne constituaient même pas une histoire d'amour avortée.

Pourquoi, dans ce cas, se sentait-elle aussi abattue ?

Remarquant sans doute la légère altération de ses traits, Saint-Vincent lui adressa un sourire compatissant.

— Ça passera, mon ange, murmura-t-il. Ça passe toujours.

Se penchant, il effleura des lèvres ses cheveux, puis sa tempe.

Lillian se tint immobile, sachant que si la magie de son parfum devait agir, ce serait maintenant. Il était impossible qu'à cette distance Saint-Vincent puisse rester insensible à son effet. Toutefois, quand il se redressa, il était aussi calme et détaché qu'à son habitude. Rien, sur son visage, n'indiquait la passion teintée de violence dont Westcliff avait fait montre. « Bonté divine ! se dit-elle, contrariée. À quoi sert un parfum qui n'attire que le mauvais homme ? »

— Milord, demanda-t-elle doucement, vous est-il arrivé de vouloir quelqu'un que vous ne pouviez avoir ?

— Pas encore. Mais on peut toujours espérer.

Le sourire de Lillian trahit sa perplexité.

— Vous *espérez* tomber amoureux de quelqu'un que vous ne pourrez avoir ? Pourquoi ?

— Ce serait une expérience intéressante.

— Tomber d'une falaise aussi, répliqua-t-elle, sarcastique. Mais, en général, on préfère que quelqu'un le fasse à sa place.

— Vous avez peut-être raison, admit-il en riant. Nous devrions retourner à l'intérieur, ma délicieuse fine mouche, avant que votre absence ne devienne trop évidente.

— Mais…

Ainsi, l'escapade dans le jardin allait se résumer à une brève promenade et à une conversation écourtée?

— C'est tout? lâcha-t-elle. Vous n'allez pas…

Sa voix s'éteignit dans un silence maussade.

Debout devant elle, Saint-Vincent posa les mains sur la table, de chaque côté de ses hanches, sans la toucher.

— Je suppose que vous faites allusion aux avances que j'étais censé vous faire? murmura-t-il avec un sourire chaleureux.

Délibérément, il inclina la tête jusqu'à ce que son souffle lui caresse le front.

— J'ai décidé d'attendre, et de nous laisser un peu plus de temps pour y songer.

Dépitée, Lillian se demanda s'il la trouvait peu désirable. Pour l'amour du ciel, à en croire sa réputation, il courait après tout ce qui portait jupon! Qu'elle eût ou non envie qu'il l'embrasse était hors de propos, le plus important étant qu'un autre homme était en train de la rejeter. Deux rebuffades en une soirée auraient mis à mal l'amour-propre de n'importe qui.

— Mais vous aviez promis que je me sentirais mieux! protesta-t-elle, avant de rougir de honte en entendant la note de supplication dans sa voix.

Saint-Vincent eut un petit rire.

— Bon, si vous commencez à vous plaindre… Voilà de quoi réfléchir.

S'inclinant sur elle, il lui fit doucement basculer la tête en arrière. Lillian ferma les yeux et sentit la pression soyeuse de ses lèvres effleurant les siennes avec une irrésistible légèreté. Puis sa bouche se fit plus ferme, plus insistante, jusqu'à ce qu'elle entrouvre les lèvres pour l'accueillir. Lillian commençait seulement à savourer la promesse contenue dans son baiser quand il y mit fin d'un ultime frôlement. Désorientée, le souffle court, elle accepta le soutien de ses mains sur ses épaules jusqu'à ce qu'elle cesse de vaciller.

De quoi réfléchir, en effet.

Après l'avoir aidée à descendre de la table, Saint-Vincent la raccompagna à travers le jardin. Il s'immobilisa près de la haie la plus proche de la terrasse et lui fit face.

— Merci, murmura-t-il.

La remerciait-il pour le baiser ? Lillian eut un hochement de tête incertain. Ç'aurait été plutôt à elle de le remercier car, même si l'image importune de Westcliff s'attardait dans son esprit, elle se sentait beaucoup moins triste que dans la salle de bal.

— Vous n'oublierez pas notre promenade, demain ? demanda Saint-Vincent, dont les doigts glissèrent le long de ses gants jusqu'à trouver la chair nue de ses bras.

Lillian secoua la tête.

Il fronça les sourcils avec une inquiétude feinte.

— Vous ai-je privée de l'usage de la parole ? s'enquit-il, avant de rire comme elle hochait la tête. Dans ce cas, ne bougez pas, je vais vous le rendre.

Il inclina la tête vivement et déposa un baiser sur ses lèvres. Une onde brûlante courut dans les veines de Lillian. Lui encadrant le visage des mains, il l'interrogea du regard.

— Est-ce mieux ? Dites-moi quelque chose.

— Bonne nuit, murmura-t-elle.

— Bonne nuit, répondit-il avec un sourire railleur, avant de la faire pivoter. Rentrez la première.

Quand lord Saint-Vincent s'appliquait à se montrer charmant, aucun homme sur terre ne pouvait rivaliser avec lui, comme le constata Lillian le lendemain matin. Après avoir insisté pour que Daisy se joigne à eux, il vint à la rencontre des trois Bowman avec un bouquet de roses pour Mercedes, puis les escorta jusqu'au landau laqué de noir qui les attendait au pied du perron.

Ayant pris place à côté de Lillian, Saint-Vincent interrogea longuement les trois femmes sur leur vie à New York. Lillian s'aperçut que cela faisait longtemps qu'elle n'avait pas parlé de sa ville natale avec quelqu'un. La plupart des membres de la haute société londonienne se moquaient comme d'une guigne de New York et de ce qui s'y passait. Mais lord Saint-Vincent se montra si bon public que, bientôt, les anecdotes s'enchaînèrent.

Ravies, elles lui décrivirent l'alignement d'hôtels particuliers sur la Cinquième Avenue, ou la file ininterrompue des omnibus et des voitures de louage qui imposait une demi-heure de patience pour traverser Broadway Avenue, ou encore ce glacier qui osait servir les jeunes femmes même lorsqu'elles n'étaient pas accompagnées.

Il parut trouver divertissante leur description des excès en tout genre : la fête à laquelle elles avaient assisté, et où la salle de bal avait été ornée de trois mille orchidées de serre ; la folie des diamants, qui avait fait suite à la découverte de nouvelles mines en Afrique du Sud, dont le résultat était que tout le monde, des vieillards jusqu'aux enfants, était paré de pierres étincelantes ; et, bien sûr, l'unique injonction adressée aux décorateurs : « Plus. » Plus de moulures dorées, plus de fausses antiquités, plus de peintures et de tentures décoratives…

Tout d'abord, Lillian éprouva une certaine nostalgie. Puis tandis qu'elle longeait les champs prêts à être moissonnés, et traversait de sombres forêts bruissantes de vie, elle prit conscience, non sans surprise, d'un sentiment ambivalent envers son ancien foyer. Qu'elle était vide, en vérité, cette existence où seule comptait la poursuite effrénée des plaisirs ! Et la haute société londonienne ne lui semblait guère différente. Elle n'aurait jamais imaginé qu'un endroit comme le Hampshire lui plairait, et pourtant… « Ici, on peut avoir une vraie vie », songea-t-elle, mélancolique. Une vie qu'elle saurait investir pleinement, au lieu de devoir sans cesse s'interroger sur ce que l'avenir lui réservait.

Perdue dans la contemplation du paysage, elle entendit soudain Saint-Vincent lui murmurer :

— Vous avez de nouveau perdu l'usage de la parole ?

Daisy et Mercedes bavardaient sur le siège opposé. Levant les yeux, elle croisa son regard clair, et hocha la tête.

— Je connais un excellent remède, lui dit-il.

Elle eut un rire gêné et sentit ses joues s'enflammer.

Détendue et de bonne humeur après la sortie avec lord Saint-Vincent, Lillian n'écouta que d'une oreille distraite les commentaires animés de sa mère sur le vicomte.

— Il nous faudra chercher à en savoir davantage à son sujet, bien sûr, et je vais consulter le rapport sur l'aristocratie pour vérifier que je n'ai rien oublié. Si ma mémoire est bonne, toutefois, il possède une modeste fortune, et il est d'assez bon lignage…

— À votre place, je ne m'enthousiasmerais pas trop à l'idée de l'avoir pour gendre, remarqua Lillian. Il s'amuse avec les femmes, mère. Je ne pense pas que le mariage l'intéresse beaucoup.

— Jusqu'à présent, répliqua sa mère. Mais il lui faudra bien finir par se marier.

— Vous croyez ? fit Lillian, sceptique. Le cas échéant, je doute qu'il se soumette aux règles qui régissent le mariage. La fidélité, pour commencer.

Mercedes s'approcha de la fenêtre et regarda à l'extérieur, le dos raide.

— Tous les maris sont infidèles d'une manière ou d'une autre.

Lillian et Daisy échangèrent un regard interrogateur.

— Père ne l'est pas, répliqua Lillian.

Mercedes eut un rire désagréablement grinçant.

— Vraiment, ma chérie ? Peut-être ne m'a-t-il pas trompée physiquement – on ne peut jamais vraiment en être certaine. Mais son travail s'est révélé être une maîtresse bien plus jalouse et exigeante qu'une femme en chair et en os. Les usines, les employés, les contrats absorbent ses rêves et son énergie à l'exclusion de toute autre chose. Si ma rivale avait été une femme, je l'aurais supporté aisément, sachant que la passion s'éteint et que la beauté ne dure pas. Mais sa société est appelée à durer, et à nous survivre même. Si vous bénéficiez de l'affection et de l'attention de votre mari pendant un an, ce sera plus que je n'en ai jamais eu.

Lillian avait toujours eu conscience de l'état de la relation entre ses parents – leur manque d'intérêt l'un pour l'autre sautait aux yeux. Mais c'était la première fois que sa mère le reconnaissait à voix haute, d'un ton si cassant que Lillian en tressaillit de pitié.

— Je n'épouserai pas ce genre d'homme, affirma-t-elle.

— Les illusions ne sont plus de ton âge. Moi, à vingt-quatre ans, j'avais deux enfants. Il est temps que tu te maries. Et quel que soit ton époux ou sa réputation, il ne faudra pas lui demander de faire des promesses sur lesquelles il serait susceptible de revenir.

— Si je comprends bien, il pourra agir comme bon lui semble et me traiter de la manière qu'il voudra dès lors qu'il appartient à l'aristocratie ?

— Exact, déclara Mercedes d'un ton implacable. Vu l'investissement que cette aventure a demandé à votre père, vous n'avez d'autre choix, l'une et l'autre, que de décrocher un mari titré. Je ne retournerai pas vaincue à New York, et je ne serai pas la risée de tous parce que mes filles ont échoué à se marier dans la noblesse.

Pivotant brusquement, elle quitta la chambre, trop préoccupée par ses pensées belliqueuses pour songer à fermer la porte à clé.

— Cela signifie-t-il qu'elle veut que tu épouses lord Saint-Vincent ? hasarda Daisy d'un ton railleur.

Lillian laissa échapper un rire sans joie.

— Elle se moquerait pas mal que j'épouse un fou dangereux, à partir du moment où il est de noble extraction.

Avec un soupir, Daisy s'approcha d'elle et lui tourna le dos.

— Tu peux m'aider avec ma robe, s'il te plaît ? Je vais m'allonger pour lire un peu, et faire une petite sieste.

— Tu veux faire une sieste ? s'écria Lillian, stupéfaite.

— Oui. Les tressautements de la voiture m'ont donné mal à la tête, et les divagations de mère n'ont rien arrangé... Mais dis-moi, lord Saint-Vincent semble te plaire assez. Que penses-tu vraiment de lui ?

S'attaquant aux boutons d'ivoire, Lillian répondit :

— Il est amusant. Et séduisant. J'aurais été tentée de le rejeter comme un bon à rien superficiel... mais, de temps à autre, je vois affleurer quelque chose sous la surface...

Trouvant difficile de mettre ses pensées en mots, elle s'interrompit.

— Oui, je sais, fit Daisy d'une voix assourdie, car elle était penchée en avant pour s'extirper de sa robe. Et quoi que ce soit, ça ne me plaît pas.

— Ah bon ? s'étonna Lillian. Tu t'es pourtant montrée amicale avec lui pendant la promenade.

— On ne peut pas s'en empêcher, admit Daisy. Il possède cette qualité dont parlent les hypnotiseurs : le magnétisme animal. Une force naturelle qui attire les gens vers soi.

— Tu lis trop de périodiques, ma chérie, railla sa sœur.

— En tout cas, indépendamment de son magnétisme, lord Saint-Vincent me semble du genre à n'être motivé que par son intérêt. Par conséquent, je n'ai pas confiance en lui.

S'étant débarrassée de son corset, Daisy grimpa sur son lit et s'empara du livre posé sur la table de nuit.

— Je peux te prêter un périodique, proposa-t-elle à sa sœur.

— Non, merci. Je suis trop énervée pour lire, et je ne pourrais certainement pas dormir.

Lillian jeta un regard vers la porte.

— Je ne crois pas que mère s'en apercevrait si j'allais me promener un peu dans le jardin.

Déjà plongée dans son roman, Daisy ne répondit pas, aussi Lillian quitta-t-elle la chambre sans insister.

Une fois dans le jardin, elle suivit un chemin qu'elle n'avait jamais emprunté auparavant. Bordé de haies impeccablement taillées qui semblaient se prolonger à l'infini, il menait à une grande serre à travers les vitres de laquelle on distinguait des plants de salades et de légumes exotiques. Deux hommes discutaient près de la porte. L'un était accroupi devant une rangée de plateaux de bois contenant des tubercules. Dans l'autre, Lillian reconnut le jardinier en chef. Alors qu'elle progressait sur le chemin, elle ne put s'empêcher de remarquer que l'homme accroupi, qui portait un pantalon de toile grossière et une simple chemise blanche, avait une silhouette extrêmement athlétique, que soulignait de manière divertissante le tissu tendu sur ses fesses. Il examinait avec attention l'un des tubercules qu'il venait de saisir quand il se rendit compte que quelqu'un approchait.

Se relevant, il pivota pour faire face à Lillian. Il s'agissait de Westcliff, bien entendu. Comment aurait-il pu en être autrement ? songea Lillian avec un frémissement d'excitation. Il surveillait tout sur son domaine avec la même attention méticuleuse. Même un humble tubercule ne serait pas autorisé à pousser dans une confortable médiocrité.

Cette version de Westcliff était celle qu'elle préférait à toutes les autres – la version trop rare où il se montrait débraillé et détendu, et fascinant de ténébreuse virilité. Le col ouvert de sa chemise révélait sa peau hâlée ; son pantalon un peu trop large était retenu par une paire de bretelles qui soulignaient la ligne dure de ses épaules. Si lord Saint-Vincent possédait un magnétisme animal, Westcliff n'était rien de moins qu'un aimant, qui exerçait une telle attraction sur ses sens que tout le corps de Lillian en fourmillait. Elle mourait d'envie de le rejoindre, et qu'il l'étende sur le sol en la couvrant de baisers voraces et de caresses impatientes. Au lieu de cela, elle hocha brièvement la tête quand il la salua, puis hâta le pas.

À son grand soulagement, Westcliff ne fit pas mine de la suivre, et les battements de son cœur reprirent leur rythme habituel. Elle finit par atteindre un mur qui disparaissait presque entièrement derrière d'épais buissons et des cascades de lierre. Apparemment, toute cette partie du jardin était enclose de hauts murs. Poussée par la curiosité, elle le longea, sans trouver de passage.

— Il doit pourtant y avoir une porte, marmonnat-elle.

Reculant de quelques pas, elle s'efforça de découvrir un trou dans le lierre. En vain. Elle se rapprocha alors du mur et, glissant les mains sous les longues tiges feuillues, tâta la pierre à la recherche d'une porte.

Un petit rire s'éleva soudain derrière elle, et elle fit volte-face.

Finalement, Westcliff avait décidé de la suivre, semblait-il. Concession de pure forme aux convenances, il avait enfilé un gilet noir, mais sa chemise demeurait déboutonnée au cou, et son pantalon poussiéreux avait connu des jours meilleurs. Il s'approcha d'un pas nonchalant, un léger sourire aux lèvres.

— J'aurais dû me douter que vous essayeriez de trouver le moyen d'entrer dans le jardin secret.

Lillian avait une conscience presque surnaturelle du pépiement paisible des oiseaux et du chuchotement de la brise dans le lierre. Le regard rivé au sien, Westcliff continua d'avancer... plus près, encore plus près, jusqu'à ce que leurs corps se touchent presque. Elle perçut son odeur, un délicieux mélange de peau masculine chauffée par le soleil et de douceur sèche qui lui était propre et l'attirait tant. Lentement, il glissa le bras autour d'elle et elle s'enfonça dans les feuilles bruissantes, le souffle court. Elle entendit le claquement métallique d'un loquet.

— Un peu plus vers la gauche et vous l'auriez trouvé, dit-il à voix basse.

Pivotant dans le demi-cercle de son bras, elle le vit écarter le lierre et pousser sur la porte, qui s'ouvrit sans bruit.

— Allez-y, lui dit Westcliff.

Il l'encouragea d'une pression imperceptible de la main sur sa taille, puis la suivit dans le jardin.

14

Lillian laissa échapper une exclamation inarticulée quand elle se retrouva face à un carré de pelouse bordé de tous côtés par ce qui ressemblait à des massifs de papillons. Au pied de chacun des murs poussait, en un fouillis multicolore, une profusion de fleurs sauvages couvertes d'ailes palpitantes. Au centre d'un carré d'herbe se trouvait un unique banc circulaire d'où l'on pouvait voir le jardin dans son entier. Les parfums sublimes des fleurs, qu'exacerbait la chaleur du soleil, flottèrent jusqu'à ses narines, enivrants.

— On appelle cet endroit le Clos des Papillons, lui dit Westcliff en refermant la porte. On y a planté les fleurs les plus susceptibles de les attirer.

Lillian eut un sourire rêveur tandis qu'elle contemplait les minuscules créatures qui voletaient au-dessus des soucis et des héliotropes.

— Comment s'appellent-ils ? Ceux qui sont noirs et orange ?

Westcliff s'immobilisa près d'elle.

— Des belles-dames.

— Comment dit-on pour un groupe de papillons ? Une nuée ?

— C'est le terme le plus commun, oui. Toutefois, je préfère une appellation plus récente… Dans certains cercles, on parle de kaléidoscope de papillons.

— Un kaléidoscope, c'est une espèce d'instrument d'optique, n'est-ce pas ? J'en ai entendu parler, mais je n'ai jamais eu la chance d'en voir un.

— Il y en a un dans la bibliothèque. Si vous voulez, je vous le montrerai.

Avant qu'elle puisse répondre, Westcliff désigna une énorme touffe de lavande.

— Regardez là-bas... Ce petit papillon est un azuré.

Une brusque envie de rire lui chatouilla la gorge.

— Un azuré du pissenlit à taches pourpres ?

— Non, répondit-il, une étincelle amusée dans les yeux. Juste la variété banale d'azuré.

Le regard de Lillian se posa sur la ligne robuste de son cou, et, soudain, elle perçut avec une acuité presque insupportable l'énergie lovée dans ce corps, cette puissance masculine contenue qui la fascinait depuis leur première rencontre. Que ressentirait-elle si cette force virile l'enveloppait ?

— Que la lavande sent bon ! s'exclama-t-elle pour s'écarter de la pente dangereuse où ses pensées l'entraînaient. Un été, j'aimerais aller voir les champs de lavande en Provence. Il paraît que les fleurs s'étendent à perte de vue si bien qu'on dirait l'océan. Vous imaginez comme ce doit être beau ?

Westcliff secoua légèrement la tête, les yeux fixés sur elle.

Elle s'approcha d'un des buissons de lavande, effleura les minuscules fleurs bleu-violet, puis porta les doigts à ses narines.

— On en extrait l'huile essentielle par distillation, expliqua-t-elle. La vapeur d'eau entraîne l'essence des fleurs en les traversant, après quoi on laisse décanter le liquide recueilli. Il faut à peu près cinq cents livres de fleurs de lavande pour obtenir quelques précieuses onces d'huile.

— Vous semblez en savoir long sur le sujet.

Lillian fit la moue.

— Je m'intéresse beaucoup aux parfums. En fait, je pourrais aider grandement mon père s'il m'y autorisait. Mais je suis une femme, et par conséquent, mon seul but dans l'existence est de me trouver un mari convenable.

— Cela me rappelle un problème dont nous devons parler, fit-il en s'approchant d'elle.

— Vraiment ?

— Vous avez passé du temps avec Saint-Vincent, dernièrement.

— En effet.

— Ce n'est pas un compagnon souhaitable pour vous.

— C'est votre ami, non ?

— Oui… Raison pour laquelle je sais de quoi il est capable.

— Seriez-vous en train de m'avertir de garder mes distances ?

— Comme ce serait le meilleur moyen pour que vous fassiez le contraire… non. Je vous conseille simplement de ne pas être naïve.

— Je peux me débrouiller avec Saint-Vincent.

— Je suis certain que vous en êtes persuadée, fit-il avec une pointe de condescendance irritante. Cependant, il est évident que vous n'avez ni l'expérience ni la maturité nécessaires pour vous défendre contre ses avances.

— Jusqu'à présent, le seul contre lequel j'ai dû me défendre, c'est *vous*, riposta Lillian, qui constata avec satisfaction que le coup avait porté, car il rougit légèrement.

— Si Saint-Vincent n'a pas encore profité de vous, répliqua-t-il avec une douceur trompeuse, c'est uniquement parce qu'il attend le moment opportun. Et en dépit de l'opinion exagérée que vous avez de vos propres capacités – ou peut-être à cause d'elle –, vous êtes une proie facile à séduire.

— *Exagérée ?* répéta Lillian, outrée. Je vous ferai savoir que j'ai bien trop d'expérience pour me laisser surprendre par un homme, Saint-Vincent compris.

Vexée, elle devina à son regard amusé qu'il n'en croyait pas un mot.

— Je me suis trompé, alors. À votre manière d'embrasser, j'avais présumé que...

Délibérément, il ne termina pas sa phrase. Lillian fut bien sûre incapable de ne pas se saisir de la perche qu'il lui tendait.

— Que voulez-vous dire par « À votre manière d'embrasser » ? Quelque chose ne vous a pas plu ? Quelque chose que j'aurais...

— Non, coupa-t-il en posant les doigts sur sa bouche pour la contraindre au silence. Vos baisers étaient très...

Il hésita, comme si le mot lui échappait. Puis son attention sembla se concentrer sur ses lèvres.

— ... plaisants, chuchota-t-il après un long silence, ses doigts lui frôlant le dessous du menton. Mais votre réaction n'était pas celle que j'aurais attendue d'une femme expérimentée.

Du pouce, il lui caressa la lèvre inférieure. Lillian se sentait à la fois perplexe et combative, tel un chaton qu'on vient de réveiller en le chatouillant avec une plume. Elle se raidit quand il glissa le bras dans son dos.

— Qu'est-ce que... qu'est-ce que j'étais censée faire de plus ? Qu'attendiez-vous de moi que je n'ai pas...

Elle s'interrompit en inspirant brusquement quand, après avoir suivi le contour de sa mâchoire, il posa la main sur sa joue.

— Puis-je vous montrer ?

Par réflexe, elle poussa sur son torse pour se dégager. Elle aurait tout aussi bien pu essayer de déplacer un mur.

— Westcliff...

— Il est évident que vous avez besoin d'un tuteur qualifié, murmura-t-il, lui caressant les lèvres de son haleine tiède. Tenez-vous tranquille.

Comprenant qu'il se moquait d'elle, Lillian le repoussa avec une énergie accrue et, sans savoir comment, se retrouva les poignets coincés dans le dos, les seins plaqués contre son torse. Sa protestation fut étouffée par la bouche de Westcliff qui couvrit la sienne, et elle fut instantanément paralysée par le flot de sensations qui déferla dans chacun de ses muscles, la laissant aussi démunie qu'une marionnette dont les fils se seraient emmêlés.

Prisonnière de ses bras, comprimée contre la surface dure de sa poitrine, elle sentit sa respiration devenir haletante. Elle ferma les yeux. La lente pénétration de sa langue, l'intimité de cette caresse fit courir un frisson violent dans tout son corps. Il essaya de l'apaiser en passant doucement la paume le long de son dos, sans pour autant cesser de jouer avec sa bouche. Il la fouilla avec plus d'intensité, jusqu'à ce que l'intrusion répétée de sa langue provoque une retraite effarouchée de la part de Lillian. Il laissa échapper un grognement amusé. Aussitôt offensée, elle eut un geste de recul qu'il prévint en refermant la main sur sa nuque.

— Non, murmura-t-il, ne vous sauvez pas. Ouvrez-vous à moi. Ouvrez la bouche...

De nouveau, sa bouche était sur la sienne, ferme et enjôleuse. Comprenant peu à peu ce qu'il désirait, elle s'aventura à toucher sa langue de la sienne. Elle perçut la force de sa réaction, le sentiment d'urgence qui s'emparait de lui, mais c'est avec une délicatesse inattendue qu'il poursuivit son exploration. Il lui libéra les poignets et elle ne put s'empêcher de le toucher. Sa peau était douce et chaude. Dans le creux à la base de sa gorge, elle éprouva sous sa main le battement puissant de son pouls, puis elle glissa les doigts dans l'échancrure de sa chemise.

Encadrant son visage des deux mains, Westcliff se concentra sur sa bouche, qu'il couvrit de baisers voraces, dévastateurs, jusqu'au moment où, les jambes tremblantes de Lillian ne la portant plus, il enlaça son corps privé de force pour la déposer doucement sur l'épais tapis d'herbe. À demi couché sur elle, d'un bras puissant lui soutenant la nuque, il chercha de nouveau sa bouche, et cette fois, enhardie, elle s'ouvrit totalement à lui. Le monde au-delà du jardin secret cessa d'exister. Seul comptait cet endroit, un Éden miniature, calme, ensoleillé et rutilant de couleurs. Les parfums mélangés de la lavande et de la peau masculine l'enveloppaient... C'était divin... Irrésistible... Languide, elle noua les bras alanguis autour du cou de Marcus, plongea les doigts dans son épaisse chevelure.

Quand il tira à petits coups adroits sur le devant de sa robe, elle se laissa faire passivement, réclamant d'être caressée de tout son corps douloureux. Se redressant, il dégrafa son corset et la libéra de sa prison de baleines et de dentelle. Elle ne pouvait respirer assez profond, ou assez vite, et ses poumons réclamaient désespérément un afflux d'oxygène. Comme elle se débattait pour se débarrasser de ces vêtements contraignants, il la recoucha avec un murmure apaisant et écarta les bords de son corset, puis tira sur le ruban de sa chemise.

Les globes pâles de ses seins s'offrirent au soleil, à l'air libre et au regard brûlant de l'homme qui la tenait enlacée. Après les avoir contemplés, il murmura son prénom et, inclinant la tête, frôla sa chair délicate jusqu'à refermer les lèvres sur la pointe rosée d'un sein. Un gémissement de plaisir s'échappa de la gorge de Lillian quand, du bout de la langue, il en dessina le contour, l'amenant à une sensibilité qui confinait à la torture. Elle referma les mains sur ses bras puissants. La passion déferlait dans ses veines telle une lave toujours plus brûlante, jusqu'à ce que, avec un petit cri, elle tente de s'arracher à lui.

Elle eut comme un sanglot quand il l'embrassa de nouveau. Son corps, parcouru de spasmes inconnus, semblait ne plus lui appartenir.

— Westcliff…

Incertaine, elle promena les lèvres sur cette joue masculine un peu rêche, suivit le contour de sa mâchoire, puis revint à sa bouche. Au terme de leur baiser, elle tourna la tête de côté et émit un son étouffé.

— Que voulez-vous ? souffla-t-elle.

— Ne me demandez pas cela.

Ses lèvres glissèrent vers son oreille, de la langue, il taquina le creux minuscule derrière le lobe.

— La réponse…

Percevant l'accélération de sa respiration, il s'attarda sur son oreille, en suivit lentement le rebord tout en le mordillant.

— La réponse est dangereuse, finit-il par dire.

Nouant les bras autour de son cou, elle ramena sa bouche sur la sienne pour un baiser presque agressif qui sembla le dépouiller de son assurance.

— Lillian, murmura-t-il d'une voix incertaine, dites-moi de ne pas vous toucher. Dites-moi que c'est assez. Dites-moi…

Elle l'embrassa de nouveau, absorbant goulûment le parfum et la chaleur de sa bouche. Une urgence nouvelle crépita entre eux, et leur baiser se fit plus dur, plus provocant, jusqu'à ce qu'une insupportable flambée de désir la consume, lui laissant les membres lourds et faibles. Elle sentit le glissement de ses jupes qu'il retroussait, la chaleur du soleil à travers le lin de ses culottes, le poids de sa main qui se refermait sur son genou, puis remontait lentement le long de sa jambe.

Il ne lui offrit pas la possibilité de protester, car il couvrait sa bouche de baisers enflammés. Elle eut néanmoins un bref sursaut quand il atteignit la chair tendre, gonflée, entre ses cuisses, et en traça la forme à travers le voile de lin léger. Une onde de chaleur déferla en elle, irradiant ses membres, sa poitrine, son visage. Plantant les talons dans l'herbe, elle s'arqua malgré elle contre sa main. À la pensée de ces doigts puissants, légèrement calleux, sur sa peau, elle gémit de désir. Après ce qui lui sembla une éternité intolérable, il glissa les doigts dans la fente bordée de dentelles de ses dessous. Un cri inarticulé lui échappa quand elle les sentit s'insinuer dans sa toison bouclée puis, avec une délicatesse infinie, en écarter les replis intimes comme s'il jouait avec les pétales d'une rose à demi ouverte. Il effleura le petit bouton sensible qui se tendit d'excitation, et toute pensée rationnelle la déserta. Ayant trouvé le lieu subtil où se concentrait son plaisir, il traça autour des cercles délicats, imprimant à sa caresse un rythme qui fit se tordre Lillian avec une détresse grandissante.

Elle le voulait, quelles que pussent être les conséquences. Elle aspirait à sa possession, et même à la douleur qui l'accompagnerait.

Mais avec une soudaineté brutale, il cessa de peser sur elle, et elle se retrouva gisant sur l'herbe, débraillée et éperdue.

— Milord ? haleta-t-elle, luttant pour se remettre en position assise malgré l'entrave de ses vêtements en désordre.

Il était assis à côté d'elle, les bras refermés autour de ses genoux pliés. Avec un sentiment proche du désespoir, elle constata qu'une fois de plus, il se contrôlait parfaitement, alors qu'elle-même tremblait de la tête aux pieds.

D'une voix froide, détachée, il déclara :

— Voilà la preuve de ce que je disais, Lillian. Si un homme qui ne vous plaît même pas peut vous mettre dans cet état, quelle difficulté rencontrera Saint-Vincent ?

Elle tressaillit comme s'il l'avait giflée, et écarquilla les yeux.

Le passage du désir brûlant à la conscience d'une sottise insondable n'était pas très agréable.

Ainsi, cette intimité dévastatrice entre eux n'avait été qu'une leçon destinée à prouver son inexpérience et à la remettre à sa place. Apparemment elle n'était pas plus digne d'être une maîtresse qu'une épouse. Lillian aurait voulu mourir. Humiliée, elle se releva en retenant tant bien que mal ses vêtements et lui lança un regard haineux.

— Cela reste à voir, balbutia-t-elle d'une voix étranglée. Il me faudra simplement vous comparer tous les deux. Et ensuite, si vous me le demandez gentiment, peut-être que je vous dirai s'il…

Westcliff bondit sur elle à une vitesse surprenante, la renversa de nouveau sur la pelouse et lui immobilisa la tête entre ses avant-bras musclés.

— Ne l'approchez pas, lui intima-t-il. Il ne peut pas vous avoir.

— Pourquoi ? demanda-t-elle en se débattant. Je ne suis pas assez bien pour lui non plus ? Vulgaire roturière que je suis…

— Vous êtes trop bien pour lui, rétorqua-t-il. Et il serait le premier à l'admettre.

— Il me plaît d'autant plus qu'il n'est pas à la hauteur de vos exigences !

— Lillian… restez tranquille, bon sang !…Lillian, regardez-moi !

Il attendit qu'elle cesse de se débattre.

— Je ne veux pas que l'on vous fasse du mal.

— Il ne vous est jamais venu à l'esprit, espèce d'idiot arrogant, que la personne la plus à même de me faire du mal, c'est *vous* ?

Cette fois, ce fut lui qui eut un sursaut, piqué au vif. Il la regarda d'un air interdit, mais elle avait l'impression d'entendre cliqueter les rouages de son cerveau tandis qu'il s'efforçait d'analyser les implications potentielles de son imprudente déclaration.

— Lâchez-moi, siffla-t-elle, rageuse.

Il se redressa, et agrippa les bords de son corset.

— Laissez-moi vous rattacher. Vous ne pouvez pas retourner au manoir à moitié habillée.

— Mais comment donc, répliqua-t-elle avec un mépris impuissant, n'oublions pas la bienséance !

Fermant les yeux, elle sentit qu'il remettait ses vêtements en place, nouait sa chemise et agrafait son corset.

Quand il la lâcha enfin, elle bondit sur ses pieds telle une biche effarouchée et courut vers l'entrée du jardin. À sa grande humiliation, elle ne parvint pas à trouver la porte, cachée sous son rideau de lierre. Elle tâtonna au hasard, se cassa deux ongles.

Arrivant alors derrière elle, Westcliff posa les mains sur sa taille. Elle essaya de le repousser, mais il la maîtrisa facilement et, l'attirant contre lui, lui murmura à l'oreille :

— Êtes-vous furieuse parce que j'ai commencé à vous faire l'amour ou parce que je n'ai pas terminé ?

Lillian humecta ses lèvres desséchées.

— Si je suis furieuse, espèce de satané hypocrite, c'est parce que vous n'arrivez pas à décider de ce que vous voulez faire de moi !

Elle ponctua son commentaire d'un violent coup de coude dans les côtes. Il ne parut pas s'en apercevoir. Avec une courtoisie exagérée, il la relâcha, tendit la main vers le loquet et lui ouvrit la porte du jardin secret.

15

Après que Lillian se fut enfuie, Marcus dut lutter pour recouvrer son sang-froid. Il avait perdu presque toute retenue, et avait failli la prendre sur le sol comme une brute stupide. Une infime étincelle de conscience, aussi faible que la flamme d'une chandelle dans la tempête, l'avait empêché de la violenter. Une jeune femme innocente, la fille d'un de ses invités... Seigneur Dieu, il était devenu fou !

Arpentant le jardin à pas lents, Marcus essaya d'analyser une situation dans laquelle il n'aurait jamais imaginé se trouver. Dire que, quelques mois plus tôt, il s'était moqué de Simon Hunt et de sa passion excessive pour Annabelle Peyton ! Il n'avait pas compris la puissance de son obsession, n'en ayant jamais ressenti la féroce intensité jusqu'à cet instant. C'était comme si sa volonté et son intellect avaient divorcé.

Marcus ne se reconnaissait pas dans la manière dont il réagissait face à Lillian. Personne ne lui avait jamais donné cette impression d'être conscient, vivant, comme si, par sa simple présence, elle exacerbait toutes ses sensations. Elle le fascinait, le faisait rire, l'excitait insupportablement. Si seulement il pouvait coucher avec elle et soulager ce désir incessant... Pourtant, le peu de raison qu'il possédait encore lui soufflait que l'opinion de sa mère

226

sur les sœurs Bowman était pertinente. « Peut-être parviendront-elles à acquérir un vernis de bonnes manières, avait dit la comtesse, mais mon influence ne pourra aller au-delà de la surface. Aucune de ces filles n'est suffisamment malléable pour changer de manière significative. L'aînée, en particulier. On ne peut pas plus faire d'elle une dame qu'on ne peut changer le métal fondu de l'alchimiste en or véritable. Elle est déterminée à ne pas changer. »

Curieusement, c'était en partie ce qui, chez elle, attirait Marcus. Sa vitalité pure, son individualité sans complaisance lui faisaient le même effet qu'un frais courant d'air dans une pièce étouffante. Toutefois, il aurait été malhonnête de continuer à lui montrer de l'intérêt quand il était évident que rien ne pouvait en découler. Si difficile que cela s'annonce, il allait devoir la laisser tranquille, comme elle venait de le lui demander.

Cette décision prise, il aurait dû être un peu rasséréné, mais ce ne fut pas le cas.

Sans cesser de ruminer, il quitta le jardin. Le paysage exquis lui semblait fade, tout à coup, comme s'il le voyait à travers une vitre sale. L'intérieur du manoir lui parut confiné et obscur. Il avait l'impression qu'il ne prendrait plus jamais vraiment de plaisir à quoi que ce soit. Tout en maudissant sa faiblesse, il gagna son bureau, bien qu'il eût grand besoin de changer de vêtements. Il en franchit le seuil, pour découvrir Simon Hunt installé dans son fauteuil, penché sur une liasse de documents.

Levant les yeux, ce dernier sourit et fit mine de se lever. Marcus l'arrêta d'un geste de la main.

— Non, dit-il sèchement. Je voulais juste jeter un coup d'œil au courrier de ce matin.

— Tu m'as l'air d'une humeur exécrable, commenta Hunt en se rasseyant. Si c'est à cause des contrats concernant la fonderie, je viens juste d'écrire à notre avocat…

— Ce n'est pas cela.

Marcus ramassa une lettre, en rompit le sceau et la parcourut d'un regard furieux.

Hunt, qui l'observait avec curiosité, finit par demander :

— As-tu atteint un point de friction dans tes négociations avec Thomas Bowman ?

Marcus secoua la tête.

— Il a fait bon accueil à notre proposition. Je ne crois pas qu'il y aura de problèmes pour parvenir à un accord.

— Dans ce cas, est-ce que cela a un rapport avec Mlle Bowman ?

— Pourquoi cette question ? rétorqua Marcus.

Hunt se contenta d'un regard sarcastique en guise de réponse, comme si celle-ci allait de soi.

Marcus se laissa tomber dans le fauteuil de l'autre côté du bureau. Hunt attendait patiemment, l'encourageant par son silence à se confier. Même si celui-ci s'était toujours montré un interlocuteur fiable en affaires, Marcus n'avait jamais pu se décider à discuter de problèmes personnels avec lui. Des problèmes des autres, oui. Mais pas des siens.

— Il n'est pas logique que je la désire, lâcha-t-il finalement, les yeux fixés sur les vitraux de la fenêtre. C'est grotesque. On peut difficilement trouver un couple plus mal assorti.

— Ah… Et comme tu l'as dit précédemment : « Le mariage est une chose trop importante pour se décider sur la base d'émotions versatiles. »

Marcus lui adressa un regard noir.

— T'ai-je déjà dit à quel point ta propension à me renvoyer mes propos à la figure m'énerve ?

— Pourquoi ? demanda Hunt en riant. Parce que tu ne veux pas écouter tes propres conseils ? Je me sens tenu de souligner, Westcliff, que si je t'avais écouté au sujet de mon mariage avec Annabelle, j'aurais commis la plus grande erreur de ma vie.

— À l'époque, ce n'était pas un choix raisonnable, marmonna Marcus. Elle n'a prouvé que plus tard qu'elle était digne de toi.

— Mais à présent, tu admets que j'ai pris la bonne décision.

— Oui, répondit Marcus avec impatience. Je ne vois toutefois pas le rapport avec ma propre situation.

— Je voulais suggérer que, peut-être, tu devrais laisser l'instinct jouer un rôle dans ton choix d'une épouse.

Sincèrement offensé par cette suggestion, Marcus regarda Hunt comme s'il avait perdu l'esprit.

— Bon sang, mon vieux, à quoi sert l'intelligence sinon à nous empêcher de nous laisser guider par le seul instinct ?

— Tu t'appuies sur l'instinct en permanence, contra Hunt.

— Pas quand il s'agit de décisions qui ont des conséquences sur la vie entière. Et en dépit de mon attirance pour Mlle Bowman, nos différences finiraient par nous rendre tous deux malheureux.

— Je comprends à quelles différences tu fais allusion, dit calmement Hunt.

Comme leurs regards se croisaient, quelque chose dans ses yeux rappela à Marcus que Hunt était fils de boucher, qu'il avait gravi l'échelle sociale et fait fortune à partir de rien.

— Crois-moi, j'ai conscience des défis que Mlle Bowman aurait à relever, continua-t-il. Mais si elle souhaite les accepter ? Si elle est prête à changer suffisamment ?

— Elle ne le peut pas.

— Tu te montres injuste envers elle en supposant qu'elle ne saurait pas s'adapter. Ne devrais-tu pas lui offrir une chance d'essayer ?

— Sapristi, Hunt, je n'ai pas besoin que tu joues l'avocat du diable !

— Tu espérais ma bénédiction ? railla Hunt. Tu aurais peut-être dû demander conseil à quelqu'un de ta propre classe.

— Ce n'est pas une affaire de classe, riposta Marcus, froissé par l'insinuation qu'il ne rejetait Lillian que par snobisme.

— Non, acquiesça Hunt en se levant. Cette discussion est vaine. Je pense qu'il y a une autre raison pour laquelle tu as décidé de renoncer à elle. Quelque chose que tu ne veux pas m'avouer, et peut-être même pas à toi-même.

Il gagna la porte, puis se retourna pour jeter un regard entendu à Marcus.

— Tandis que tu réfléchiras à la question n'oublie cependant pas de prendre une chose en compte : l'intérêt de Saint-Vincent pour elle est loin d'être une passade.

L'affirmation retint aussitôt l'attention de Marcus.

— Fadaises ! rétorqua-t-il. L'intérêt de Saint-Vincent pour une femme ne s'est jamais prolongé au-delà de la chambre à coucher.

— Quoi qu'il en soit, j'ai appris récemment, de source sûre, que son père est en train de vendre tous leurs biens non inaliénables. Des années de dilapidation et d'investissements hasardeux ont vidé les coffres familiaux – et Saint-Vincent se verra bientôt privé de sa rente annuelle. Il a besoin d'argent. Et le désir évident des Bowman d'acquérir un gendre titré ne lui a pas échappé.

Hunt marqua une pause habile avant d'ajouter :

— Que Mlle Bowman soit apte ou pas à jouer le rôle d'épouse d'aristocrate, elle pourrait très bien épouser Saint-Vincent. Et une fois qu'il aurait hérité du titre de son père, elle deviendrait duchesse. Heureusement pour elle, Saint-Vincent ne semble pas avoir d'états d'âme concernant ses aptitudes à tenir son rang.

Marcus fixa sur lui un regard à la fois étonné et furieux.

— Je vais en parler à Bowman, gronda-t-il. Quand il sera au courant du passé de Saint-Vincent, il mettra un terme à sa cour.

— Mais comment donc... dans la mesure où il voudra bien t'écouter. Ce dont je doute. Avoir pour beau-fils un duc, même sans le sou, n'est pas à dédaigner pour un fabricant de savon de New York.

16

N'importe quel observateur attentif put remarquer qu'au cours des deux dernières semaines de la partie de campagne à Stony Cross Park, lord Westcliff et Mlle Lillian Bowman déployèrent beaucoup d'efforts pour s'éviter mutuellement. Il fut tout aussi évident que lord Saint-Vincent s'attachait de plus en plus aux pas de Mlle Bowman, lors des danses, pique-niques et sorties variées qui agrémentaient les douces journées automnales.

Lillian et Daisy passèrent plusieurs matinées en compagnie de la comtesse de Westcliff, qui leur infligea leçons et sermons, et essaya en vain d'instiller un peu de noblesse dans leur vision roturière de l'existence. Les aristocrates ne montraient jamais d'enthousiasme, mais un intérêt détaché ; les aristocrates comptaient sur les subtiles inflexions de la voix pour se faire comprendre ; ils ne disaient pas : « Pourriez-vous… » mais « Veuillez avoir la bonté de… » Il était en outre impératif pour une dame bien née de ne pas s'exprimer directement, mais de procéder par gracieuses allusions.

Si la comtesse préférait l'une des sœurs, c'était certainement Daisy, qui se révélait bien plus réceptive aux codes archaïques de l'étiquette aristocratique. Lillian, de son côté, faisait peu d'efforts pour dissimuler le mépris que lui inspiraient des règles selon elle complètement inutiles. Quelle importance de faire glisser la bouteille de porto sur la table plutôt que de la tendre, dès lors que ledit porto arrivait à destination? Pourquoi tant de sujets de discussion étaient-ils proscrits, alors que d'autres, sans aucun intérêt, étaient abordés avec une fréquence fastidieuse? Pourquoi fallait-il marcher lentement et non d'un pas vif, et pourquoi une dame devait-elle s'efforcer de faire écho à l'opinion d'un gentleman plutôt que d'exprimer la sienne?

Elle trouvait un certain réconfort dans la compagnie de lord Saint-Vincent, qui semblait se moquer complètement de ses manières. Il trouvait sa franchise divertissante, étant lui-même parfaitement irrévérencieux. Même son père, le duc de Kingston, n'échappait pas à sa causticité. Le duc, semblait-il, ne savait comment verser de la poudre dentifrice sur sa brosse ou nouer les jarretières de ses bas, ces tâches étant toujours exécutées par son valet de chambre. Lillian ne put s'empêcher de rire à l'idée d'une existence aussi protégée, ce qui amena Saint-Vincent à spéculer avec une horreur feinte sur l'existence primitive qu'elle devait mener en Amérique. Ne vivait-elle pas dans une maison honteusement identifiée par un numéro sur la porte? Et n'était-elle pas obligée de se coiffer elle-même ou de nouer ses lacets?

Saint-Vincent était l'homme le plus charmant que Lillian eût jamais rencontré. Toutefois, sous son exquise affabilité, il y avait une dureté, une impénétrabilité qui ne pouvaient qu'appartenir à un homme très froid. Ou particulièrement sur ses gardes. Quoi qu'il en soit, Lillian sentait intuitivement que jamais elle ne découvrirait quel genre d'âme se dissimulait sous cette apparence d'une élégance folle. Cet homme était aussi beau et énigmatique qu'un sphinx.

— Saint-Vincent doit faire un mariage d'argent, déclara Annabelle un après-midi alors que, assises sous un arbre, les quatre amies s'adonnaient au dessin. Selon M. Hunt, le père de lord Saint-Vincent ne devrait pas tarder à lui supprimer sa rente annuelle, car ils n'ont plus d'argent. Je crains que Saint-Vincent n'hérite pas de grand-chose à part son titre.

— Que se passe-t-il quand il n'y a plus d'argent ? s'enquit Daisy, qui reproduisait adroitement au crayon le paysage environnant. Est-ce que Saint-Vincent vendra quelques-unes de ses propriétés quand il sera duc ?

— Cela dépend, répondit Annabelle. Si la plupart des biens sont inaliénables, il ne pourra pas les vendre. Mais n'aie crainte, il ne sera pas pauvre... De nombreuses familles le récompenseront avec largesse s'il accepte de s'allier avec l'une d'elles.

— La mienne, par exemple, fit Lillian, sarcastique.

— Lillian... murmura Annabelle en l'observant avec attention, est-ce que lord Saint-Vincent a fait une quelconque allusion à ses intentions ?

— Il n'en a pas dit un mot.

— A-t-il jamais tenté de...

— Grands dieux, non !

— Il a donc l'intention de t'épouser, conclut Annabelle avec une assurance irritante. S'il ne s'agissait que de s'amuser, il aurait déjà essayé de te compromettre.

Seuls le frémissement des feuilles et le crissement du crayon de Daisy sur le papier troublèrent le silence qui s'ensuivit.

— Qu'est-ce... qu'est-ce que tu feras si lord Saint-Vincent demande ta main ? risqua Evangeline.

Lillian se mit à arracher distraitement des brins d'herbe.

— J'accepterai, bien sûr. Pourquoi pas ? ajouta-t-elle, sur la défensive, comme les trois autres la regardaient non sans surprise. Vous vous rendez compte de la rareté des ducs ? Selon le rapport de mère sur l'aristocratie, il n'y en a que vingt-neuf, en tout et pour tout, en Grande-Bretagne.

— Lord Saint-Vincent est un coureur de jupons éhonté, lui rappela Annabelle. Je n'arrive pas à imaginer qu'étant sa femme, tu tolérerais un tel comportement.

— Tous les maris sont infidèles d'une manière ou d'une autre, rétorqua Lillian.

Elle avait essayé d'adopter un ton neutre, mais ne parvint qu'à une hargne provocatrice.

— Je ne le crois pas, contra doucement Annabelle, le regard empli de compassion.

— La saison n'a pas encore commencé, souligna Daisy, et maintenant que nous avons la comtesse comme protectrice, nous aurons beaucoup plus de succès que l'année dernière. Tu n'as pas besoin d'épouser lord Saint-Vincent si tu n'en as pas envie – quoi qu'en dise mère.

— Je veux l'épouser, s'entêta Lillian. En fait, je ne vivrai que dans l'attente du jour où Saint-Vincent et moi assisterons à un dîner en tant que duc et duchesse de Kingston... Un dîner auquel Westcliff assistera également, et où j'entrerai avant lui dans la salle à manger parce que le titre de mon mari aura la préséance sur le sien. Je veux que Westcliff s'en morde les doigts. Je veux qu'il regrette...

Elle s'interrompit abruptement, consciente que sa véhémence la trahissait. Le dos raide, elle fixa d'un œil hostile un point au loin, et tressaillit en sentant la main de sa sœur sur son épaule.

— Peut-être qu'alors, cela ne t'affectera plus, murmura Daisy.

— Peut-être, acquiesça Lillian d'un ton morne.

Dans l'après-midi, le domaine se vida presque entièrement de ses invités. La majorité des gentlemen se rendirent à une course hippique locale, tandis que plusieurs voitures conduisirent les dames au village où une troupe de comédiens londoniens devait se produire. Malgré les supplications d'Annabelle, d'Evangeline et de Daisy, Lillian refusa de se joindre à elles. Elle n'était pas d'humeur à sourire ou à rire aux pitreries de quelques saltimbanques. Tout ce qu'elle voulait, c'était marcher seule... jusqu'à ce qu'elle soit trop lasse pour penser.

Elle descendit dans le jardin et suivit l'allée menant à la fontaine de la sirène, sertie tel un joyau dans un écrin de verdure. Assise au bord du bassin, les yeux fixés sur l'eau, elle ne s'aperçut pas que quelqu'un arrivait avant qu'une voix calme déclare :

— Quelle chance de vous trouver au premier endroit où je vous ai cherchée.

Lillian leva la tête et sourit à lord Saint-Vincent. Ses cheveux blonds semblaient littéralement absorber la lumière du soleil. S'il avait indiscutablement un teint anglo-saxon, ses pommettes hautes et la plénitude sensuelle de sa bouche lui conféraient un charme exotique singulier.

— Vous n'allez pas assister à la course ? s'étonna Lillian.

— Dans un instant. Je voulais d'abord vous parler.

Il jeta un coup d'œil au banc qu'elle occupait.

— Vous permettez ?

— Mais nous sommes seuls. Et vous insistez toujours pour que nous ayons un chaperon.

— Aujourd'hui, j'ai changé d'avis.

— Oh, murmura-t-elle avec un sourire un peu tremblant. Dans ce cas, asseyez-vous.

Elle rougit en se souvenant qu'il s'agissait de l'endroit où elle avait surpris l'étreinte passionnée entre lady Olivia et M. Shaw. À l'étincelle qui brilla dans le regard de Saint-Vincent, elle devina qu'il s'en souvenait aussi.

— La partie de campagne s'achève ce week-end, commença-t-il, et ce sera le retour à Londres.

— Vous devez avoir hâte de retrouver les plaisirs de la ville, commenta-t-elle. Pour un noceur invétéré, vous vous êtes remarquablement bien tenu.

— Même les noceurs invétérés ont besoin de se reposer de temps à autre. Un régime de dépravation constant finirait par être lassant.

Lillian sourit.

— Noceur ou pas, j'ai apprécié votre amitié ces jours derniers, milord.

À l'instant où ces paroles franchirent ses lèvres, Lillian constata avec surprise qu'elles étaient sincères.

— Ainsi, vous songez à moi comme à un ami, dit-il doucement. C'est une bonne chose.

— Pourquoi ?

— Parce que je voudrais continuer à vous voir.

Le cœur de Lillian s'emballa. Bien que cette remarque ne soit pas inattendue, elle la prenait de court.

— À Londres ? demanda-t-elle sottement.

— Où que vous soyez. Y consentiriez-vous ?

— Eh bien, certainement, cela… Je… Oui.

Quand il l'enveloppa de son regard d'ange déchu et lui sourit, Lillian fut obligée de reconnaître que Daisy avait raison : Saint-Vincent possédait un extraordinaire magnétisme animal. C'était un homme qui semblait né pour pécher… Un homme qui rendait le péché si attrayant qu'on se préoccupait à peine du prix à payer ensuite.

Il tendit la main lentement, fit glisser ses doigts le long de son cou.

— Lillian, mon cœur. Je vais demander à votre père l'autorisation de vous courtiser.

La caresse légère de sa main empêchait Lillian de respirer librement.

— Je ne suis pas la seule héritière disponible.

Tout en lui effleurant la joue du pouce, il répondit avec franchise :

— Non, en effet. Mais vous êtes de loin la plus intéressante. Rares sont les femmes qui le sont, vous savez. En tout cas, en dehors du lit.

Il s'inclina vers elle jusqu'à ce qu'elle sente la caresse de son souffle sur ses lèvres.

— J'oserai dire que vous serez tout aussi intéressante au lit.

Les voilà, songea Lillian, abasourdie, ces avances tant attendues… Puis toute pensée s'évapora quand sa bouche se posa légèrement sur la sienne. Il embrassait comme s'il était le premier homme à le faire, avec une habileté nonchalante qui la conquérait par degrés. Si limitée soit son expérience, elle sentait que son baiser devait plus à la technique qu'à l'émotion, ce qui ne l'empêchait pas de répondre, malgré elle, à chaque sollicitation tendre de ses lèvres. Avec un talent consommé, il accrut son plaisir jusqu'à ce que, avec un gémissement étouffé, elle détourne la tête.

Posant la paume sur sa joue en feu, il pressa doucement sa tête contre son épaule.

— Je n'ai jamais courtisé quiconque, murmura-t-il, ses lèvres lui frôlant l'oreille. Pas dans un but honorable, en tout cas.

— Vous vous débrouillez plutôt bien pour un débutant, dit-elle contre sa veste.

Avec un petit rire, il l'écarta de lui et contempla avec chaleur son visage écarlate.

— Vous êtes adorable, murmura-t-il. Et fascinante.

« Et riche », ajouta-t-elle en silence. Mais il réussissait assez bien à la convaincre qu'il la désirait pour des raisons autres que financières, ce qu'elle appréciait. S'obligeant à sourire, elle dévisagea l'homme énigmatique mais charmant qui se proposait de devenir son mari. « Votre Grâce », songea-t-elle. C'était ainsi que Westcliff devrait s'adresser à elle une fois que Saint-Vincent aurait hérité de son titre. D'abord, elle serait lady Saint-Vincent, puis la duchesse de Kingston. Elle serait socialement au-dessus de Westcliff et ne le lui laisserait pas oublier. « Votre Grâce, se répéta-t-elle avec satisfaction. Votre Grâce... »

Quand Saint-Vincent l'eut quittée pour se rendre à la course hippique, Lillian regagna le manoir à pas lents. Alors qu'elle aurait dû être soulagée à la pensée que son avenir prenait enfin forme, elle n'éprouvait qu'une triste résignation. La maison était silencieuse lorsqu'elle y pénétra. Après l'avoir vu des semaines durant rempli de monde, le vestibule vide lui paraissait étrange. De même que les couloirs déserts.

Elle s'arrêta devant la porte de la bibliothèque, jeta un coup d'œil à l'intérieur. Pour une fois, elle était inoccupée. Elle s'avança dans cette pièce agréable, haute de plafond et entièrement tapissée d'étagères qui contenaient plus de dix mille volumes. Une odeur agréable de vélin, de parchemin et de cuir y flottait. Des cartes et des gravures encadrées occupaient les rares espaces non garnis de livres. Elle décida se trouver un livre, un recueil de vers légers ou un roman frivole. Toutefois, dans ces alignements presque continus de reliures en cuir, il était difficile de savoir précisément où se trouvaient les romans.

En longeant les étagères, elle découvrit des rangées de livres d'histoire, chaque volume étant assez volumineux pour aplatir un éléphant. Venaient ensuite les atlas, puis une vaste collection d'ouvrages de mathématiques à même de soigner les insomnies les plus sévères. À l'extrémité d'un des murs, un placard bas avait été installé dans une niche. Sur celui-ci était posé un grand plateau d'argent supportant un assortiment coquet de bouteilles et de carafes. La plus jolie des bouteilles, en verre gravé, était à demi remplie d'un alcool incolore. La poire à l'intérieur retint l'attention de Lillian.

L'élevant à hauteur d'yeux, elle fit doucement tourner le liquide ; le fruit flotta, puis se retourna. Ce devait être un genre d'eau-de-vie, devina-t-elle.

Elle fut tentée d'y goûter. Mais les dames ne buvaient pas d'alcools forts. Et surtout pas seules dans une bibliothèque. Si on la surprenait, cela ferait très mauvais effet. D'un autre côté... Tous les messieurs s'étaient rendus à la course hippique, les dames étaient allées au village, et on avait donné leur journée à la plupart des domestiques.

Elle jeta un coup d'œil en direction de la porte, puis à la bouteille tentatrice. Seul le tic-tac insistant de la pendule sur la cheminée troublait le silence. Soudain, la voix de lord Saint-Vincent résonna dans son esprit : « Je vais demander à votre père l'autorisation de vous courtiser. »

— Oh, et puis zut ! marmonna-t-elle avant de s'accroupir pour fouiller dans le placard à la recherche d'un verre.

17

— Milord.

En entendant la voix de son majordome, Marcus leva les yeux, les sourcils froncés. Il travaillait depuis deux heures sur les amendements à une liste de recommandations qu'une commission à laquelle il avait accepté de participer allait présenter au Parlement, à la rentrée. Si les recommandations étaient acceptées, elles entraîneraient des améliorations considérables dans l'évacuation des eaux usées à Londres et dans les communes avoisinantes.

— Oui, Salter, dit-il d'un ton brusque.

Il n'aimait pas être dérangé quand il travaillait, mais savait que le vieux majordome ne se le serait pas permis sans raison valable.

— Il y a une… une situation, milord, dont je pense que vous souhaiteriez être informé.

— Quel genre de situation ?

— L'invitée qu'elle implique, milord…

— Eh bien ? fit Marcus avec impatience. Qui est-ce ? Qu'a-t-il fait ?

— Je crains qu'il ne s'agisse d'*une* invitée, milord. L'un des valets de pied vient de m'informer qu'il avait vu Mlle Bowman dans la bibliothèque et que… qu'elle n'avait pas l'air bien.

Marcus se leva si brusquement que sa chaise faillit basculer en arrière.

— Laquelle des demoiselles Bowman ?

— Je l'ignore, milord.

— Que voulez-vous dire par « pas l'air bien » ? Il y a quelqu'un avec elle ?

— Je ne le crois pas, milord.

— Est-elle blessée ? Malade ?

— Ni l'un ni l'autre, milord, répondit Salter, embarrassé. Simplement… elle n'est pas bien.

Refusant de perdre davantage de temps en questions inutiles, Marcus quitta le bureau en jurant entre ses dents et se dirigea vers la bibliothèque à grandes enjambées. C'est tout juste s'il ne courait pas. Que diable avait-il pu arriver à Lillian ou à sa sœur ? Il était d'ores et déjà consumé par l'inquiétude.

Alors qu'il empruntait un dédale de couloirs, des pensées saugrenues lui traversèrent l'esprit. Comme le manoir semblait sinistrement vaste quand il n'était pas plein d'invités ! Une demeure de cette taille appelait de joyeux cris d'enfants, des jouets éparpillés un peu partout, des tartines de confiture à l'heure du thé et les notes discordantes des leçons de violon.

Jusqu'à présent, Marcus n'avait considéré le mariage que comme un devoir à accomplir pour perpétuer la lignée des Marsden. Mais il lui était apparu dernièrement que son avenir pouvait fort bien être différent de son passé. Il pouvait constituer un nouveau départ, lui offrir une chance de fonder le genre de famille dont il n'avait jamais osé rêver. Il était stupéfait de la violence de ce désir, d'autant qu'il ne l'envisageait pas avec n'importe quelle femme. Mais avec celle-là seule qui était la moins souhaitable. Et il commençait à ne plus s'en inquiéter.

Serrant les poings à s'en faire blanchir les jointures, il pressa le pas. Il lui fallut, sembla-t-il, une éternité pour atteindre la bibliothèque, et quand il en franchit le seuil, son cœur battait à grands coups sourds. Non à cause de sa course, mais de l'angoisse qui l'étreignait.

Le spectacle qui s'offrit à lui le fit s'arrêter net au milieu de la pièce.

Lillian se tenait devant l'une des étagères, de nombreux livres éparpillés autour d'elle sur le tapis. Elle retirait les vénérables volumes un à un, les examinait d'un air perplexe, puis les jetait avec désinvolture derrière elle. Ses gestes paraissaient étrangement alanguis, comme si elle se mouvait sous l'eau. Et ses cheveux s'échappaient des épingles censées les retenir. Elle ne paraissait pas précisément malade, plutôt…

Prenant conscience de sa présence, elle regarda par-dessus son épaule avec un sourire en coin.

— Oh, c'est vous, dit-elle d'une voix pâteuse. Je ne trouve rien, continua-t-elle en reportant son attention sur les étagères. Tous ces livres sont d'un ennui mortel…

Préoccupé, Marcus s'approcha d'elle tandis qu'elle continuait à trier et à commenter les livres.

— Non, pas celui-ci… Ni celui-là… Oh non, il n'est même pas en anglais…

La panique initiale de Marcus ne tarda pas à se transformer en indignation, qui elle-même céda rapidement le pas à l'amusement. Enfer et damnation ! S'il avait eu besoin d'une preuve supplémentaire que Lillian Bowman n'était pas du tout celle qu'il lui fallait, il l'avait. La femme d'un Marsden ne se faufilerait jamais dans la bibliothèque pour y boire jusqu'à être, comme dirait sa mère, « un tantinet pompette ». Sauf que, à en croire son visage empourpré et son regard vague, Lillian n'était pas pompette… mais complètement ivre.

Les livres continuaient de voler dans les airs, et l'un d'eux manqua de peu l'oreille de Marcus.

— Je pourrais peut-être vous aider, suggéra-t-il en s'arrêtant à côté d'elle. Dites-moi ce que vous cherchez.

— Quelque chose de romantique. Quelque chose qui finisse bien. Ça devrait toujours finir bien, non ?

Marcus tendit la main pour enrouler autour de son doigt l'une de ses boucles soyeuses. Il ne s'était jamais considéré comme un homme possédant un sens tactile très développé, et pourtant, il semblait incapable de se retenir de la toucher quand elle était près de lui. Le plaisir qu'il ressentait au moindre contact lui mettait les sens en alerte.

— Pas toujours, dit-il en réponse à sa question.

Lillian pouffa.

— C'est bien d'un Anglais ! Vous aimez souffrir en gardant votre… votre…

Elle regarda le livre qu'elle tenait, distraite par les lettres dorées de la couverture.

— … votre fameux flegme, acheva-t-elle d'un air absent.

— Nous n'aimons pas souffrir.

— Si, vous aimez ça. Ou en tout cas, vous vous écartez de ce qui risquerait de vous plaire.

Marcus commençait à s'accoutumer au mélange incongru de concupiscence et d'amusement qu'elle parvenait toujours à susciter en lui.

— Il n'y a rien de répréhensible à vouloir réserver ses plaisirs à l'intimité.

Laissant tomber le livre qu'elle avait à la main, Lillian pivota pour lui faire face. La soudaineté de son mouvement lui fit perdre l'équilibre, et elle vacilla en arrière au moment où il refermait les mains sur sa taille pour la rattraper. Ses yeux en amande étincelaient.

— Cela n'a rien à voir avec l'intimité, répliqua-t-elle. La vérité, c'est que vous ne *voulez* pas être heureux, parce que… – elle eut un léger hoquet –

parce que ça nuirait à votre dignité. Pauv' Westcliff, conclut-elle, compatissante.

À cet instant, préserver sa dignité était bien la dernière chose qu'il eût en tête. Agrippant l'étagère derrière elle, il l'emprisonna dans le demi-cercle de ses bras. Quand il sentit son haleine, il secoua la tête et murmura :

— Mon petit… qu'avez-vous bu ?

— Oh…

Elle plongea sous son bras et s'approcha en titubant du placard bas qui prolongeait la bibliothèque.

— Je vais vous montrer… Un truc formidable, mais alors formidable… Ça ! s'exclama-t-elle, triomphante, en brandissant une bouteille presque vide. Regardez ce que quelqu'un a fait… On a mis une poire dedans ! N'est-ce pas malin ?

Amenant la bouteille tout près de son visage, elle plissa les yeux pour examiner le fruit.

— Ce n'était pas très bon, au début. Mais après, c'est devenu meilleur. Je suppose qu'on finit… – un autre hoquet délicat – par s'y habituer.

— Apparemment, vous avez assez bien réussi, commenta Marcus, qui l'avait suivie.

— Vous… vous ne le direz à personne, hein ?

— Non, promit-il avec gravité. Mais j'ai bien peur qu'on ne s'en aperçoive quand même. À moins que nous ne réussissions à vous dégriser au cours des deux ou trois heures à venir. Lillian, mon ange… quelle quantité d'alcool y avait-il dans la bouteille quand vous avez commencé ?

Elle posa l'index à environ un tiers du fond.

— C'était là quand j'ai commencé, je crois. Ou peut-être là…

Elle considéra la bouteille tristement avant d'ajouter :

— Maintenant, tout ce qu'il reste, c'est la poire. Je veux la manger, enchaîna-t-elle en secouant la bouteille.

— On n'est pas censé la manger. Elle n'est là que pour macérer dans... Lillian, donnez-moi cette maudite bouteille!

— Je vais la manger!

Elle s'écarta de lui d'un pas chancelant, tout en secouant la bouteille avec une détermination grandissante.

— Si seulement j'arrivais à la faire sortir...

— Vous ne pouvez pas. C'est impossible.

— Impossible? s'écria-t-elle d'un ton méprisant. Vous avez des serviteurs qui arrivent à retirer le cerveau d'une tête de veau, et ils ne pourraient pas sortir une petite poire d'une bouteille? J'en doute. Faites venir un de vos larbins – sifflez juste un coup et... Oh, j'oubliais! Vous ne savez pas siffler.

Elle le considéra avec attention, fixa sa bouche, les yeux étrécis.

— C'est la chose la plus idiote que j'aie jamais entendue. *Tout le monde* sait siffler. Je vais vous apprendre. Tout de suite. Pincez les lèvres... comme ça. La bouche en cul de poule... vous voyez?

Comme elle vacillait devant lui, Marcus la prit dans ses bras. Baissant les yeux sur ses lèvres adorablement pincées, il sentit une chaleur insistante se répandre dans son cœur, renverser les barrières qui le protégeaient. Par tous les saints du ciel, il en avait assez de lutter contre l'envie qu'il avait d'elle! Il était fatigué de combattre un désir aussi puissant. C'était comme d'essayer de ne plus respirer.

Lillian le dévisagea, l'air sincèrement étonné par son refus d'obtempérer.

— Non, non, pas comme cela. Comme *ceci*!

La bouteille tomba sur le tapis et elle leva la main pour essayer de lui modeler les lèvres avec ses doigts.

— Posez la langue sur le bord des dents et... Tout est dans la langue, en fait. Si votre langue est agile, vous serez un très, très bon...

Elle fut momentanément interrompue quand il s'empara de sa bouche pour un baiser bref mais vorace.

— ... siffleur. Milord, je ne peux pas parler si vous...

De nouveau, il couvrit sa bouche de la sienne, savourant le goût sucré de l'alcool sur ses lèvres.

Elle s'appuya contre lui, glissa les doigts dans ses cheveux, et il sentit son souffle lui effleurer la joue à petits coups délicats. Une vague d'exigence sensuelle déferla en lui quand leur baiser s'approfondit. Le souvenir de leur rencontre dans le jardin secret l'avait hanté des jours durant... la douceur de sa peau sous ses mains, ses petits seins exquis, la force prometteuse de ses jambes. Il voulait la sentir autour de lui, ses mains plaquées sur son dos, ses genoux pressés contre ses hanches... la caresse humide et soyeuse de son corps tandis qu'il bougeait en elle.

Rejetant la tête en arrière, Lillian le scruta, émerveillée, les lèvres gonflées et rougies. Du bout des doigts, elle caressa le relief anguleux de ses pommettes, et il inclina la tête pour appuyer sa joue brûlante contre sa paume fraîche.

— Lillian, chuchota-t-il, j'ai essayé de vous laisser tranquille. Mais je n'y parviens plus. Ces deux dernières semaines, j'ai dû m'empêcher mille fois d'aller vers vous. J'ai beau me répéter sans cesse que vous êtes la moins appropriée...

Il s'interrompit quand, brusquement, elle se tortilla entre ses bras, puis se démancha le cou pour regarder par terre.

— J'ai beau... Lillian, m'écoutez-vous? Que diable cherchez-vous?

— Ma poire. Je l'ai laissée tomber et... Ah, la voilà!

Elle se dégagea de son étreinte pour se mettre à quatre pattes, puis tendit la main sous une chaise. Après avoir récupéré la bouteille, elle s'assit sur le sol et la posa sur ses genoux.

— Lillian, oubliez cette maudite poire.

— Comment elle est entrée là-dedans, vous croyez ? demanda-t-elle avant d'essayer d'introduire le doigt dans l'orifice. Je ne comprends pas comment quelque chose d'aussi gros a pu entrer dans un trou aussi petit.

Marcus ferma les yeux pour lutter contre une recrudescence de désir, et c'est d'une voix rauque qu'il répondit :

— On la... on accroche la bouteille directement sur l'arbre. Le bourgeon grossit... à l'intérieur...

Il entrouvrit les yeux, et les referma en hâte quand il la vit enfoncer le doigt plus avant dans le goulot.

— Il grossit... s'obligea-t-il à continuer, jusqu'à ce que le fruit soit mûr.

Lillian parut plutôt impressionnée par cette explication.

— Vraiment ? Comme c'est ingénieux, mais alors ingénieux... Une poire dans sa propre petite... Oh non !

— Qu'y a-t-il ? demanda Marcus entre ses dents serrées.

— Mon doigt est coincé.

Marcus rouvrit brusquement les yeux. Il demeura interdit à la vue de Lillian s'efforçant de sortir son doigt prisonnier.

— Je ne peux pas l'enlever.

— Eh bien, tirez dessus.

— Ça fait mal.

— Tirez plus fort.

— Je ne peux pas ! Il est complètement coincé. Il faudrait quelque chose pour le faire glisser. Vous n'auriez pas un genre de lubrifiant, ici ?

— Non.

— Vous n'avez *rien du tout* ?

— Au risque de beaucoup vous surprendre, nous n'avons jamais eu besoin de lubrifiant dans la bibliothèque, jusqu'à présent.

248

Lillian le considéra d'un air sévère.

— Avant que vous commenciez à me critiquer, Westcliff, je vous signale que je ne suis pas la première personne au monde à avoir le doigt coincé dans une bouteille. Ça arrive tout le temps à des tas de gens.

— Vraiment ? Vous devez faire allusion à des Américains. Parce que je n'ai jamais vu un Anglais avec une bouteille accrochée au doigt. Pas même un Anglais fin soûl.

— Je ne suis pas fin soûle, je suis seulement… Où allez-vous ?

— Ne bougez pas d'ici, marmonna Marcus en traversant la pièce à grands pas.

Dans le couloir, il aperçut une domestique chargée d'un seau plein de chiffons et de produits de nettoyage. La jeune femme se figea en le voyant, sans doute intimidée par son expression déterminée. Il essaya de se souvenir de son prénom.

— Meggie… Vous vous appelez bien Meggie, n'est-ce pas ?

— Oui, milord, murmura-t-elle en baissant les yeux.

— Avez-vous du savon ou de l'encaustique dans ce seau ?

— Oui, milord, répondit-elle, déconcertée. La gouvernante m'a demandé d'astiquer les chaises dans la salle de billard…

— De quoi est-il composé ? coupa-t-il, se demandant s'il contenait des produits agressifs.

Comme elle le regardait sans comprendre, il précisa :

— L'encaustique, Meggie, qu'y a-t-il dedans ?

— De la cire d'abeille, dit-elle avec hésitation, stupéfaite que le maître puisse s'intéresser à un produit aussi trivial. Du jus de citron, et une ou deux gouttes d'huile.

— C'est tout ?

— Oui, milord.

— Parfait. Donnez-le-moi, je vous prie.

Avec un émoi visible, la domestique fouilla dans le seau, et en sortit un petit pot qu'elle lui tendit.

— Milord, si vous souhaitez que je nettoie quelque chose...

— Ce sera tout, Meggie. Je vous remercie.

Elle esquissa une révérence, de toute évidence persuadée qu'il avait perdu la tête.

De retour dans la bibliothèque, Marcus trouva Lillian allongée sur le tapis. Sa première pensée fut qu'elle s'était endormie, assommée par l'alcool. Toutefois, quand il s'approcha, il vit qu'elle tenait un long cylindre de bois dans sa main libre et regardait dans l'une des extrémités.

— Je l'ai trouvé! s'exclama-t-elle, triomphante. Le kaléidoscope! C'est trrrès intéressant. Mais pas vraiment ce que j'attendais.

Sans mot dire, il lui prit l'instrument des mains et le retourna pour qu'elle regarde par l'autre bout.

Elle poussa un cri de surprise.

— Comme c'est joli!... Comment ça marche?

— Il y a dans le fond des morceaux de verre argenté placés de manière stratégique, qui bougent et...

Sa voix mourut comme elle braquait l'instrument sur lui.

— Milord, déclara-t-elle d'un air pénétré en l'observant à travers le cylindre, vous avez trois... cents... yeux.

Elle partit d'un fou rire qui la secoua tant et si bien qu'elle laissa tomber le kaléidoscope.

S'agenouillant à côté d'elle, Marcus dit avec sévérité :

— Donnez-moi votre main. Non, pas celle-ci. Celle avec la bouteille.

Elle demeura étendue sur le dos tandis que Marcus déposait une noix d'encaustique sur la partie visible de son doigt, puis la frottait contre le goulot de la bouteille. Réchauffée par la chaleur de sa peau, la cire laissa échapper un puissant parfum de citron que Lillian huma avec délices.

— Mmm, j'adore ça !

— Vous pouvez le retirer maintenant ?

— Pas encore.

De trois doigts refermés sur le sien, Marcus se mit à masser doucement la chair tout contre le goulot de la bouteille. Totalement détendue à présent, Lillian se contentait de le regarder, l'air ravi d'être ainsi allongée.

Quand il baissa les yeux sur elle, il trouva difficile de résister à l'envie de s'étendre sur elle et de l'embrasser à perdre haleine.

— Cela vous ennuierait-il de me dire pourquoi vous buviez de l'alcool de poire au beau milieu de l'après-midi ?

— Parce que je n'ai pas réussi à ouvrir la bouteille de xérès.

— Ce que je voulais savoir, précisa-t-il en se mordant la lèvre pour ne pas sourire, c'est pourquoi vous buviez tout court ?

— Oh... Eh bien, je me sentais un peu... nerveuse. Et je pensais que ça pourrait m'aider à me détendre.

— Pourquoi étiez-vous nerveuse ?

Lillian détourna le visage.

— Je ne veux pas en parler.

— Hmm.

Elle reporta son attention sur lui et l'observa, les yeux étrécis.

— Que voulez-vous dire ?

— Rien.

— Si. C'était pas un « Hmm » ordinaire. C'était un « Hmm » désapprobateur.

— Je me posais simplement des questions.

— Du genre ? Allez, dites voir un peu !

— Je pense que ça a à voir avec Saint-Vincent.

À l'ombre qui passa sur son visage, il sut qu'il avait deviné juste.

— Dites-moi ce qui s'est passé, reprit-il en la scrutant.

— Vous savez, murmura-t-elle d'un air rêveur, vous êtes loin d'être aussi beau que lord Saint-Vincent.

— Quelle surprise ! fit-il, ironique.

— Pourtant, je n'ai jamais envie de l'embrasser comme vous.

Heureusement, elle avait fermé les yeux, car si elle avait vu l'expression de Marcus, elle n'aurait peut-être pas continué.

— Il y a quelque chose en vous qui me donne envie de faire de très vilaines choses. Peut-être est-ce parce que vous êtes si convenable. Votre cravate n'est jamais de travers et vos chaussures sont toujours cirées. Et vos chemises tellement immaculées ! Quelquefois, quand je vous regarde, j'ai envie d'en arracher tous les boutons. Ou de mettre le feu à votre pantalon.

Un nouveau fou rire s'empara d'elle.

— Je me suis souvent demandé… êtes-vous chatouilleux, milord ?

— Non, réussit à articuler Marcus, le cœur battant à tout rompre sous sa chemise immaculée.

Un désir ardent gonflait sa chair, et tout son corps aspirait à s'enfouir dans la jeune fille étendue devant lui. Son sens de l'honneur lui criait qu'il n'était pas le genre d'homme à coucher avec une femme en état d'ébriété. Elle était sans défense. Elle était vierge. Il ne se le pardonnerait jamais s'il abusait d'elle dans ces conditions…

— Ça a marché ! s'écria Lillian en levant la main d'un air victorieux. Mon doigt est sorti. Pourquoi froncez-vous les sourcils ? ajouta-t-elle avec un sourire sensuel.

Se redressant en position assise, elle lui agrippa l'épaule pour garder l'équilibre.

— Ce petit pli qui se creuse entre vos sourcils... il me donne envie de...

Les mots moururent sur ses lèvres tandis qu'elle regardait fixement le front de Marcus.

— De quoi ? chuchota-t-il, sa capacité à se maîtriser ayant atteint sa limite.

Toujours accrochée à son épaule, Lillian se mit à genoux.

— De faire ça, répondit-elle avant de presser les lèvres sur son front.

Fermant les yeux, Marcus laissa échapper un gémissement désespéré. Il la voulait. Pas simplement pour coucher avec elle – encore qu'à cet instant, ce fût certainement son vœu le plus cher –, mais pour tout le reste aussi. Il ne pouvait plus nier le fait que, jusqu'à la fin de ses jours, il comparerait les autres femmes à Lillian, à leur désavantage. Son sourire, sa langue acérée, son tempérament, son rire contagieux, son corps et son esprit, tout en elle lui plaisait. Elle était indépendante, volontaire, têtue... qualités que la plupart des hommes jugeaient indésirables chez une épouse. Que lui-même pense le contraire était tout aussi indéniable qu'inattendu.

Il n'existait que deux manières d'envisager la situation. Soit il continuait d'essayer de l'éviter – ce qui avait spectaculairement échoué jusqu'à présent – soit il capitulait. Il capitulait en sachant qu'elle ne serait jamais la femme convenable et docile qu'il avait toujours imaginé épouser. En se mariant avec elle, il défierait un destin tracé avant même sa naissance.

Avec Lillian, il ne saurait jamais vraiment à quoi s'attendre. Il ne comprendrait pas toujours ses agissements, et elle mordrait comme une créature à demi sauvage s'il essayait de la contrôler. Ils se disputeraient. Elle ne le laisserait pas s'installer dans le confort et la routine.

Seigneur Dieu, était-ce vraiment l'avenir qu'il souhaitait ?

Oui. Trois fois *oui*.

Appuyant le nez contre la courbe de sa joue, Marcus savoura la chaleur de son haleine aux effluves d'eau-de-vie. Il allait la prendre. D'un geste ferme, il glissa les mains derrière sa tête pour amener sa bouche contre la sienne. Elle émit un son inarticulé et lui rendit son baiser avec un enthousiasme si charmant, si passionné, qu'il faillit en sourire. Mais ce sourire ne résista pas à la joute ardente de leurs lèvres. La manière dont elle réagissait à ses caresses l'émerveillait. L'allongeant sur le sol, il l'installa au creux de son bras et explora sa bouche d'une langue avide. Ses jupes en désordre entravaient leurs tentatives mutuelles pour se presser l'un contre l'autre. Tout en se tordant comme une chatte, Lillian essaya d'introduire les mains sous sa veste. Ils roulèrent lentement sur le sol, d'abord lui sur elle, puis elle sur lui, ce qui n'avait aucune importance du moment que leurs corps étaient entrelacés.

Lillian était mince, mais solide, et elle l'enlaçait avec force, lui caressant impatiemment le dos. De sa vie, Marcus n'avait jamais ressenti une excitation aussi intense. Il lui fallait être en elle. Il lui fallait sentir, embrasser, caresser, goûter chaque pouce de son corps.

Ils roulèrent de nouveau, et un pied de chaise s'enfonçant dans le dos de Marcus lui fit recouvrer temporairement ses esprits. Il se rendit compte qu'ils étaient sur le point de faire l'amour dans l'une des pièces les plus fréquentées de la maison. Avec un juron, il se releva, entraînant Lillian avec lui. Sa bouche douce chercha la sienne, et il résista avec un rire incertain.

— Lillian… murmura-t-il d'une voix enrouée, viens avec moi.

— Où ? demanda-t-elle d'une voix faible.

— À l'étage.

Au raidissement soudain de son dos, il sut qu'elle avait compris ses intentions. Si l'alcool avait amoindri ses inhibitions, il ne l'avait pas privée de sa faculté de penser ; pas entièrement, du moins. Posant une main légère sur la joue de Marcus, elle le fixa d'un regard intense.

— Dans ton lit ? souffla-t-elle.

Comme il hochait légèrement la tête, elle se laissa aller contre lui et murmura tout contre sa bouche :

— Oh, oui…

Il reprit ses lèvres déjà gonflées de baisers. Sa langue, sa bouche, tout en elle était délicieux… La respiration de Marcus se fit haletante et, de ses mains pressées contre son dos, il moula son corps au sien. Ils titubèrent, enlacés, jusqu'à ce qu'il agrippe une étagère toute proche pour garder l'équilibre. Il aurait voulu l'embrasser plus profondément encore. Il en voulait plus : de sa peau, de son parfum, de ses cheveux enroulés autour de ses doigts. Il avait besoin de sentir son corps nu s'arquer sous le sien, la morsure de ses ongles sur son dos, le frémissement de sa jouissance quand ses muscles intimes se crisperaient autour de lui.

Il réussit à relever la tête suffisamment longtemps pour dire d'une voix entrecoupée :

— Glisse les bras autour de mon cou.

Et, en même temps qu'elle obéissait, il la souleva contre sa poitrine.

18

S'il s'agissait d'un rêve, songea Lillian quelques minutes plus tard, il se déroulait avec une étonnante clarté. Un rêve, oui... se répéta-t-elle, s'accrochant avec ferveur à cette idée. On pouvait faire ce qu'on voulait dans un rêve. Il n'y avait ni règles ni obligations... seulement du plaisir. Oh, le plaisir quand, après l'avoir déshabillée, après s'être déshabillé, après avoir laissé leurs vêtements en tas sur le sol, Marcus l'avait soulevée dans ses bras pour la déposer sur le grand lit! C'était un rêve, assurément, parce que les gens ne faisaient l'amour que dans le noir, et que le soleil de l'après-midi baignait la pièce.

Marcus était à côté d'elle, penché sur elle, lui prodiguant des baisers si doux, si prolongés, qu'elle ne distinguait pas la fin de l'un du début de l'autre. Il pressait contre elle son corps nu, un corps d'une puissance étonnante, d'une dureté d'acier sous ses mains curieuses. Dur, et pourtant satiné, et brûlant aussi... son corps était une révélation. La toison mousseuse de son torse chatouillait ses seins nus tandis qu'il revendiquait chaque parcelle de sa peau en un long pèlerinage de baisers et de caresses.

Il lui semblait que l'odeur de Marcus, et la sienne, du reste, avaient été altérées par le désir, et avaient acquis une âcreté un peu salée qui donnait à leur souffle un parfum incroyablement érotique. Enfouissant le visage au creux de son cou, elle inhala avec avidité. Marcus... Le Marcus de son rêve n'était pas un gentleman anglais plein de réserve, mais un inconnu tendre et audacieux qui la choquait par les familiarités qu'il exigeait.

La retournant sur le ventre, il traça des lèvres un chemin le long de sa colonne vertébrale, caressant de la langue des endroits qui la faisaient tressaillir de plaisir. Sa main chaude lui effleura les fesses, puis il glissa les doigts dans le creux secret entre ses cuisses, lui arrachant un cri étouffé.

Comme elle essayait de se redresser, il l'en empêcha avec un murmure assourdi. Après avoir séparé les boucles denses, il la pénétra d'un doigt, taquinant et dessinant de petits cercles sur sa chair délicate. Sa joue brûlante posée sur le drap frais, Lillian laissa échapper un halètement de plaisir. Quand Marcus se mit à califourchon au-dessus d'elle, elle sentit son membre soyeux lui frôler l'intérieur de la cuisse. Ses caresses trop douces la rendaient folle, elle en voulait davantage... elle voulait tout. Son cœur s'emballa, elle referma les poings sur le drap tandis qu'une tension inconnue lui mordait le ventre, l'obligeant à se tordre sous son corps musclé.

Ses gémissements inarticulés semblaient lui plaire. Il la fit rouler sur le dos, les yeux brillants d'un sombre feu.

— Lillian, chuchota-t-il contre sa bouche tremblante, mon ange, mon amour... as-tu mal là ?

Elle sentit son doigt en elle, qui la caressait.

— Cet endroit secret... vide... veux-tu que je l'emplisse ?

— Oui, dit-elle dans un sanglot en se tortillant pour se rapprocher de lui. Oui... Marcus, oui...

— Bientôt.

Il passa la langue sur la pointe érigée d'un sein, et elle protesta quand il releva la tête. Ébahie, éperdue, elle le sentit descendre, plus bas, encore plus bas, goûtant et mordillant son corps tendu jusqu'à... jusqu'à...

Elle sursauta, puis cessa de respirer quand il lui écarta grand les cuisses et qu'elle sentit la fraîcheur humide de sa langue dans sa toison bouclée. Elle s'arqua contre sa bouche. « Il ne peut pas faire ça ! Il ne peut pas ! » se dit-elle, hagarde, alors même qu'il plongeait plus profondément en elle, usant de la pointe de la langue pour lui infliger un tourment qui lui arrachait des petits cris. Impossible de l'arrêter. Il se concentra sur le minuscule bouton lové au cœur de son intimité, trouva un rythme qui envoyait des ondes de volupté dans tout son corps, puis s'arrêta pour écarter doucement les replis moites jusqu'à ce que la sensation de sa langue la pénétrant lui arrache un cri.

— Marcus... s'entendit-elle balbutier, encore et encore, comme si son prénom était une incantation érotique. Marcus...

Refermant ses mains tremblantes sur sa tête, elle tenta de l'inviter à remonter un peu, à placer la bouche là où une exigence insupportable la réclamait. Aurait-elle été capable de trouver les mots, elle l'aurait supplié. Soudain, sa bouche couvrit cette distance infime mais cruciale, et se fixa sur elle avec une précision sensuelle, la suçant, la léchant, la tétant sans répit. Un long gémissement rauque s'échappa de ses lèvres quand l'extase la transperça, la balaya, la submergea.

Marcus la prit dans ses bras, embrassa ses joues humides. Lillian se cramponna à lui, le souffle court. Mais ce n'était pas encore assez. Elle voulait son corps, son âme, en elle. D'un geste gauche, elle toucha son sexe érigé et le guida vers la fente moite entre ses cuisses.

— Lillian... Il faut que tu comprennes que si nous faisons ceci, beaucoup de choses changeront. Il faudra que nous...

— Maintenant, l'interrompit-elle d'une voix enrouée. Viens en moi. *Maintenant*.

Du bout des doigts, elle suivit toute la longueur de sa virilité, puis lui mordilla la base du cou. D'un mouvement aussi vif que soudain, il la fit basculer sur le dos, s'étendit sur elle et lui écarta les jambes. En réaction à la pression cuisante qui s'exerçait entre ses cuisses, ses muscles intimes se contractèrent.

Marcus glissa alors la main entre leurs deux corps, trouva le précieux petit bouton, et ses doigts déchaînèrent de nouvelles ondes de plaisir qui la firent se cambrer vers lui. À chaque ondulation de ses hanches, la pression de la hampe dure en elle s'intensifiait. Puis, d'un seul coup de reins, il la pénétra complètement. Elle laissa échapper un cri où la surprise se mêlait à la douleur, et se figea, les mains accrochées à son dos musclé. Son sexe palpitait violemment autour du sien, et elle ressentait une légère brûlure qui ne voulait pas céder en dépit de ses efforts pour l'accueillir en elle. D'un murmure, il l'encouragea à se détendre, s'abstenant avec une patience infinie de bouger pour essayer de ne pas lui faire mal.

Tandis qu'il la câlinait et l'embrassait, Lillian leva les yeux et croisa son tendre regard sombre. Alors elle sentit son corps s'abandonner sans plus aucune résistance. Marcus glissa la main sous ses fesses pour la soulever tout en imprimant à ses hanches un mouvement de va-et-vient prudent.

— Ça va ? chuchota-t-il.

Pour toute réponse, elle noua les bras autour de son cou avec un gémissement. Sa tête bascula en arrière et il couvrit sa gorge de baisers tandis qu'elle s'ouvrait totalement à l'invasion tant désirée. Entre plaisir et douleur, elle commença à onduler, ce qui parut accroître le plaisir de Marcus. Les traits durcis par l'excitation, le souffle court, il lui étreignit les fesses en balbutiant d'une voix étranglée :

— Lillian… Je ne peux plus… *Lillian*…

Il ferma les yeux et poussa un cri rauque quand la jouissance l'emporta.

Peu après, comme il faisait mine de se retirer, elle le retint.

— Non, murmura-t-elle. Pas tout de suite, s'il te plaît…

Il roula sur le flanc sans la lâcher, leurs corps toujours joints. Répugnant à le laisser aller, elle glissa la jambe par-dessus sa hanche.

— Marcus, murmura-t-elle tandis qu'il dessinait du bout du majeur des figures exotiques sur son dos, c'est bel et bien un rêve… n'est-ce pas ?

Elle perçut son sourire contre sa joue.

— Dors, souffla-t-il avant de l'embrasser.

Quand Lillian rouvrit les yeux, la lumière déclinait, et le coin de ciel visible en haut de la fenêtre se teintait de lavande. Les lèvres de Marcus se promenèrent de sa joue à son menton tandis que, d'un bras passé autour de ses épaules, il la relevait en position assise. Désorientée, elle inspira son odeur familière. Elle avait la langue pâteuse, la gorge sèche, et, quand elle essaya de parler, sa voix ressembla à un croassement.

— J'ai soif.

Il pressa le bord d'un verre en cristal contre ses lèvres, et elle but avec reconnaissance un liquide frais, au parfum de citron et de miel.

— Encore ?

Lillian leva les yeux, pour découvrir que Marcus était vêtu de pied en cap, coiffé et le visage fraîchement lavé.

— J'ai rêvé… Oh, j'ai rêvé…

Mais elle ne tarda pas à se rendre compte qu'il ne s'agissait pas d'un rêve. Westcliff était peut-être habillé, mais elle était dans son lit, nue sous le drap.

— Ô mon Dieu, chuchota-t-elle, stupéfaite et effrayée de ce qu'elle avait fait.

Elle pressa les doigts contre ses tempes qui battaient douloureusement. S'emparant d'une carafe sur la table de chevet, Westcliff emplit de nouveau le verre.

— Tu as mal à la tête ? C'était prévisible. Tiens, prends cela, dit-il en lui tendant un mince paquet de papier.

Elle le déplia de ses doigts tremblants et, rejetant la tête en arrière, versa la poudre amère dans sa bouche, puis l'avala avec une gorgée d'eau parfumée. Le drap glissa, la découvrant jusqu'à la taille. Rouge de honte, elle le remonta sur elle avec un cri étouffé. Westcliff eut beau s'abstenir de tout commentaire, elle comprit à son expression qu'il était un peu tard pour se montrer pudique. Elle ferma les yeux avec un gémissement.

Après lui avoir repris le verre, Westcliff l'allongea sur l'oreiller, puis attendit qu'elle ose de nouveau le regarder. Avec un sourire, il caressa sa joue brûlante du revers de la main. Si seulement, il ne paraissait pas aussi content de lui ! Lillian fronça les sourcils.

— Marcus…

— Pas tout de suite. Nous parlerons une fois que je me serai occupé de toi.

Elle poussa un cri de désarroi lorsqu'il tira sur le drap, exposant son corps entier à son regard.

— Non !

L'ignorant, il s'affaira au-dessus de la table de nuit. Après avoir versé de l'eau chaude dans une cuvette en porcelaine, il y plongea un carré de toile, le tordit, puis s'assit à côté de Lillian. Devinant ce qu'il comptait faire, elle repoussa sa main d'un geste machinal. Il lui décocha alors un regard ironique.

— Si tu veux jouer les saintes-nitouches…

— Très bien.

Écarlate, elle s'allongea et ferma les yeux.

— Simplement… fais vite.

Il pressa la serviette chaude entre ses cuisses, et elle sursauta.

— Du calme, murmura-t-il en nettoyant sa chair endolorie avec tendresse. Je suis désolé. Je sais que ça fait mal. Ne bouge pas.

Lillian posa le bras en travers de ses yeux, trop mortifiée pour le regarder.

— Ça te soulage ? l'entendit-elle demander.

Elle hocha la tête avec raideur, incapable de prononcer une parole.

— Je ne me serais pas attendu à tant de pudeur chez une fille qui folâtre en plein air en sous-vêtements, commenta-t-il d'une voix amusée. Pourquoi te caches-tu les yeux ?

— Parce que je ne peux pas te regarder pendant que toi, tu me regardes, répliqua-t-elle d'un ton plaintif, ce qui le fit rire.

Il rinça la compresse dans l'eau chaude.

Lillian souleva discrètement le bras pour l'observer tandis qu'il pressait de nouveau le linge entre ses jambes.

— Tu as dû sonner pour appeler un domestique, fit-elle. A-t-il ou a-t-elle vu quoi que ce soit ? Quelqu'un sait-il que je suis avec toi ?

— Seulement mon valet de chambre. Et ce n'est pas lui qui ira raconter mes…

Comme il hésitait, cherchant de toute évidence le terme adéquat, Lillian suggéra avec brusquerie :

— Exploits ?

— Ce n'était pas un exploit.

— Une erreur, alors.

— Quelle que soit la manière dont tu la définis, le fait est que nous devons traiter la situation d'une manière appropriée.

Cela ne présageait rien de bon. Enlevant le bras de ses yeux, Lillian vit que le linge que Westcliff venait d'ôter était taché de sang. *Son* sang. Un creux se forma dans son estomac et son cœur se mit à battre une chamade anxieuse. N'importe quelle jeune femme savait que si elle couchait avec un homme en dehors des liens du mariage, elle était perdue. Le mot « perdue » avait une connotation tellement définitive... comme si la femme était gâtée pour toujours, telle une banane au fond d'un compotier.

— Tout ce que nous avons à faire, c'est de nous assurer que personne ne l'apprenne, dit-elle, circonspecte. Nous ferons comme si rien n'est arrivé.

Westcliff rabattit le drap sur elle, puis se pencha, les mains posées de chaque côté de ses épaules.

— Lillian... Nous avons couché ensemble. Ce n'est pas quelque chose que l'on peut nier.

Une soudaine panique s'empara d'elle.

— Je peux le nier. Et si je le peux, alors toi...

— J'ai abusé de toi, coupa-t-il, s'efforçant, sans aucun succès, de paraître repentant. Je suis impardonnable. Toutefois, la situation étant ce qu'elle est...

— Je te pardonne, se hâta de dire Lillian. Voilà, l'affaire est réglée. Où sont mes vêtements ?

— ... la seule solution, c'est que nous nous mariions.

Une demande en mariage du comte de Westcliff !

N'importe quelle célibataire d'Angleterre, en entendant ces mots prononcés par cet homme, aurait pleuré de gratitude. Mais c'était complètement absurde. Westcliff ne la demandait pas en mariage parce qu'il le voulait vraiment, ni parce qu'elle était la femme qu'il désirait plus que toute autre. Il la demandait en mariage par obligation.

Le repoussant, Lillian se redressa en position assise.

— Westcliff, commença-t-elle d'une voix mal assurée, y a-t-il une raison, autre que le fait que nous venons de coucher ensemble, qui te pousse à me demander en mariage ?

— De toute évidence, tu es séduisante... intelligente... tu donneras naissance à des enfants en bonne santé... et nos deux familles bénéficieront d'une telle alliance...

Apercevant ses vêtements, qui avaient été pliés avec soin sur une chaise près de la cheminée, Lillian sortit du lit.

— Je dois m'habiller, déclara-t-elle, avant de tressaillir quand ses pieds touchèrent le sol.

— Je vais t'aider, dit aussitôt Westcliff en s'approchant de la chaise.

Elle demeura près du lit, ses cheveux cascadant sur ses seins et son dos. Après avoir posé ses vêtements sur le lit, Westcliff la balaya du regard.

— Dieu que tu es adorable, murmura-t-il.

Il effleura ses épaules nues, laissa ses doigts glisser jusqu'à ses coudes.

— Je suis désolé de t'avoir fait mal, dit-il doucement. Ce ne sera pas aussi difficile pour toi la prochaine fois. Je ne veux pas que cela te fasse peur... ou que tu aies peur de moi. J'espère que tu me crois quand je...

— Que j'aie peur de toi ? s'écria-t-elle sans réfléchir. Dieu du ciel, je n'y songerais jamais !

Westcliff lui souleva le menton, et la contempla tandis qu'un lent sourire éclairait ses traits.

— Tu n'y songerais pas, en effet. Tu cracherais dans l'œil du diable en personne si l'envie t'en prenait.

Incapable de décider si ce commentaire était admiratif ou critique, Lillian se dégagea d'un geste maladroit de l'épaule.

— Je ne veux pas t'épouser, dit-elle en commençant à s'habiller d'une main peu sûre.

Ce n'était pas vrai, bien sûr. Mais elle ne pouvait se défaire du sentiment que les conditions étaient faussées. Comment accepter une demande en mariage si clairement suscitée par le sens du devoir ?

— Tu n'as pas le choix, dit-il derrière elle.

— Bien sûr que si. J'oserai dire que lord Saint-Vincent m'acceptera quand bien même je ne suis plus vierge. Et si ce n'est pas le cas, mes parents ne vont pas me jeter à la rue. Je suis sûre que tu seras soulagé d'apprendre que je te délivre de toute obligation.

Ayant attrapé ses culottes sur le lit, elle se pencha pour les enfiler.

— Pourquoi mentionnes-tu lord Saint-Vincent? demanda-t-il d'un ton coupant. Il a demandé ta main?

— Est-ce si difficile à croire? répliqua Lillian en nouant les cordons de ses culottes. En fait, il a demandé la permission de s'entretenir avec mon père.

— Tu ne peux pas l'épouser, décréta Marcus, l'air renfrogné, comme elle passait sa chemise.

— Pourquoi?

— Parce que tu es mienne, désormais.

Elle eut un reniflement dédaigneux, alors même que son cœur manquait un battement.

— Le fait que j'aie couché avec toi ne te désigne pas comme propriétaire.

— Tu pourrais être enceinte, lui rappela-t-il avec une impitoyable satisfaction. À cet instant même, mon enfant est peut-être en train de grandir dans ton ventre. Il y a là matière à revendiquer des droits, il me semble.

Lillian sentit ses genoux faiblir, même si son ton demeura aussi froid que le sien lorsqu'elle rétorqua :

— Nous finirons bien par le découvrir. En attendant, je refuse ta demande. Sauf que tu ne m'as pas vraiment fait de demande, si je ne m'abuse. Cela ressemblait plus à un ordre, ajouta-t-elle en introduisant le pied dans un bas.

— C'est *cela* qui te chiffonne? Que je n'aie pas prononcé les mots que tu attendais?

Westcliff secoua la tête avec impatience avant de dire :

— Très bien. Veux-tu m'épouser ?

— Non.

— Pourquoi ?

— Parce que coucher ensemble n'est pas une raison suffisante pour nous enchaîner l'un à l'autre à perpétuité.

— Ça l'est pour moi, répliqua-t-il, le sourcil arqué avec arrogance. Rien de ce que tu diras ou feras ne me fera revenir sur ma décision, poursuivit-il après lui avoir tendu son corset. Nous allons nous marier, et très vite.

— C'est peut-être ta décision, mais ce n'est pas la mienne, riposta Lillian, qui retint son souffle quand il tira adroitement sur les lacets. Et j'aimerais savoir ce que la comtesse aura à dire quand elle apprendra que tu as l'intention d'introduire une Américaine dans la famille !

— Elle aura une crise d'apoplexie, répondit calmement Marcus en nouant les lacets de son corset. Nous aurons droit à une tirade à la fin de laquelle il est probable qu'elle s'évanouira. Puis elle partira sur le Continent pour six mois et refusera d'écrire à l'un de nous.

Il marqua une pause, avant d'ajouter d'un air gourmand :

— J'attends cela avec une extrême impatience.

19

— Lillian... Lillian, ma chérie... il faut te réveiller. Tiens, je t'ai fait monter du thé.

Penchée sur le lit, Daisy secouait doucement sa sœur par l'épaule. Avec un grognement, Lillian entrouvrit les yeux.

— Je ne veux pas me réveiller.

— Il le faut pourtant. Il se passe des choses auxquelles, je pense, il faut te préparer.

— Des choses ? Quelles choses ? demanda Lillian, qui posa la main sur son front douloureux dès qu'elle fut assise.

Un seul regard sur le visage inquiet de Daisy lui fit battre le cœur à coups redoublés.

— Appuie-toi à ton oreiller, murmura Daisy avant de lui tendre son thé.

La tasse fumante entre les mains, Lillian s'efforça de rassembler ses pensées.

Elle se rappelait vaguement Marcus la raccompagnant discrètement dans sa chambre, où un bain chaud et une servante dévouée l'attendaient. Après s'être baignée et avoir enfilé une chemise de nuit propre, elle s'était couchée avant que sa sœur ne rentre de la fête au village. Après une longue nuit sans rêves, elle aurait pu se convaincre que les événements de la veille n'avaient pas eu lieu si ce n'avait été cet inconfort entre les cuisses.

À présent, quoi ? s'interrogea-t-elle. Marcus avait déclaré qu'il avait l'intention de l'épouser. À la lumière du jour, cependant, il pouvait fort bien avoir reconsidéré sa proposition. Et elle n'était pas certaine de désirer ce mariage. S'il lui fallait passer le restant de ses jours à avoir le sentiment d'être une obligation que l'on avait imposée à Marcus...

— De quelles « choses » parles-tu ? demanda-t-elle.

Daisy s'assit au bord du lit.

— Il y a environ deux heures, j'ai entendu une certaine agitation dans la chambre de nos parents. Il semblerait que lord Westcliff ait demandé à rencontrer père en privé. Quand il est revenu, je suis allée demander ce qui se passait. Père n'a rien voulu dire, mais il semblait passablement excité. Quant à mère, elle riait et pleurait, si bien que père a fini par envoyer quelqu'un chercher un verre d'alcool pour la calmer. J'ignore tout de l'échange entre lord Westcliff et père, mais j'espérais que tu pourrais...

Daisy s'interrompit comme sa sœur se mettait à trembler. Elle lui prit en hâte sa tasse des mains.

— Ma chérie, qu'y a-t-il ? Tu as l'air si bizarre. Il s'est passé quelque chose, hier ? Tu as offensé lord Westcliff d'une manière ou d'une autre ?

La gorge de Lillian se serra pour retenir un rire rageur. C'était la première fois qu'elle oscillait ainsi entre la colère et les larmes. Ce fut la colère qui gagna.

— Oui, il s'est passé quelque chose. Et maintenant, il l'utilise pour m'imposer sa volonté. Pour agir derrière mon dos et s'arranger avec père... Oh, je ne le tolérerai pas ! Je ne peux pas !

Daisy ouvrit des yeux ronds comme des soucoupes.

— Tu as monté un des chevaux de lord Westcliff sans sa permission ? C'est cela ?

— Est-ce que j'ai... Bonté divine, non ! Si seulement c'était cela, murmura Lillian en enfouissant son visage écarlate entre ses mains. J'ai couché avec lui. Hier, pendant que tout le monde était parti.

Un silence interdit accueillit cet aveu brutal.

— Tu... mais... mais je ne vois pas comment tu as pu...

— Je buvais de la liqueur dans la bibliothèque, expliqua Lillian d'un ton morne. Il est arrivé. Et de fil en aiguille, je me suis retrouvée dans sa chambre.

Muette de stupéfaction, Daisy fixa sa sœur un moment avant de se risquer à demander :

— Je suppose que quand tu dis que tu as couché avec lui, ce n'était pas juste pour une sieste ?

Lillian la foudroya du regard.

— Daisy, cesse de jouer les crétines.

— Tu crois qu'il se conduira de manière honorable et te demandera en mariage ?

— Oh, oui, répondit Lillian avec amertume. Sa « manière honorable » consiste en un gros gourdin avec lequel il va me taper sur la tête jusqu'à ce que je capitule.

— T'a-t-il dit qu'il t'aimait ? osa demander Daisy.

Lillian eut un grognement méprisant.

— Non, il n'a pas prononcé un seul mot en ce sens.

La perplexité creusa un pli sur le front de sa sœur.

— Lillian... Est-ce que tu crains que ce soit seulement à cause du parfum qu'il te veut ?

— Non, je... Oh, Seigneur, je n'y ai même pas pensé...

Avec un gémissement, Lillian s'empara de l'oreiller le plus proche et se l'écrasa sur le visage comme si elle pouvait s'étouffer elle-même. Ce qui, à cet instant, ne manquait pas d'attrait.

Si épais soit-il, l'oreiller n'assourdit pas totalement la voix de Daisy.

— Est-ce que tu *veux* l'épouser ?

La question fit l'effet d'un coup de poignard dans le cœur de Lillian. Rejetant l'oreiller, elle marmonna :

— Pas dans ces conditions ! Pas quand c'est lui qui prend la décision sans se soucier de mes sentiments, et proclame qu'il ne le fait que parce que j'ai été compromise.

— Je ne crois pas que lord Westcliff présenterait les choses de cette façon, observa Daisy après un temps de réflexion. Je n'ai pas l'impression que ce soit le genre d'homme à attirer une fille dans son lit, ou à l'épouser, en l'occurrence, s'il ne le désire pas sincèrement.

— On pourrait souhaiter qu'il tienne compte de ce que *moi*, je désire, riposta Lillian.

Elle sortit du lit et alla se planter devant la table de toilette. Dans le miroir, son reflet la fusilla du regard. Après avoir versé de l'eau dans la cuvette, elle s'éclaboussa le visage puis le frotta vigoureusement avec une serviette. Un fin nuage de poudre s'échappa de la petite boîte lorsqu'elle l'ouvrit pour y plonger sa brosse à dents.

— Daisy, dit-elle en jetant un coup d'œil à sa sœur par-dessus son épaule, tu pourrais me rendre un service ?

— Oui, bien sûr.

— Je ne veux pas parler à père ou à mère tout de suite. Mais il faut que je sache si Westcliff a vraiment demandé ma main. Si tu pouvais te débrouiller pour le découvrir…

— Inutile d'en dire plus, répondit Daisy, qui gagnait déjà la porte.

Ses ablutions matinales terminées, Lillian enfilait un peignoir de batiste blanche par-dessus sa chemise de nuit lorsque sa sœur revint.

— Ce n'était même pas la peine de demander, lui rapporta-t-elle d'un air contrit. Père est parti, mais mère est en train de contempler un verre de whisky en fredonnant une marche nuptiale. Et elle paraît absolument aux anges. Je dirais que, sans l'ombre d'un doute, lord Westcliff a fait sa demande.

— Le salaud, grommela Lillian. Comment ose-t-il me laisser en dehors de tout cela, comme si je n'étais qu'un élément accessoire ? Je me demande, ajouta-t-elle en plissant les yeux, ce qu'il est en train de faire en ce moment ? Il s'occupe sans doute de régler tous les détails. Ce qui signifie que la personne à qui il voudra parler…

Elle s'interrompit, en proie à une rage sans nom. En monstre de domination qu'il était, Westcliff n'allait pas lui laisser le soin de mettre un terme à son amitié avec lord Saint-Vincent. Elle se verrait refuser la dignité d'une séparation convenable. Westcliff allait s'occuper de tout, la laissant aussi impuissante qu'une enfant.

— Si jamais il est en train de faire ce que je soupçonne, gronda-t-elle, je l'assomme avec un tisonnier !

— Quoi ? s'exclama Daisy, ahurie. Que soupçonnes-tu qu'il… Lillian, non ! Tu ne peux pas sortir en tenue de nuit !

Elle courut jusqu'à la porte et chuchota avec force :

— Lillian ! S'il te plaît, reviens !

Toutes voiles dehors, Lillian atteignit le grand escalier qu'elle descendit à toute allure. Il était assez tôt pour que la plupart des invités soient encore couchés. De toute manière, elle était trop furieuse pour se soucier qu'on la voie. Elle passa en trombe devant quelques domestiques interdits et ne s'arrêta, le souffle court, qu'une fois devant le bureau de Marcus. La porte en était fermée, mais elle l'ouvrit sans hésiter, l'envoyant se fracasser contre le mur.

Comme prévu, Marcus était là avec lord Saint-Vincent. Son irruption leur fit tourner la tête d'un même mouvement.

Lillian fixa les yeux sur le visage impassible de Saint-Vincent.

— Que vous a-t-il dit ? lui demanda-t-elle sans préambule.

Adoptant une expression de plaisante neutralité, Saint-Vincent répondit avec calme :

— Il m'en a dit suffisamment.

Elle reporta le regard sur Marcus, dont l'expression dépourvue de remords trahissait assez qu'il avait assené la nouvelle avec l'efficacité fatale d'un chirurgien sur un champ de bataille. Une fois son but arrêté, il le poursuivait avec agressivité jusqu'à la victoire.

— Vous n'aviez pas le droit, fulmina-t-elle. Je ne me laisserai pas manipuler, Westcliff !

Avec une désinvolture trompeuse, Saint-Vincent s'avança vers elle.

— Je vous déconseille de vous promener en déshabillé, mon cœur, murmura-t-il. Tenez, permettez-moi de vous offrir ma…

Le prenant de vitesse, Marcus s'approcha de Lillian et drapa sa veste sur ses épaules. D'un geste coléreux, elle tenta de s'en débarrasser. Marcus la maintint avec fermeté sur ses épaules et attira son corps raide contre lui.

— Ne vous rendez pas ridicule, lui souffla-t-il à l'oreille.

— Lâchez-moi ! siffla-t-elle en s'écartant. Je dirai ce que j'ai à dire à lord Saint-Vincent. Lui et moi méritons au moins cela. Et si vous essayez de m'en empêcher, je le ferai derrière votre dos, tout simplement.

Marcus la lâcha à contrecœur et fit un pas de côté avant de croiser les bras sur la poitrine. En dépit de son expression détachée, Lillian percevait en lui une émotion puissante qu'il ne parvenait pas à contrôler complètement.

— Parlez, dans ce cas, dit-il sèchement.

À la manière dont il crispait les mâchoires, il était évident qu'il n'avait pas l'intention de leur accorder un entretien en privé.

Lillian se fit la réflexion que peu de femmes seraient assez téméraires pour s'imaginer capables de composer avec une créature aussi arrogante et butée. Malheureusement, elle craignait d'en faire partie.

— Essayez de vous abstenir de m'interrompre, voulez-vous ? fit-elle en lui adressant un regard éloquent, avant de lui tourner le dos.

Sans se départir de sa nonchalance, Saint-Vincent s'assit sur le coin du bureau. Lillian fronça les sourcils. Elle voulait à tout prix lui faire comprendre qu'elle ne l'avait pas trompé intentionnellement.

— Milord, je vous prie de me pardonner. Je n'avais pas l'intention…

— Mon ange, inutile de vous excuser. Vous n'avez rien fait de mal. Je ne sais que trop bien combien il est aisé de séduire une innocente.

Après une pause habile, il ajouta tranquillement :

— Apparemment, Westcliff aussi.

— Une minute… commença ce dernier.

— Voilà ce qui arrive quand j'essaye de me conduire en gentleman, l'interrompit Saint-Vincent.

Il tendit la main vers les cheveux de Lillian qui tombaient librement sur ses épaules et frôla une boucle.

— Si je m'en étais tenu à ma tactique habituelle, je vous aurais déjà séduite dix fois, et vous seriez mienne. Mais il semblerait que j'aie trop fait confiance au sens de l'honneur, tellement vanté, de Westcliff.

— Ce n'est pas plus sa faute que la mienne, déclara Lillian, déterminée à être honnête.

À son expression, elle vit qu'il ne la croyait pas. Toutefois, plutôt que de la contredire, Saint-Vincent inclina la tête vers elle, et murmura :

— Mon cœur, et si je vous disais que je vous veux toujours, indépendamment de ce qui a pu se passer entre Westcliff et vous ?

Lillian ne put cacher son étonnement.

Quant à Marcus, il fut incapable de garder le silence plus longtemps.

— Ce que tu veux n'a pas d'importance, Saint-Vincent, répliqua-t-il d'une voix irritée. Elle est bel et bien à moi, à présent.

— En vertu d'un acte essentiellement dépourvu de signification ? fit remarquer froidement Saint-Vincent.

— Milord, intervint Lillian, ce n'était pas... ce n'était pas sans signification pour moi. Et il est possible qu'il y ait des conséquences. Je ne pourrais pas épouser un homme alors que j'attendrais l'enfant d'un autre.

— Mon cœur, cela se fait tous les jours. J'accepterais cet enfant comme le mien.

— Je ne veux pas en entendre plus, gronda Marcus.

Sans lui prêter attention, Lillian fixa sur Saint-Vincent un regard d'excuse.

— Je ne pourrais pas. Je suis désolée. Les dés ont été jetés, milord, et je ne peux rien faire pour revenir en arrière. Mais...

D'un geste impulsif, elle lui tendit la main.

— ... mais, en dépit de ce qui s'est passé, j'espère figurer parmi vos amis.

Avec un sourire étrange, Saint-Vincent lui serra la main avec chaleur.

— Il n'y a qu'une seule circonstance dans laquelle je peux imaginer vous refuser quelque chose, mon ange... et ce n'est pas celle-ci. Bien sûr que je resterai votre ami.

Par-dessus sa tête, il regarda Westcliff avec un sourire qui disait ouvertement que l'affaire n'était pas terminée.

— Je ne pense pas rester jusqu'à la fin de la partie de campagne, reprit-il. Bien que je n'aimerais pas que mon départ précipité provoque des commérages, je ne suis pas certain d'être capable de dissimuler convenablement ma... euh... déception ; par conséquent, il vaut sans doute mieux que je m'en aille. Je ne doute pas que nous aurons beaucoup à nous dire lors de notre prochaine rencontre.

Les yeux étrécis, Marcus le regarda quitter la pièce. Ce fut lui qui rompit le lourd silence qui suivit.

— Il y a une seule circonstance dans laquelle il te refuserait… Qu'est-ce que ça signifie ?

Lillian pivota vers lui, furibonde.

— Je l'ignore et je m'en moque ! Tu t'es conduit de manière abominable, et Saint-Vincent est dix fois plus chevaleresque que toi !

— Tu ne dirais pas cela si tu le connaissais un tant soit peu.

— Je sais qu'il m'a traitée avec respect, alors que tu me considères comme une espèce de pion que l'on peut déplacer à sa guise…

Comme il l'attirait dans ses bras, elle tambourina sur sa poitrine pour se libérer.

— Tu ne serais pas heureuse avec lui, assura Marcus, sans prêter plus d'attention à ses gesticulations qu'à celles d'un chat qu'il aurait tenu par la peau du cou.

La veste qu'il avait posée sur ses épaules tomba sur le sol.

— Qu'est-ce qui te fait croire que je serais mieux avec *toi* ?

Lui encerclant les poignets, il lui bloqua les bras dans le dos, et laissa échapper un grognement de surprise quand elle lui écrasa les orteils de toutes ses forces.

— Parce que tu as besoin de moi, dit-il d'une voix entrecoupée par ses efforts pour la maîtriser. Tout comme j'ai besoin de toi. Depuis des années, ajouta-t-il avant d'écraser sa bouche sur la sienne.

Elle aurait peut-être continué à se débattre s'il n'avait soudain fait quelque chose qui la surprit. Lui lâchant les poignets, il referma les bras autour d'elle en une chaude et tendre étreinte. Décontenancée, elle s'immobilisa, le cœur battant à tout rompre.

— Ce n'était pas un acte sans signification pour moi non plus, chuchota Marcus, dont le souffle lui chatouilla l'oreille. Hier, je me suis finalement rendu compte que toutes les choses que je te reprochais étaient, en fait, celles qui me plaisaient le plus. Je me moque comme d'une guigne de ce que tu fais, dès lors que tu es heureuse. Tu peux courir pieds nus sur la pelouse, manger des gâteaux avec les doigts, me dire d'aller au diable aussi souvent que tu le souhaites. Je te veux comme tu es. Après tout, tu es la seule femme, en dehors de mes sœurs, à avoir osé me dire en face que j'ai été un crétin arrogant. Comment pourrais-je te résister?

Ses lèvres se posèrent sur la joue de Lillian, puis remontèrent jusqu'à ses paupières, qu'il embrassa l'une après l'autre.

— Ma Lillian chérie, si j'étais doué en poésie, je t'accablerais de sonnets. Mais c'est quand mes sentiments sont les plus forts que j'ai le plus de mal avec les mots. Et il y a un mot en particulier que je ne peux me résoudre à te dire… «Au revoir». Je ne supporterai pas que tu me quittes. Si tu ne m'épouses pas pour sauver ton honneur, alors fais-le pour épargner ceux qui auraient à me supporter autrement. Épouse-moi parce que j'ai besoin de quelqu'un qui m'aide à rire de moi-même. Et parce que j'ai besoin d'apprendre à siffler. Épouse-moi, Lillian… parce que j'éprouve la plus irrésistible fascination pour tes oreilles.

— Mes oreilles? répéta Lillian, abasourdie, comme il inclinait la tête pour mordiller l'un de ses lobes.

— Mmm… Les oreilles les plus parfaites que j'aie jamais vues.

Tout en suivant de la pointe de la langue les replis délicats de son oreille, il glissa la main de sa taille, libre de tout corset, à sa poitrine. Lillian eut une conscience aiguë de sa nudité sous son peignoir quand il referma les doigts sur l'un de ses seins, dont la pointe durcit contre sa paume.

— Eux aussi, murmura-t-il, ils sont parfaits...

Le pouls de Lillian s'emballa, et son souffle, court et rapide, se mêla à celui de Marcus. Elle se remémora son corps musclé sur le sien quand ils avaient fait l'amour, leur entente parfaite. Un picotement courut sous sa peau au souvenir des caresses expertes de sa bouche et de ses doigts, qui l'avaient réduite à n'être plus que désir frissonnant. Rien d'étonnant à ce qu'il se montre aussi froid et cérébral durant le jour... Il réservait toute sa sensualité au lit.

Troublée par sa proximité, elle lui attrapa les poignets. Il y avait encore tant de choses dont ils devaient parler... Des problèmes trop importants pour qu'ils les négligent.

— Marcus, haleta-t-elle, arrête. Pas maintenant. Cela ne fait qu'embrouiller davantage les choses et...

— Pour moi, cela les rend encore plus claires.

Avec une tendresse ardente, il lui encadra le visage des mains.

— Embrasse-moi, souffla-t-il, avant de s'emparer de ses lèvres avec une avidité qui la fit frémir.

Le sol sembla se dérober sous ses pieds et elle se raccrocha à ses épaules. Sans cesser de l'embrasser, il l'enlaça et l'étendit sur le tapis. Sa bouche descendit alors sur sa gorge et, à travers la fine étoffe, se referma sur la pointe d'un sein. Éblouie par une nuée de couleurs, Lillian se rendit compte, stupéfaite, qu'ils étaient étendus dans une flaque de soleil dont les rayons étaient filtrés par les vitraux multicolores des fenêtres.

Saisissant les pans de son peignoir, Marcus les écarta avec impatience, puis il tira sur le devant de sa chemise de nuit jusqu'à ce que les boutons cèdent et s'éparpillent sur le tapis. Lillian lui trouvait un visage différent : plus jeune, plus doux. Personne ne l'avait jamais regardée de cette façon, avec une intensité si brûlante qu'elle occultait tout le reste. Penché sur ses seins dénudés, il en embrassa le globe léger avant de saisir entre les lèvres l'extrémité rosée.

Haletante, Lillian s'arqua contre lui, les doigts enfoncés dans son épaisse chevelure. Il comprit sa supplique muette et se mit à taquiner la pointe de son sein, jouant de la langue et des dents avec une douceur torturante. L'une de ses mains glissa jusqu'à son ventre et se mit à dessiner des cercles délicats autour de son nombril. Consumée de désir, Lillian se tordit sur le sol. Marcus fit alors descendre ses doigts un peu plus bas, s'arrêtant à la lisière de la toison bouclée, et elle sut que, dès qu'il toucherait le petit bouton à demi dissimulé dans les replis de son sexe, un plaisir aveuglant la terrasserait.

Brusquement, il retira sa main, arrachant un gémissement de protestation à Lillian. Jurant entre ses dents, il la couvrit de son corps et attira son visage contre son épaule au moment où la porte s'ouvrait.

Dans le silence qui suivit, Lillian risqua un coup d'œil par-dessus l'épaule de Marcus. Et sursauta d'effroi en apercevant Simon Hunt, les bras chargés de dossiers fermés d'un ruban noir.

Hunt baissa les yeux sur le couple étendu sur le sol et réussit, ce qui ne dut pas être facile, à conserver un visage impassible. Le comte de Westcliff, considéré par tous comme le parangon de la modération et de la retenue, devait être le dernier homme que Hunt s'attendait à trouver en train de rouler sur le sol de son bureau avec une femme en chemise de nuit.

— Pardonne-moi, Westcliff, dit ce dernier, se dominant visiblement, je n'avais pas prévu que tu pourrais être en train de te… t'entretenir… avec quelqu'un à cette heure-ci.

Marcus le foudroya du regard.

— Tu pourrais peut-être essayer de frapper, la prochaine fois.

— Tu as raison, bien sûr.

Hunt ouvrit la bouche pour ajouter quelque chose, parut se raviser, puis s'éclaircit la voix.

— Je vais te laisser terminer ta... euh... conversation.

Alors qu'il venait de franchir le seuil, toutefois, il ne put s'empêcher de repasser la tête pour demander, sibyllin :

— Une fois par semaine, tu disais ?

— Ferme la porte derrière toi, ordonna Marcus d'un ton glacial.

Hunt obéit avec un bruit étouffé qui ressemblait furieusement à un rire.

Lillian garda le visage pressé contre l'épaule de Marcus. Si elle avait été mortifiée le jour où elle avait été surprise en train de jouer au rounders en culottes, cette fois-ci, c'était dix fois pire. Elle ne pourrait plus jamais regarder Simon Hunt en face. Cette simple perspective lui arracha un gémissement atterré.

— Ne t'inquiète pas, murmura Marcus. Il ne dira rien.

— Je me moque qu'il parle ou pas, réussit à articuler Lillian. Je ne t'épouserai pas. Même si tu me compromettais cent fois.

— Lillian, dit-il, en se retenant de rire, ce serait avec le plus grand plaisir que je te compromettrais cent fois. Mais avant, j'aimerais savoir ce que j'ai fait de si impardonnable ce matin.

— Pour commencer, tu as parlé à mon père.

Il leva imperceptiblement les sourcils.

— Et c'est *cela* qui t'a offensée ?

— Comment pourrait-il en être autrement ? Tu t'es conduit avec une désinvolture inouïe en allant trouver mon père derrière mon dos, pour essayer d'arranger les choses avec lui sans m'en avoir parlé…

— Attends, coupa Marcus en roulant sur le côté pour se redresser d'un geste souple, avant de tirer Lillian par la main pour l'asseoir en face de lui. Je ne me suis pas conduit de manière désinvolte en allant voir ton père. Je respectais simplement la tradition. Il est d'usage de rencontrer le père d'une jeune fille qu'on souhaite épouser avant de faire sa demande officielle. Même en Amérique, ajouta-t-il avec une pointe d'ironie. À moins que l'on m'ait mal renseigné ?

La pendule de la cheminée égrena une trentaine de secondes avant que Lillian réussisse à répondre, à contrecœur :

— Non, c'est la procédure habituelle. Mais j'ai supposé que vous aviez déjà conclu les fiançailles, sans vous inquiéter de ce que moi, je…

— Ta supposition était erronée. Nous n'avons abordé aucun détail relatif aux fiançailles, et n'avons pas non plus parlé de la dot ni fixé de date de mariage. J'ai simplement demandé à ton père la permission de te courtiser.

Lillian le dévisagea avec surprise et embarras, jusqu'à ce qu'une autre question lui vienne à l'esprit.

— Qu'en est-il de ta discussion avec lord Saint-Vincent ?

Ce fut au tour de Marcus d'avoir l'air embarrassé.

— Là, c'était désinvolte de ma part, admit-il. Je devrais probablement te dire que je suis désolé. Mais ce serait mentir. Je ne pouvais courir le risque que Saint-Vincent te convainque de l'épouser plutôt que moi. J'ai donc jugé nécessaire de le prévenir qu'il devait garder ses distances.

Il s'interrompit un instant, et Lillian remarqua une hésitation inhabituelle dans son attitude.

— Il y a quelques années, reprit-il sans la regarder vraiment, Saint-Vincent s'est pris d'intérêt pour une femme avec qui j'étais... lié. Je n'étais pas amoureux d'elle, mais avec le temps, il est possible qu'elle et moi...

De nouveau, il s'interrompit en secouant la tête.

— Je ne sais pas ce qu'il serait advenu de cette relation. Je n'ai pas eu l'occasion de le découvrir. Quand Saint-Vincent a commencé à lui faire des avances, elle m'a quitté pour lui. Comme il était prévisible, ajouta-t-il avec un sourire sans joie, Saint-Vincent s'est fatigué d'elle au bout de quelques semaines.

Lillian observa avec compassion la ligne sévère de son profil. Il n'y avait aucune trace de colère ou d'apitoiement sur soi-même dans ce récit succinct, mais elle eut l'intuition qu'il avait été blessé par cette histoire. Pour un homme qui attachait beaucoup d'importance à la loyauté, la trahison d'un ami et la perfidie d'une maîtresse avaient dû être difficiles à supporter.

— Et pourtant, tu es resté ami avec lui ? fit-elle remarquer avec douceur.

Il répondit d'une voix monocorde, qui trahissait une certaine difficulté à parler d'affaires personnelles.

— Toute amitié a ses cicatrices. Je pense que si Saint-Vincent avait compris la force de mon attachement à cette femme, il n'aurait pas cherché à la séduire. Dans le cas présent, je ne voulais pas que le passé se répète. Tu es trop... importante... pour moi.

Lillian avait été transpercée par la jalousie à la pensée que Marcus avait éprouvé des sentiments pour une autre femme... puis son cœur s'arrêta de battre quand elle se demanda quelle signification accorder au mot « importante ». En bon Anglais qu'il était, Marcus détestait toute démonstration d'émotion. Mais elle devina qu'il faisait un effort considérable pour lui ouvrir son cœur, si bien gardé, et que quelques encouragements de sa part donneraient peut-être des résultats surprenants.

— Puisque Saint-Vincent possède un avantage incontestable en ce qui concerne le physique et le charme, continua Marcus d'un ton égal, je me suis dit que le seul moyen pour moi de faire pencher la balance était de faire preuve d'une détermination sans faille. C'est la raison pour laquelle je l'ai rencontré ce matin, afin…

— Non, ce n'est pas vrai, protesta Lillian malgré elle.

— Pardon ?

— Il ne possède pas d'avantage sur toi, déclara Lillian, qui rougit en découvrant qu'il ne lui était guère plus facile qu'à lui d'ouvrir son cœur. Tu peux te montrer tout à fait charmant quand cela t'arrange. Quant à ton physique…

De rouge, elle devint écarlate.

— Je te trouve très séduisant, lâcha-t-elle. Depuis… depuis toujours. Je n'aurais jamais pu me donner à toi hier si je ne t'avais pas désiré, indépendamment de la quantité d'eau-de-vie que j'avais bue.

Un sourire éclaira le visage de Marcus. Tendant la main vers son peignoir béant, il en rapprocha doucement les bords et passa le dos de sa main le long de sa gorge.

— Je peux donc en déduire que ta réticence à m'épouser a plus à voir avec l'idée d'être contrainte qu'avec un préjugé personnel ?

Absorbée par le plaisir que lui procurait sa caresse, Lillian lui jeta un regard interloqué.

— Hmm ?

— Ma question est : envisagerais-tu de devenir ma femme si je te promettais de ne pas t'y forcer ? reprit-il avec un petit rire.

— Je… je pourrais l'envisager, reconnut-elle avec prudence. Mais si tu as l'intention de te conduire en seigneur médiéval et d'essayer de m'intimider pour m'obliger à faire ce que tu veux…

— Non, je n'essaierai pas de t'intimider, dit-il avec une gravité que démentait l'étincelle amusée dans son regard. Il est évident qu'une telle tactique ne donnerait rien. J'ai trouvé à qui parler, semble-t-il.

Apaisée par cette déclaration, Lillian se détendit. Elle ne protesta même pas quand il l'attira sur ses genoux et posa la main sur sa hanche en un geste plus réconfortant que sensuel.

— Le mariage est une association, reprit-il en l'observant d'un air rusé. Et puisque je ne m'associe jamais en affaires sans avoir d'abord négocié les termes, nous ferons de même. Juste toi et moi, dans l'intimité. Il y aura sans doute quelques points de friction... mais tu découvriras que je suis assez versé dans l'art du compromis.

— Mon père voudra avoir le dernier mot en matière de dot.

— Je ne parlais pas de questions financières. Ce que je veux de toi, c'est quelque chose que ton père ne peut négocier.

— Tu as l'intention de discuter de choses comme... ce que nous attendons l'un de l'autre ? Et l'endroit où nous allons vivre ?

— Précisément.

— Et si je disais que je ne veux pas vivre à la campagne... que je préfère Londres au Hampshire... tu accepterais de vivre à Marsden Terrace ?

— Je pourrais faire quelques concessions, dit-il en la considérant d'un air pensif. Encore qu'il me faudrait revenir fréquemment ici pour m'occuper du domaine. J'en conclus que tu n'es pas vraiment séduite par Stony Cross Park ?

— Oh non, pas du tout ! Je l'aime énormément. Ma question était hypothétique.

— Il n'empêche que tu es accoutumée aux plaisirs de la ville.

— Je serais très heureuse de vivre ici, affirma Lillian en songeant à la beauté du Hampshire, avec ses forêts, ses rivières et ses prairies où elle s'imaginait déjà jouant avec ses enfants.

Il y avait aussi le village, ses figures pittoresques et ses fêtes qui animaient périodiquement la vie paisible de la campagne. Quant au manoir, il était magnifique et pourtant intime, avec ses coins et recoins où il serait agréable de se blottir durant les jours pluvieux… ou les nuits amoureuses. Elle ne put s'empêcher de rougir en songeant que le propriétaire de Stony Cross Park était de loin son atout le plus séduisant. Où qu'ils résident, la vie avec cet homme plein de vitalité ne serait jamais morne.

— Évidemment, continua-t-elle d'un air entendu, je serais encore plus disposée à m'installer dans le Hampshire si j'étais un jour autorisée à remonter à cheval.

Cette déclaration fut accueillie par un rire à peine contenu.

— Je demanderai à un garçon d'écurie de te seller Starlight ce matin même.

— Oh, *merci* ! dit-elle d'un ton ironique. Deux jours avant la fin de la partie de campagne, tu me permets de monter. Pourquoi maintenant ? Parce que j'ai fait l'amour avec toi hier ?

Un sourire paresseux se dessina sur les lèvres de Marcus et il lui caressa furtivement la hanche.

— Tu aurais dû le faire il y a des semaines. Je t'aurais donné toute liberté de parcourir le domaine.

Lillian se mordit l'intérieur de la joue pour s'empêcher de lui rendre son sourire.

— Je vois. Dans ce mariage, je serai obligée de négocier mes faveurs sexuelles chaque fois que je voudrai obtenir quelque chose de toi.

— Pas du tout. Encore que… tes faveurs semblent me mettre dans de bonnes dispositions, ajouta-t-il, une lueur taquine dans le regard.

Marcus flirtait avec elle, plus détendu et badin qu'elle ne l'avait jamais vu. Lillian aurait parié que peu de gens reconnaîtraient le digne comte de West-cliff dans l'homme assis sur le tapis avec elle. Comme il laissait glisser la main sur son mollet, puis lui pinçait gentiment la cheville, elle se rendit compte que son bien-être allait bien au-delà des sensations physiques. La passion qu'elle éprouvait pour lui semblait ancrée au plus profond d'elle-même.

— Nous nous entendrons bien, tu crois ? demanda-t-elle, dubitative, en jouant avec son nœud de cravate. Nous sommes à l'opposé l'un de l'autre dans presque tous les domaines.

Inclinant la tête, Marcus posa les lèvres sur la peau tendre de son poignet.

— J'en viens à croire que prendre une femme exactement semblable à moi serait la pire des décisions.

— Tu as peut-être raison, murmura Lillian, songeuse. Tu as besoin d'une femme qui ne te laissera pas avoir gain de cause tout le temps. Une femme...

Elle s'interrompit en frissonnant quand il chatouilla de la pointe de la langue un point sensible à l'intérieur de son coude.

— Une femme, reprit-elle en s'efforçant de se ressaisir, prête à te faire redescendre d'un cran quand tu deviens trop pontifiant...

— Je ne suis jamais pontifiant.

— Comment appelles-tu cela, quand tu t'obstines comme si tu avais toujours raison, et que les autres n'étaient que des idiots ?

— Il se trouve que, la plupart du temps, les gens qui ne sont pas d'accord avec moi sont des idiots, fit-il valoir après avoir déposé un baiser à la base de son cou. Ce n'est pas ma faute.

Avec un rire un peu haletant, elle posa la tête sur son bras pour offrir sa gorge au butinage de ses lèvres.

— Quand allons-nous négocier ? s'enquit-elle, d'une voix si rauque qu'elle en fut surprise.

— Ce soir. Tu viendras dans ma chambre.

Elle lui adressa un regard sceptique.

— Ce ne serait pas une ruse pour m'attirer dans un piège où tu abuserais de moi sans scrupules ?

Marcus s'écarta pour la regarder et répondit avec gravité :

— Bien sûr que non. j'ai l'intention d'avoir une discussion sérieuse qui permettra de dissiper tes doutes éventuels quant à notre mariage.

— Oh...

— Et ensuite, j'abuserai de toi sans scrupules.

Le sourire de Lillian disparut sous ses lèvres quand il l'embrassa. C'était la première fois qu'elle entendait Marcus faire une remarque libertine. Il était d'ordinaire trop collet monté pour s'abandonner au genre d'irrévérence qu'elle pratiquait si naturellement. Qui sait, peut-être était-ce un signe de l'influence qu'elle avait sur lui ?

— Pour le moment, cependant, continua Marcus, j'ai un problème logistique à résoudre.

— Quel problème ?

Du pouce, il dessina le contour de sa bouche et, comme s'il ne pouvait s'en empêcher, lui vola un dernier baiser.

— Le problème, murmura-t-il, c'est de savoir comment je vais te ramener à l'étage sans que personne d'autre ne te voie en chemise de nuit.

20

Peut-être était-ce Daisy qui avait « lâché le morceau », comme on disait à New York ; ou peut-être était-ce Annabelle, informée par son mari de la scène qu'il avait surprise dans le bureau ; toujours est-il que Lillian devina, en arrivant dans le salon pour une collation en milieu de matinée, que ses trois amies étaient au courant. Elle le lut sur leurs visages, dans le sourire confus d'Evangeline, l'expression de conspiratrice de Daisy et la désinvolture étudiée d'Annabelle. Lillian rougit et évita leur regard en prenant place à table. Elle qui arborait toujours un air cynique, pour dissimuler son embarras, sa peur ou sa solitude, se sentait à cet instant incroyablement vulnérable.

Annabelle fut la première à rompre le silence.

— Quelle matinée ennuyeuse, observa t-elle avant de réprimer un bâillement. Personne n'a de potin à raconter, par hasard ?

Elle posa un œil malicieux sur Lillian. Un domestique s'étant approché pour remplir la tasse de cette dernière, elle attendit qu'il se fût éloigné pour remarquer :

— Tu as fait une apparition plutôt tardive, ce matin, ma chérie. Tu n'as pas bien dormi ?

Tandis qu'Evangeline s'étranglait avec son thé, Lillian considéra son amie joyeusement moqueuse en plissant les yeux.

— Il se trouve que non.

Annabelle sourit jusqu'aux oreilles, l'air ravi.

— Pourquoi ne nous apprends-tu pas ta nouvelle, Lillian, et ensuite, je vous ferai part de la mienne ? Encore que je doute que la mienne soit à moitié aussi intéressante.

— Vous semblez déjà tout savoir, marmonna Lillian en essayant de noyer sa gêne dans une grande gorgée de thé.

Elle ne réussit qu'à se brûler la langue et reposa sa tasse. Elle s'obligea à croiser le regard d'Annabelle, qui exprimait à présent une sympathie amusée.

— Ça va ? demanda celle-ci doucement.

— Je ne sais pas, admit Lillian. Je ne me sens plus moi-même. Je suis excitée et heureuse, mais aussi...

— Effrayée ? murmura Annabelle.

La Lillian d'il y a un mois serait morte sous la torture plutôt que de reconnaître sa peur. Mais elle se surprit à hocher la tête.

— Je n'aime pas me sentir vulnérable face à un homme qui n'est pas réputé pour sa sensibilité ou sa compassion. Il est assez évident que nos tempéraments ne sont pas compatibles.

— Mais tu es attirée par lui physiquement ? demanda Annabelle.

— Malheureusement, oui.

— Pourquoi « malheureusement » ?

— Parce que ce serait tellement plus facile d'épouser un homme pour qui on n'éprouverait qu'une amitié détachée plutôt que... que...

Ses trois compagnes se penchèrent vers elle, tout ouïe.

— Plut... plutôt que quoi ? la pressa Evangeline.

— Plutôt qu'une passion flamboyante, sauvage, choquante et positivement indécente.

— Ô mon Dieu, murmura Evangeline en retombant contre le dossier de sa chaise, tandis qu'Annabelle souriait de toutes ses dents, et que Daisy fixait sa sœur avec une curiosité empreinte de fascination.

— Tout cela pour un homme qui embrassait de manière «passable»? demanda Annabelle.

Lillian ne put s'empêcher de sourire.

— Qui aurait pu deviner que quelqu'un d'aussi rigide et collet monté se montrerait si différent dans la chambre à coucher?

— Avec toi, j'imagine qu'il ne peut s'en empêcher, commenta Annabelle.

— Pourquoi dis-tu cela? demanda Lillian avec méfiance, craignant soudain qu'Annabelle ne fasse allusion à son parfum.

— Dès que tu entres dans une pièce, le comte s'anime. Il est évident que tu le fascines. On peut à peine tenir une conversation avec lui, car il tend constamment l'oreille pour surprendre tes paroles, et il surveille le moindre de tes gestes.

— Vraiment? fit Lillian avec une nonchalance affectée. Pourquoi n'en as-tu jamais parlé?

— Je ne voulais pas m'en mêler vu qu'il ne semblait pas impossible que tu ne lui préfères Saint-Vincent.

Lillian fit la grimace, puis leur raconta la scène mortifiante avec Marcus et Saint-Vincent.

— Difficile d'éprouver de la compassion pour lord Saint-Vincent quand on sait qu'il a brisé de nombreux cœurs et fait couler quantité de larmes, observa Annabelle. Il ne semble que justice qu'il découvre à son tour ce que l'on ressent à être rejeté.

— Il n'empêche que j'ai l'impression de l'avoir trompé, dit Lillian. Et il s'est montré si gentil. Il n'a pas prononcé un seul mot de reproche. Je n'ai pu m'empêcher de l'en aimer davantage.

— Sois prud... prudente, conseilla Evangeline. D'après ce que nous avons entendu dire de lord Saint-Vinc... Vincent, il n'est pas du genre à se résigner aisément. S'il t'approche de nouveau, pro...

promets de ne pas accepter de te rendre quelque part seule avec lui.

— Evangeline, je ne te connaissais pas aussi cynique, s'étonna Lillian. Très bien, je promets. Mais il n'y a pas à s'inquiéter. Je doute que lord Saint-Vincent soit assez imprudent pour se faire un ennemi d'un homme aussi puissant que le comte.

Désireuse de changer de sujet, elle reporta son attention sur Annabelle.

— Je vous ai fait part de ma nouvelle, à toi de révéler la tienne.

Après avoir glissé un coup d'œil autour d'elle pour s'assurer qu'on ne les écoutait pas, Annabelle chuchota :

— Je suis presque certaine d'être enceinte. J'ai eu des symptômes ces derniers temps… nausées, envie de dormir… et cela fait deux mois que je n'ai pas eu mes règles.

Ses amies demeurèrent bouche bée, puis Daisy tendit la main par-dessus la table pour presser discrètement celle d'Annabelle.

— Ma chérie, c'est la plus merveilleuse des nouvelles ! Est-ce que M. Hunt est au courant ?

Le sourire d'Annabelle se transforma en une légère grimace.

— Pas encore. Je veux en être absolument certaine quand je le lui annoncerai. Et je préfère le laisser dans l'ignorance le plus longtemps possible.

— Pourquoi ? s'enquit Lillian.

— Parce que dès qu'il l'apprendra, il se montrera si protecteur que je n'aurai plus le droit de faire trois pas toute seule.

Connaissant Simon Hunt, ses trois amies ne se seraient pas risquées à la détromper.

— Quel triomphe ! s'exclama Daisy à voix basse. Tu faisais tapisserie l'année dernière, et tu te retrouves future maman cette année ! Tout a magnifiquement tourné pour toi, ma chérie.

— Et maintenant, c'est au tour de Lillian, déclara Annabelle en souriant.

Les nerfs à vif, Lillian réagit avec un mélange de plaisir et d'inquiétude à ces mots.

— Qu'y a-t-il ? murmura Daisy en aparté, alors que les deux autres parlaient avec animation du bébé à venir. Tu sembles préoccupée. Tu as des doutes ?... Je suppose que c'est naturel.

— Si je l'épouse, nous sommes sûrs de nous bagarrer comme chien et chat.

— Serait-il possible que tu t'attardes trop sur vos différences ? J'ai comme l'impression que le comte et toi avez plus en commun que tu ne le crois.

— En quoi pourrions-nous être semblables ?

— Réfléchis, lui conseilla sa sœur avec un grand sourire. Je suis sûre que tu trouveras quelque chose.

Ayant convoqué sa mère et sa sœur dans le salon des Marsden, Marcus se tenait devant elles, les mains croisées derrière le dos. Il se retrouvait en position de devoir faire confiance à son cœur plutôt que d'obéir à la voix de la raison. C'était là une attitude inconnue des Marsden. La famille était renommée pour sa lignée ininterrompue de personnages froids et pragmatiques, à l'exception d'Aline et d'Olivia. Marcus, pour sa part, n'avait pas failli à la tradition... jusqu'à ce que Lillian Bowman entre dans sa vie avec la subtilité d'un ouragan.

À présent, l'engagement qu'il s'apprêtait à prendre vis-à-vis de cette forte tête lui procurait un sentiment de paix comme il n'en avait jamais connu. Il ne put réprimer une grimace amusée : comment allait-il annoncer à la comtesse qu'elle allait avoir enfin une belle-fille... qui se trouvait être la dernière fille qu'elle aurait choisie pour ce rôle ?

Olivia était assise dans un fauteuil, tandis que la comtesse siégeait sur le sofa, comme à son habitude. Marcus ne put s'empêcher d'être frappé par la différence entre leurs regards, celui de sa sœur étant attentif et chaleureux, celui de sa mère morne et méfiant.

— Maintenant que tu m'as tirée de ma sieste, dit la comtesse d'un ton acerbe, je te prie de bien vouloir m'en donner la raison. Quelle nouvelle était si pressante qu'il t'a fallu me déranger à cette heure ? Encore une lettre sans importance au sujet du bâtard de ta sœur, je suppose. Eh bien, qu'on en finisse !

Marcus serra les dents. Cette allusion peu charitable à son neveu lui ôta toute envie d'annoncer la nouvelle avec ménagement. Soudain, il éprouva une immense satisfaction à la perspective d'annoncer à sa mère que tous ses petits-enfants – le futur héritier du titre compris – seraient à demi américains.

— Je suis certain que vous serez heureuse d'apprendre que j'ai suivi vos conseils et que j'ai enfin choisi une épouse, commença-t-il d'un ton affable. Bien que je ne l'aie pas encore officiellement demandée en mariage, j'ai de bonnes raisons de croire qu'elle acceptera lorsque je le ferai.

La comtesse cilla, et son expression s'altéra.

Olivia, quant à elle, le regarda avec un sourire ravi. En voyant l'étincelle espiègle dans son regard, Marcus la soupçonna d'avoir deviné l'identité de l'heureuse élue.

— C'est merveilleux, dit-elle. Tu as enfin trouvé quelqu'un qui te supportera, Marcus ?

— Apparemment, répondit-il en lui rendant son sourire. Encore que je sois tenté d'accélérer les préparatifs du mariage de peur qu'elle ne retrouve son bon sens et s'enfuie.

— Fadaises ! lança la comtesse d'un ton sec. Aucune femme ne fuirait à la perspective d'épouser le comte de Westcliff. Le jour où tu l'épouseras, ta femme se verra offrir l'insigne honneur d'être admise au sein de la plus ancienne famille aristo-cratique d'Angleterre. À présent, dis-moi qui tu as choisi.

— Mlle Lillian Bowman.

La comtesse émit un grognement impatient.

— Épargne-moi tes sottes plaisanteries, Westcliff. Comment s'appelle-t-elle ?

Olivia se trémoussait presque de joie. Tout en adressant un sourire radieux à Marcus, elle s'inclina vers sa mère et chuchota avec force :

— Je crois qu'il est sérieux, mère. C'est vraiment Mlle Bowman.

— C'est impossible ! s'écria la comtesse, frappée d'horreur. J'exige que tu renonces à cette insanité, Westcliff, et que tu te reprennes. Il est hors de question que j'aie cette créature atroce pour belle-fille !

— Pourtant, vous l'aurez, déclara Marcus.

— Tu pourrais choisir n'importe quelle fille ici ou sur le Continent… Des filles dotées d'une lignée et d'une éducation acceptables…

— C'est Mlle Bowman que je veux.

— Jamais elle ne pourra entrer dans le moule d'une Marsden.

— Alors, il faudra casser le moule.

La comtesse eut un rire méprisant.

— Quelle folie s'est emparée de toi ? Cette fille est une moins-que-rien ! Comment peux-tu envisager d'imposer à tes enfants le fardeau d'une mère qui attaquera nos traditions, méprisera nos coutumes et se moquera comme d'une guigne de leur incul-quer les bonnes manières ? À quoi te servira une telle mésalliance ? Bon sang, Westcliff !

Elle s'interrompit pour reprendre son souffle puis, condamnant dans un même regard le frère et la sœur, explosa de nouveau :

— D'où vous vient cette obsession infernale pour les Américains ?

— Quelle intéressante question, mère, intervint Olivia. Pour une raison inconnue, aucun de vos rejetons ne supporte l'idée d'épouser l'un de ses semblables. À quoi attribues-tu cela, Marcus ?

— Je présume que la réponse ne serait flatteuse pour aucun de nous, répondit ce dernier, sardonique.

— Tu as la responsabilité d'épouser une fille de bonne souche, vociféra la comtesse. Le but de ton existence est de perpétuer le lignage des Marsden, et de préserver son titre et ses ressources pour tes héritiers. Et tu as lamentablement échoué jusqu'à présent.

— *Échoué ?* répéta Olivia, furieuse. Marcus a quadruplé la fortune familiale depuis la mort de père, il a amélioré les conditions de vie de chaque domestique et de chaque métayer de ce domaine. Il a présenté des projets de loi au Parlement en faveur des ouvriers, et a créé plus de cent emplois dans l'usine de locomotives. Et plus que tout, il a été le frère le plus gentil que l'on...

— Olivia, murmura Marcus, tu n'as pas à me défendre.

— Si ! Après tout ce que tu as fait pour les autres, pourquoi ne pourrais-tu pas épouser la fille de ton choix – une fille adorable, au demeurant – sans avoir à subir les discours stupides de mère sur le lignage ?

La comtesse fixa sur sa fille cadette un regard haineux.

— Tu es malvenue de t'immiscer dans une discussion sur le lignage vu que tu ne peux guère être considérée comme une Marsden. Dois-je te rappeler que tu n'es que le résultat d'une nuit avec un domestique de passage ? Feu le comte n'a eu d'autre choix que de t'accepter plutôt que d'être taxé de cocu, mais il n'empêche que...

— Taisez-vous ! l'interrompit sèchement Marcus en tendant la main vers sa sœur, qui avait blêmi. Olivia...

Son origine n'était pas une surprise pour elle, mais la comtesse n'avait jamais osé l'évoquer aussi ouvertement. Olivia se leva et s'approcha de Marcus. Refermant un bras protecteur autour d'elle, il l'attira contre lui pour lui murmurer à l'oreille :

— Il vaudrait mieux que tu t'en ailles, à présent. Certaines choses doivent être dites, et je ne voudrais pas que tu te retrouves prise sous le feu.

— Ce n'est rien, assura Olivia, la voix à peine tremblante. Je me moque de ce qu'elle peut dire... Il y a longtemps qu'elle a perdu le pouvoir de me blesser.

— Mais moi, cela me peine pour toi. Va retrouver ton mari, Olivia, pour qu'il te réconforte pendant que j'affronte la comtesse.

Olivia leva vers lui un regard calme.

— Je vais aller le retrouver. Mais je n'ai pas besoin d'être réconfortée.

— Tu es un amour, murmura-t-il en lui embrassant le sommet du crâne.

Surprise par cette démonstration d'affection, Olivia gloussa, puis s'écarta de lui.

— Qu'est-ce que vous chuchotez ? demanda la comtesse d'un ton sec.

L'ignorant, Marcus raccompagna sa sœur à la porte, qu'il referma doucement derrière elle. Quand il se retourna, il fixa un regard sombre sur sa mère.

— Les circonstances de la naissance d'Olivia ne reflètent pas son caractère, mais le vôtre. Je me moque comme d'une guigne que vous ayez eu un domestique pour amant, et même que vous ayez porté son enfant... mais je ne supporte absolument pas que vous fassiez rejaillir le blâme sur Olivia. Elle a vécu à l'ombre de vos méfaits durant toute sa vie, et payé chèrement vos incartades passées.

— Je ne demanderai pas pardon d'avoir eu des besoins, riposta la comtesse. Faute d'attention de la part de votre père, il m'a fallu prendre mon plaisir là où je le trouvais.

— Et vous avez laissé Olivia en supporter les conséquences. J'ai vu la manière dont, enfant, elle était maltraitée et négligée, mais je ne pouvais rien faire pour la protéger à l'époque. À présent, je le peux. Il n'y aura plus aucune allusion à ce sujet devant elle. *Jamais*. Vous m'entendez ?

Il s'exprimait d'un ton mesuré, la comtesse dut cependant percevoir la fureur qui bouillonnait en lui, car elle se contenta de hocher la tête.

Une minute entière s'écoula tandis qu'ils s'employaient à tenir en bride leurs émotions. La comtesse fut la première à lancer l'offensive.

— Westcliff, dit-elle, t'est-il venu à l'esprit que ton père aurait méprisé cette Bowman et tout ce qu'elle représente ?

Marcus la fixa d'un air ébahi.

— Non, finit-il par répondre.

Son père était absent de ses pensées depuis si longtemps qu'il n'avait pas songé un instant à s'interroger sur l'impression que Lillian Bowman lui aurait faite. Que sa mère puisse penser qu'il s'en souciât le stupéfiait.

Supposant qu'elle lui avait donné matière à réfléchir, la comtesse continua avec une détermination croissante :

— Tu as toujours désiré lui plaire, et tu y as souvent réussi, même s'il le reconnaissait rarement. Tu ne me croiras peut-être pas, mais ton père ne songeait qu'à ton intérêt. Il voulait faire de toi un homme digne de son titre, un homme puissant et craint. Comme lui. Et il y est parvenu en grande partie.

Ces paroles étaient censées flatter Marcus. Elles eurent l'effet inverse, et l'atteignirent comme une flèche en pleine poitrine.

— Non, il n'y est pas parvenu, répliqua-t-il d'une voix rauque.

— Tu sais quel genre de femme il aurait voulu pour porter ses petits-enfants, enchaîna la comtesse. Cette fille n'est pas digne de toi, Westcliff. Elle n'est pas digne de ton nom ni de ton sang. Imagine une rencontre entre ton père et elle. Tu sais très bien qu'il l'aurait méprisée.

Marcus vit soudain Lillian face à son démon de père, qui avait impressionné et terrifié tous ceux qui croisaient son chemin. Pas un instant, il ne douta qu'elle aurait réagi face au vieux comte avec son irrévérence coutumière. Elle n'aurait pas eu peur de lui.

Son silence prolongé incita la comtesse à user d'un ton plus conciliant.

— Certes, elle ne manque pas de charme. Je comprends très bien la séduction que peuvent exercer sur nous nos inférieurs – notamment pour satisfaire nos envies d'exotisme. Si tu la veux, eh bien, prends-la ! La solution est évidente : lorsque vous aurez tous deux épousé une autre personne, vous pourrez avoir une liaison jusqu'à ce que tu te lasses d'elle. Pour nous, l'amour se trouve toujours en dehors du mariage… et c'est mieux ainsi, tu verras.

Un silence irréel régnait dans la pièce tandis que l'esprit de Marcus bouillonnait de souvenirs taraudants et résonnait des échos amers de voix depuis longtemps éteintes. Même s'il méprisait le rôle de martyr et ne s'était jamais considéré comme tel, il ne pouvait s'empêcher de constater que, pendant la plus grande partie de sa vie, il avait endossé ses responsabilités sans que personne ne prenne en compte ses propres aspirations. Il avait enfin trouvé une femme qui lui offrait la chaleur et la joie dont il avait été si longtemps privé. Et, que diable, il avait le droit d'exiger le soutien de sa famille et de ses amis, quelles que soient leurs réserves !

Ses pensées s'aventurèrent sur le sombre territoire de ses plus jeunes années, quand son père renvoyait toute personne pour laquelle il se prenait d'affection. Afin de le prémunir contre toute faiblesse. Afin qu'il ne dépende de personne d'autre que de lui-même. L'isolement avait régi son existence entière. Mais c'était terminé.

Quant à la suggestion de sa mère – qu'il ait une liaison avec Lillian lorsqu'ils seraient tous deux mariés –, elle l'offensait au-delà des mots.

— Écoutez-moi bien, dit-il enfin, quand il fut sûr d'avoir recouvré assez de sang-froid. Avant le début de cette conversation, j'étais déterminé à faire d'elle ma femme. Mais s'il était encore possible de renforcer ma résolution, vos paroles y auront contribué. N'ayez aucun doute lorsque je déclare que Lillian Bowman est la *seule femme sur terre* que j'envisagerai jamais d'épouser. Ses enfants seront mes héritiers, ou la lignée des Marsden s'éteindra avec moi. Le moindre mot, le moindre geste qui menaceront son bonheur seront immédiatement suivis de conséquences. Vous ne lui fournirez jamais de raison de croire que ce mariage ne vous agrée pas. Au premier mot laissant entendre le contraire, vous serez envoyée loin du domaine. Loin d'Angleterre. Pour toujours.

— Tu ne parles pas sérieusement. Tu es en colère. Plus tard, quand tu te seras calmé, nous…

— Je ne suis pas en colère. Et je suis mortellement sérieux.

— Tu es devenu fou !

— Non, milady. Pour la première fois de ma vie, j'ai une chance d'être heureux… et je ne la gâcherai pas.

— Espèce d'insensé ! éructa la comtesse, qui tremblait de fureur.

— Quoi qu'il advienne, épouser Mlle Bowman sera la chose la plus sensée que j'aurai jamais faite, répliqua-t-il avant de prendre congé en s'inclinant brièvement.

21

Un peu plus tard dans la matinée, Annabelle se leva avec un murmure d'excuse.

— J'ai de nouveau la nausée, dit-elle à ses amies. Je vais me retirer dans ma chambre. Heureusement que M. Hunt est allé faire une promenade à cheval...

— Je... je t'accompagne jusqu'à ta chambre, proposa Evangeline.

— Oh, Evangeline, c'est très gentil, mais c'est inutile !

— C'est une excuse toute trouvée pour... pour éviter tante Flo... Florence qui doit être en train de me chercher.

— Dans ce cas, je te remercie, fit Annabelle qui s'appuya sur son bras avec gratitude.

Alors que Daisy et Lillian quittaient à leur tour le salon, elles aperçurent lady Olivia qui traversait le vestibule, l'air troublé. C'était étrange de lui voir les sourcils froncés, elle qui était d'ordinaire si joyeuse.

Son visage s'éclaircit quand elle remarqua les deux sœurs.

— Bonjour, les salua-t-elle avec un sourire chaleureux.

Elle n'avait que deux ou trois ans de plus que Lillian, mais semblait infiniment plus mûre, avec, au fond des yeux, une gravité qui trahissait des épreuves passées. Parce qu'elle en avait conscience, Lillian se sentait toujours un peu empruntée en présence de lady Olivia. Celle-ci avait beau être d'une affabilité charmante, on avait l'impression qu'il y avait des sujets sensibles ou des questions qu'il valait mieux ne pas aborder.

— Je me rendais dans l'orangerie, leur dit lady Olivia.

— Nous n'allons pas vous retenir, dans ce cas, fit Lillian, fascinée de surprendre dans ses traits une infime ressemblance avec ceux de Westcliff.

— Si vous veniez avec moi, suggéra lady Olivia qui, semblant obéir à une impulsion, prit Lillian par la main. Je viens juste d'avoir une conversation fort intéressante avec le comte. J'aimerais beaucoup en discuter avec vous.

Seigneur, il avait parlé à sa sœur ! Et peut-être aussi à sa mère. Lillian jeta un regard affolé à Daisy, qui ne lui fut d'aucun secours.

— Je vais chercher un roman dans la bibliothèque, annonça celle-ci d'un ton guilleret. Celui que je lis en ce moment est assez décevant et je n'ai pas envie de le finir.

— Dernière colonne à droite, à deux étagères du sol, lui conseilla lady Olivia. Regardez derrière la première rangée de livres. C'est là que j'ai caché mes romans préférés – des histoires atroces qu'aucune fille innocente ne devrait lire. Elles vont vous corrompre jusqu'à la moelle.

Les yeux sombres de Daisy pétillèrent.

— Oh, merci ! s'écria-t-elle avant de décamper sans un regard en arrière.

— Venez, fit lady Olivia avec un sourire. Si nous devons devenir sœurs, il y a des choses qu'il vous faut savoir. Je suis une inestimable source d'informations, et je me sens d'humeur bavarde.

Amusée, Lillian se laissa entraîner dans l'orangerie.

— Je ne suis pas totalement certaine que nous deviendrons sœurs, fit-elle remarquer en s'asseyant près de lady Olivia sur un canapé en rotin. Si le comte a laissé entendre que nous nous étions engagés...

— Non, il n'est pas allé aussi loin. Il a cependant fait part d'intentions assez sérieuses à votre égard.

Dans ses yeux noisette pailletés de vert, Lillian lut un mélange de curiosité souriante et de circonspection.

— Nul doute que je devrais me montrer discrète et pleine de tact, reprit Olivia, mais j'en suis tout simplement incapable, et il faut que je pose la question : comptez-vous dire oui ?

Lillian, qui n'était pourtant jamais à court de mots, se surprit à bégayer aussi dramatiquement qu'Evangeline.

— Je... je...

— Pardonnez-moi, dit lady Olivia, ayant pitié d'elle. Comme tous ceux qui me connaissent bien en attesteront, j'adore intervenir dans les affaires des autres avec mes gros sabots. J'espère que je ne vous ai pas choquée.

— Non.

— Parfait. Il semblerait que j'aie quelque difficulté à m'entendre avec les gens qui se choquent facilement.

— Moi aussi, avoua Lillian, plus détendue, soudain.

Elles échangèrent un sourire, puis Lillian enchaîna :

— Milady, la situation étant ce qu'elle est... Bien que vous n'en connaissiez pas les détails, à moins que le comte...

— Non, je n'en connais pas les détails, la rassura doucement lady Olivia. Comme toujours, mon frère est resté muet comme une carpe. C'est un homme excessivement discret, qui adore mettre au supplice les personnes curieuses comme moi. Je vous écoute.

— La vérité, c'est que je veux dire oui, confessa Lillian avec franchise. Mais que j'ai quelques réserves.

— Quoi d'étonnant ? Marcus est un homme écrasant. Il fait tout bien et s'assure que tout le monde en ait conscience. On ne peut entreprendre la tâche la plus simple, comme se brosser les dents, par exemple, sans qu'il vous conseille de commencer par les molaires plutôt que par les incisives.

— C'est vrai !

— Un homme affreusement pénible, autoritaire, manichéen au dernier degré… Pour ne rien dire de son incapacité à admettre qu'il puisse avoir tort.

Il était évident que lady Olivia aurait pu continuer à énumérer les défauts de Marcus, mais Lillian éprouva une soudaine envie de le défendre. Après tout, il n'était pas juste de le dépeindre de manière aussi impitoyable.

— Tout cela est peut-être vrai, dit-elle, mais il faut reconnaître à lord Westcliff une grande honnêteté. Il tient toujours parole. Et même lorsqu'il se montre autoritaire, c'est parce qu'il essaye de faire ce qu'il suppose être le mieux pour les autres.

— Certes… murmura lady Olivia, dubitative, ce qui suffit pour encourager Lillian à poursuivre sur sa lancée :

— En outre, la femme qui épousera lord Westcliff n'aura pas à redouter qu'il aille voir ailleurs. Il lui sera fidèle. Avec lui, elle se sentira en sécurité parce qu'il prendra toujours soin d'elle et gardera la tête froide en cas d'urgence.

— Mais il est rigide, insista lady Olivia.

— Pas vraiment…

— Et froid, ajouta lady Olivia en secouant la tête d'un air de regret.

— Oh non, pas le *moins* du monde ! C'est le plus…

Elle s'interrompit brusquement et devint écarlate en voyant le sourire satisfait de lady Olivia. Elle s'était bel et bien fait piéger.

— Mademoiselle Bowman, murmura lady Olivia, vous parlez comme une femme amoureuse. Et j'espère avec ferveur que vous l'êtes. Parce qu'il a fallu si longtemps à Marcus pour vous trouver… que j'aurais le cœur brisé pour lui si son amour n'était pas payé de retour.

Lillian tressaillit comme son propre cœur se mettait à battre la chamade.

— Il ne m'aime pas, dit-elle d'une voix tremblante. En tout cas, il n'a rien dit en ce sens.

— Je n'en suis pas surprise. Mon frère a tendance à exprimer ses sentiments avec des actions plutôt que des paroles. Il vous faudra être patiente avec lui.

— C'est ce que je découvre, répliqua sombrement Lillian, ce qui provoqua le rire de lady Olivia.

— Je ne le connais pas aussi bien que ma sœur aînée, Aline. Ils sont beaucoup plus proches en âge, et elle était sa confidente jusqu'à ce qu'elle parte en Amérique avec son mari. C'est Aline qui m'a expliqué beaucoup de choses sur Marcus, notamment quand il me donnait des envies de meurtre.

Immobile, Lillian écoutait sa compagne avec attention. Jusqu'à cet instant, elle n'avait pas mesuré à quel point elle souhaitait comprendre Marcus. Elle trouvait incongru, auparavant, l'acharnement d'une personne amoureuse à collectionner les souvenirs, lettres, boucle de cheveux, gant égaré, bague… Elle découvrait ce que signifiait d'être obsédée par quelqu'un. Elle était en proie au besoin compulsif de connaître les plus infimes détails concernant cet homme qui semblait d'une franchise redoutable et se révélait pourtant insondable.

Considérant d'un air songeur les plantes disposées sur les étagères, lady Olivia reprit :

— Il y a des choses sur son passé que Marcus ne révélera jamais à personne. Il trouve peu viril de se plaindre, et il mourrait à petit feu plutôt que de susciter de la compassion. Et s'il apprend un jour que je vous en ai parlé, je ne donne pas cher de ma peau.

— Je garde très bien les secrets, assura Lillian.

Lady Olivia lui adressa un bref sourire, puis elle s'abîma dans la contemplation de sa chaussure, qui pointait sous sa robe.

— Vous vous entendrez bien avec les Marsden, dans ce cas. Nous sommes tous plus secrets les uns que les autres. Et aucun de nous n'aime évoquer le passé. Marcus, Aline et moi avons tous souffert, d'une manière ou d'une autre, des agissements de nos parents qui, à mon avis, n'étaient pas faits pour avoir des enfants. Ma mère ne s'est jamais intéressée qu'à elle et à ce qui la concernait directement. Quant à mon père, il n'a jamais accordé la moindre attention à ses filles.

— Je suis désolée, murmura Lillian en toute sincérité.

— Non, son indifférence était une bénédiction, et nous le savions. C'était bien pire pour Marcus, qui a été victime des idées insensées de notre père sur la manière d'élever l'héritier des Marsden.

Même si lady Olivia parlait d'une voix égale et posée, Lillian sentit un frisson la parcourir.

— Mon père n'exigeait rien de moins que la perfection chez Marcus, et il le punissait sauvagement s'il échouait en quoi que ce soit. Marcus a appris à endurer une correction sans verser une larme et sans esquisser le moindre geste de rébellion, car il savait que la punition serait doublée. Et père était impitoyable s'il venait à découvrir une quelconque faiblesse. J'ai demandé un jour à Aline pourquoi Marcus n'avait jamais beaucoup aimé les chiens. Elle m'a raconté que lorsqu'il était enfant, il avait peur d'un couple de chiens-loups qui appartenaient à notre père. Sentant sa peur, les chiens se montraient agressifs avec lui, aboyaient et grondaient quand ils le voyaient. Lorsque père a découvert à quel point Marcus les craignait, il l'a enfermé dans une pièce, seul avec eux, pour l'obliger à affronter ce qui le terrorisait. Je n'ose imaginer ce que cela a dû être, pour un petit garçon de cinq ans, de se retrouver enfermé pendant plusieurs heures avec ces bêtes.

Elle esquissa un sourire plein d'amertume.

— On pouvait faire confiance à notre père pour prendre l'expression « jeter aux chiens » au pied de la lettre. Alors qu'il aurait dû protéger son fils, il lui a délibérément fait vivre un enfer.

Lillian l'observait sans ciller. Elle voulut l'interroger, mais elle avait la gorge trop serrée. Marcus était toujours si sûr de lui qu'il était impossible de l'imaginer en enfant effrayé. Cependant, une grande partie de sa réserve était sans doute due au fait qu'il avait appris très tôt la douloureuse leçon qu'il n'y avait personne pour l'aider. Personne pour le protéger contre ses terreurs. C'était ridicule, puisque Marcus était à présent un homme fait, mais elle mourait d'envie de consoler le petit garçon qu'il avait été.

— Père souhaitait que son héritier soit indépendant et insensible, continua lady Olivia, afin que personne ne puisse profiter de lui. Aussi, dès qu'il s'apercevait que Marcus commençait à s'attacher à quelqu'un – sa nourrice, par exemple –, il le renvoyait sur-le-champ. Mon frère a découvert que montrer de l'affection à quelqu'un, c'était le perdre. Il est donc devenu distant avec tous ceux à qui il tenait, y compris Aline et moi. D'après ce que j'ai compris, les choses se sont améliorées pour lui quand il est allé en pension, où ses amis lui ont tenu lieu de famille.

Ce qui expliquait la relation amicale prolongée de Marcus avec Saint-Vincent, songea Lillian.

— Votre mère n'est jamais intervenue en faveur de ses enfants?

— Non, elle était trop préoccupée par ses propres affaires.

Toutes deux demeurèrent silencieuses un moment. Comprenant sans doute que Lillian s'efforçait d'absorber tout ce qu'elle venait de lui révéler, lady Olivia attendit patiemment qu'elle prenne la parole.

— Quel soulagement ça a dû être quand le vieux comte est décédé, finit-elle par murmurer.

— En effet. Quel triste résumé de la vie d'un homme, de constater que le monde se porte mieux sans lui.

— Il n'a pas réussi à rendre votre frère froid et insensible.

— Non, certes, murmura lady Olivia. Je suis heureuse que vous vous en rendiez compte. Marcus s'en est sorti, mais il a encore grand besoin... de légèreté.

Plutôt que d'atténuer sa curiosité au sujet de Marcus, cette conversation n'avait fait que susciter d'autres questions. D'innombrables questions. Toutefois, Lillian ne connaissait que trop peu lady Olivia pour évaluer jusqu'où elle pouvait aller sans risquer de se faire gentiment éconduire.

— À votre connaissance, milady, hasarda-t-elle finalement, lord Westcliff a-t-il déjà envisagé sérieusement de se marier? Je sais qu'il y a eu une femme pour qui il éprouvait des sentiments...

— Oh, ça... Ce n'était rien, sincèrement. Marcus se serait vite lassé d'elle si lord Saint-Vincent ne la lui avait pas soufflée. Croyez-moi, si Marcus avait voulu se battre pour elle, c'est lui qui aurait gagné. Ce qu'il n'a jamais paru comprendre – et que nous avions tous deviné –, c'est qu'il s'agissait d'un plan de la part de cette femme pour éveiller sa jalousie et se faire épouser. Mais elle a échoué parce que

Marcus ne s'intéressait pas vraiment à elle, en tout cas pas plus qu'aux autres. Comme vous vous en doutez... mon frère a eu son content d'attentions féminines. De ce côté-là, il a été un peu trop gâté, car les femmes lui tombaient pratiquement dans les bras.

Elle jeta à Lillian un regard rieur avant d'ajouter :

— Je suis certaine qu'il a trouvé rafraîchissant de rencontrer une femme qui ose le contredire.

— Je ne suis pas convaincue que «rafraîchissant» serait le terme qui lui viendrait spontanément à l'esprit, répliqua Lillian avec ironie. Il est vrai toutefois que lorsqu'il fait quelque chose qui me déplaît, je n'hésite pas à lui dire.

— Très bien. C'est précisément ce dont mon frère a besoin. Rares sont les femmes – ou les hommes, en l'occurrence – qui osent le contredire. C'est un homme fort qui demande une épouse tout aussi forte pour contrebalancer son caractère.

Sans nécessité, Lillian se mit à lisser sa jupe tout en observant avec circonspection :

— Si lord Westcliff et moi nous mariions... il s'attirerait de nombreuses objections de la part de sa famille et de ses amis, non ? Surtout de la part de la comtesse.

— Ses amis ne se permettraient pas de faire la moindre réflexion, répondit aussitôt lady Olivia. Quant à notre mère...

Elle hésita, puis déclara avec franchise :

— Elle a déjà fait clairement savoir qu'elle désapprouvait son choix. Je doute qu'elle l'approuve un jour. Cela dit, vous serez en bonne compagnie, car rares sont les personnes à trouver grâce à ses yeux. Qu'elle s'oppose à votre union vous inquiète ?

— Au contraire, elle la rend irrésistible.

— Dieu que vous me plaisez ! s'exclama lady Olivia en riant de bon cœur. Il faut absolument que vous épousiez Marcus, car j'aimerais plus que tout vous avoir pour belle-sœur.

Retrouvant son sérieux, elle ajouta :

— J'ai en outre une raison égoïste pour souhaiter que vous acceptiez. Même si M. Shaw et moi n'avons pas l'intention de nous installer immédiatement à New York, je sais que ce jour n'est pas très éloigné. À ce moment-là, je serai soulagée de savoir que Marcus est marié et que quelqu'un prend soin de lui alors que ses deux sœurs sont si loin.

Elle se leva et tapota ses jupes.

— La raison pour laquelle je vous ai confié tout cela, c'est que je voulais que vous compreniez pourquoi il est si difficile pour Marcus de se laisser aller à aimer. Difficile, mais pas impossible. Ma sœur et moi avons réussi à rompre avec le passé, avec l'aide de nos maris. Mais c'est Marcus qui porte les chaînes les plus lourdes. Je sais que ce n'est pas l'homme le plus facile à aimer. Cependant, si vous vouliez bien faire la moitié du chemin... peut-être même, un peu plus... je pense que vous n'aurez jamais à le regretter.

Telles des abeilles s'affairant dans une ruche, une armée de domestiques zélés entreprenaient de rassembler les affaires de leurs maîtres et maîtresses. Même si quelques-uns des invités partaient le jour même, la plus grande partie ne quitteraient le manoir que le surlendemain, après le grand bal clôturant cette partie de campagne.

Lillian ne cessait de se heurter à sa mère qui dirigeait, ou plutôt harcelait les deux femmes de chambre affectées à la tâche laborieuse de ranger des centaines d'effets dans les grandes malles-cabines.

Vu la tournure surprenante prise par les événements au cours des deux derniers jours, Lillian s'attendait que sa mère surveille chacune de ses paroles et chacun de ses gestes de peur qu'elle ne compromette ses fiançailles avec lord Westcliff. Cependant, Mercedes se montrait d'un calme et d'une indulgence étonnants, et paraissait choisir ses mots avec un soin extrême lorsqu'elle s'adressait à sa fille aînée. Plus étonnant encore, elle ne fit pas une seule fois allusion à lord Westcliff.

— Qu'est-ce qu'il lui arrive ? s'interrogea Lillian à voix haute.

C'était agréable de ne pas avoir à se chamailler sans cesse avec Mercedes, mais, s'il était une période au cours de laquelle Lillian pensait être soumise à rude épreuve, c'était bien celle-là.

Daisy haussa les épaules et répondit, malicieuse :

— Je suppose que, vu que tu as fait exactement le contraire de ce qu'elle conseillait, avec pour résultat de ramener lord Westcliff dans tes filets, elle a décidé de s'en remettre à toi. Je parie qu'elle sera sourde et aveugle à tout ce que tu feras, tant que tu te débrouilles pour conserver l'intérêt du comte.

— Donc... si je me glisse dans la chambre de lord Westcliff ce soir, elle n'y trouvera rien à redire ?

— Elle t'aiderait probablement si tu le lui demandais, s'esclaffa Daisy. Et que vas-tu faire avec lord Westcliff, seule dans sa chambre ?

Lillian se sentit rougir.

— Négocier.

— Oh, c'est ainsi que ça s'appelle ?

Réprimant un sourire, Lillian plissa les yeux.

— Ne sois pas impertinente ou je ne te raconterai pas les détails les plus scabreux.

— Inutile, rétorqua Daisy d'un air dégagé. J'ai lu les romans que lady Olivia m'avait conseillés... et j'ose dire, à présent, que j'en sais plus qu'Annabelle et toi réunies.

Lillian ne put s'empêcher de rire.

— Ma chérie, je ne suis pas certaine que ces romans soient tout à fait fidèles dans leur description des hommes ou de... de *ça*.

— En quoi ne seraient-ils pas fidèles ?

— Eh bien, il n'y a pas vraiment de... tu sais, de clairs de lune, de pâmoisons ou de déclarations fleuries.

Daisy la dévisagea avec un mécontentement évident.

— Quoi ? Pas même une toute petite pâmoison ?

— Pour l'amour du ciel, tu ne voudrais quand même pas t'évanouir ? Tu manquerais quelque chose.

— J'aimerais bien être pleinement consciente au début, et m'évanouir pour le reste.

— Pourquoi ? demanda Lillian en la considérant avec une perplexité amusée.

— Parce que ça a l'air affreusement désagréable. Et même dégoûtant.

— Ça ne l'est pas.

— Quoi ? Désagréable ou dégoûtant ?

— Ni l'un ni l'autre, répondit Lillian d'un ton très terre-à-terre, alors qu'elle luttait pour ne pas éclater de rire. Sincèrement, Daisy, je te le dirais, si c'était autrement. Mais c'est délicieux. Je t'assure.

Sa cadette demeura un instant songeuse, puis lui jeta un regard sceptique.

— Si tu le dis...

Comme elle songeait à la soirée qui l'attendait, un fourmillement d'impatience parcourut Lillian à la perspective de se retrouver seule avec Marcus. Après sa conversation avec lady Olivia, elle se rendait compte qu'il avait baissé sa garde devant elle comme jamais, et que ce seul fait était incroyable.

Peut-être n'était-il pas inéluctable que leur relation soit vouée aux secousses. Après tout, il fallait être deux pour se disputer, et peut-être parviendrait-elle à faire le tri entre ce qui méritait qu'elle se rebiffe et ce qui n'en valait pas la peine. Marcus, lui, avait déjà montré qu'il était capable de prendre ses sentiments en compte. Il y avait eu ces excuses dans la bibliothèque, par exemple, quand il aurait pu piétiner sa fierté et avait choisi de n'en rien faire. Ce geste n'était pas celui d'un homme intransigeant.

Si seulement elle était un peu plus rusée, comme Annabelle ! Elle aurait peut-être plus de chances de manipuler Marcus. Mais elle avait toujours été trop brutale et trop franche pour recourir aux ruses féminines.

Mais bon, songea-t-elle, jusqu'à présent, elle ne s'était pas si mal débrouillée en restant elle-même...

S'approchant de la coiffeuse, elle commença à mettre de côté les objets qu'elle souhaitait garder jusqu'à leur départ : sa brosse à cheveux en argent, une boîte d'épingles, une paire de gants... Comme elle s'emparait du flacon de parfum de M. Nettle, elle se figea.

— Ô mon Dieu, murmura-t-elle. Daisy... tu crois que je suis obligée de dire au comte que j'ai utilisé un philtre d'amour ?

Cette seule idée parut consterner sa jeune sœur.

— Je dirais que non. Pour quelle raison devrais-tu le lui dire ?

— Par honnêteté ?

— L'honnêteté est surestimée. Comme quelqu'un l'a dit un jour : « Le secret est primordial dans les affaires de cœur. »

— C'était le duc de Richelieu. Et la citation exacte est : « Le secret est primordial dans les affaires de *l'État*. »

— Il était français, argua Daisy. Je suis sûre qu'il parlait aussi du cœur.

Lillian se mit à rire.

— Peut-être. Mais je ne veux pas avoir de secrets pour lord Westcliff.

— Oh, très bien. Mais crois-moi, ce ne serait pas une vraie histoire d'amour si tu n'avais pas quelques petits secrets.

22

Certains invités s'étaient retirés pour la nuit tandis que dautres s'attardaient dans la salle de billard lorsque Lillian se faufila hors de sa chambre pour retrouver Marcus. Alors qu'elle empruntait le couloir sur la pointe des pieds, elle s'immobilisa en voyant un homme appuyé au mur, à la jonction de deux couloirs. Quand il s'avança, elle reconnut le valet de chambre de Marcus.

— Mademoiselle, milord m'a demandé de vous montrer le chemin.

— Je connais le chemin. Et *il* le sait. Que diable faites-vous ici ?

— Milord ne souhaite pas que vous erriez dans la maison non accompagnée.

— Naturellement. Je pourrais me faire accoster par quelqu'un. Voire même séduire.

Apparemment indifférent au sarcasme, alors qu'il était évident qu'elle ne rendait pas une chaste visite au comte, le valet de chambre pivota en direction des appartements de ce dernier.

Fascinée par sa réserve, Lillian ne put s'empêcher de lui demander :

— Êtes-vous souvent réquisitionné pour escorter de jeunes dames jusqu'à la chambre de lord West-cliff ?

— Non, mademoiselle, répondit-il, imperturbable.

— Me le diriez-vous, le cas échéant ?

— Non, mademoiselle, dit-il sur le même ton.

— Le comte est-il un bon maître ?

— Le comte est un excellent maître, mademoiselle.

— Je suppose que vous diriez la même chose s'il était un ogre.

— Non, mademoiselle. Dans ce cas, je dirais simplement que c'est un maître acceptable. Quand je dis que c'est un excellent maître, cependant, c'est exactement ma pensée.

— Hmm... Parle-t-il à ses domestiques ? Les remercie-t-il de bien travailler, ce genre de choses ?

— Pas plus qu'il n'est approprié, mademoiselle.

— Ce qui veut dire jamais ?

— Il serait plus juste de dire « pas habituellement », mademoiselle.

Le valet de chambre paraissant peu disposé à poursuivre cette conversation, Lillian le suivit en silence jusqu'à la chambre de Marcus. Du bout des doigts, il gratta à la porte, puis attendit.

— Pourquoi faites-vous cela ? chuchota Lillian. Pourquoi ne frappez-vous pas ?

— La comtesse préfère que l'on ne frappe pas pour ménager ses nerfs.

— Le comte aussi préfère que vous grattiez à sa porte ?

— Je crois qu'il n'y accorde aucune importance, mademoiselle.

Lillian fronça les sourcils, songeuse. Elle avait déjà entendu des domestiques gratter à la porte de leur employeur, et cela sonnait toujours bizarrement à ses oreilles d'Américaine... un peu comme un chien qui demande à rentrer.

La porte s'ouvrit et Lillian éprouva une bouffée de joie pure à la vue du visage ténébreux de Marcus. Il affichait une expression impassible, mais ses yeux étincelaient de chaleur.

— Ce sera tout, dit-il au domestique, le regard fixé sur Lillian à qui il tendit la main pour la tirer à l'intérieur.

— Bien, milord, murmura le valet avant de s'éclipser promptement.

Refermant la porte, Marcus dévisagea Lillian, les yeux plus brillants encore, un sourire flottant sur les lèvres. Il était si séduisant, ses traits austères mis en valeur par le double chatoiement de la lampe et du feu dans la cheminée, qu'un délicieux frisson la parcourut. Il ne portait pas de veste et sa chemise blanche, ouverte sur sa gorge, révélait un peu de peau brune. Lillian avait embrassé ce creux triangulaire… Elle l'avait caressé de la langue…

S'efforçant de chasser ce souvenir brûlant, Lillian détourna le regard. Aussitôt, il posa les doigts sur sa joue en feu pour l'obliger à le regarder. L'extrémité de son pouce glissa sous son menton.

— Je t'ai désirée, aujourd'hui, dit-il doucement.

Le cœur de Lillian se mit à battre follement.

— Tu n'as pas jeté ne serait-ce qu'un regard dans ma direction durant le dîner.

— J'avais peur.

— De quoi ?

— Je savais que si je le faisais, je ne pourrais pas résister à te prendre comme second plat.

Lillian baissa les paupières quand il l'attira plus près de lui. Elle souffrait de sentir sa poitrine et sa taille comprimées par son corset, et elle aspira soudain à en être débarrassée. Prenant une inspiration aussi profonde que le lui permettait le laçage impitoyable, elle perçut dans l'atmosphère des effluves épicés.

— Qu'est-ce que c'est ? murmura-t-elle en humant l'air. Cannelle et vin…

Pivotant entre les bras de Marcus, elle balaya la pièce des yeux. De l'autre côté du lit à baldaquin, près de la fenêtre, une petite table avait été dressée.

Un mince filet de vapeur s'échappait d'un plat d'argent recouvert d'une cloche posé dessus. Perplexe, elle regarda Marcus.

— Va voir, proposa-t-il.

Lillian s'avança, emplie de curiosité. Soulevant la cloche, elle fut d'abord décontenancée. Puis, quand la vapeur parfumée se fut dissipée et qu'elle vit ce que contenait le plat, elle éclata de rire. Cinq poires parfaites étaient alignées ; rouge rubis d'avoir été pochées dans le vin, elles baignaient dans une sauce couleur d'ambre qui embaumait la cannelle et le miel.

— À défaut de pouvoir te donner la poire de la bouteille, c'est ce que j'ai trouvé de plus approchant, fit la voix de Marcus, derrière elle.

Lillian prit une cuillère, l'enfonça dans l'une des poires fondantes, puis la porta à ses lèvres avec gourmandise. La chair chaude, imprégnée de vin, sembla se dissoudre dans sa bouche, tandis que la sauce épicée lui picotait agréablement l'arrière-gorge.

— Mmmm… fit-elle en fermant les yeux, extatique.

Lui prenant le menton pour tourner son visage vers lui, Marcus inclina la tête et cueillit de la langue une petite goutte collante à la commissure de ses lèvres. Cette caresse intensifia la sensation agréablement douloureuse qu'elle ressentait au plus profond d'elle-même.

— Délicieuse, souffla Marcus en dévorant sa bouche avec ardeur, jusqu'à ce qu'elle ait l'impression que son sang se déversait en lave bouillante dans ses veines.

Elle finit par s'écarter, hors d'haleine.

— Je ne peux pas respirer !

Sans un mot, il la fit pivoter et dégrafa le haut de sa robe. Puis il dénoua les lacets de son corset et, à petits coups précis, les desserra jusqu'à ce que Lillian aspire une grande goulée d'air avec soulagement.

— Pourquoi te laces-tu aussi serrée ? s'étonna-t-il.

— Parce que je ne pourrais fermer ma robe, autrement. Et parce que, selon ma mère, les Anglais préfèrent les femmes à la taille fine.

Marcus émit un grognement tout en la tournant face à lui.

— Les Anglais préfèrent que les femmes aient une taille normale plutôt qu'elles s'évanouissent par manque d'oxygène. Nous sommes très terre-à-terre dans ce domaine.

Remarquant que sa manche avait glissé, il posa les lèvres sur la courbe de son épaule. Elle se mit à trembler et se blottit contre lui en glissant les mains dans les mèches sombres.

— Lillian... murmura-t-il d'une voix rauque, c'est trop tôt. Je t'ai promis... promis, répéta-t-il après avoir effleuré d'un baiser le tendre creux derrière son oreille, que nous négocierions tes conditions.

— Mes conditions ? répéta-t-elle vaguement en cherchant ses lèvres.

— Oui, je...

Il s'interrompit pour s'emparer de sa bouche, et elle répondit à son baiser tout en caressant du bout du doigt son cou et son visage. Le parfum de sa peau l'étourdissait à chaque inspiration. Elle voulait se presser contre lui jusqu'à ce que leurs deux corps se fondent l'un dans l'autre. Soudain, elle ne pouvait se rassasier de ses baisers.

Devant sa fougue grandissante, Marcus l'écarta sans tenir compte de son gémissement de protestation. Lui-même respirait par à-coups et éprouvait le plus grand mal à remettre un peu d'ordre dans ses pensées.

— Mon cœur... doucement. Doucement. Tu peux avoir tout ce que tu veux. Tu n'as pas à te battre.

Lillian hocha la tête. Jamais elle n'avait eu à ce point conscience des différences entre leurs expériences respectives. Là où lui parvenait à contenir l'intensité de sa passion, elle-même était totalement submergée.

— C'est mieux pour toi... pour nous deux... de faire en sorte que cela dure plus longtemps, murmura-t-il en embrassant doucement son front brûlant. Je ne veux pas te prendre dans la précipitation.

Elle se surprit à presser son visage contre le sien, contre ses mains, tel un chat qui quémande une caresse.

Il glissa l'une de ses mains dans l'ouverture béante de sa robe et laissa échapper un soupir quand il atteignit la peau, au-dessus du corset.

— Pas encore, chuchota-t-il, sans qu'elle sache s'il s'adressait à elle ou à lui-même.

Posant l'autre main sur sa nuque, il se pencha pour embrasser ses lèvres entrouvertes, son menton, sa gorge.

— Tu es si douce, murmura-t-il, haletant.

Elle ne put s'empêcher de sourire.

— Vraiment ?

— Très douce, confirma-t-il. Encore que si je me laissais faire, tu m'aurais peut-être déjà arraché la tête.

Elle accueillit ces paroles avec un petit rire, puis :

— À présent, je comprends ce qui nous attire l'un vers l'autre. Nous représentons un danger pour tout le monde sauf pour nous. Comme un couple de hérissons hargneux.

Elle réfléchit un instant, puis s'écarta de lui.

— En parlant d'attirance...

Les jambes flageolantes, elle s'approcha du lit et s'appuya contre l'un des lourds montants sculptés.

— ... j'ai une confession à te faire.

— Voilà qui ne me surprend guère.

Il la rejoignit, posa la main sur le montant, juste au-dessus de sa tête.

— Elle va me plaire ou pas ?

— Je ne sais pas, fit-elle en fouillant dans la poche cachée dans les plis de sa jupe pour en sortir le flacon de parfum. Tiens.

— Qu'est-ce que c'est ?

Il s'empara de la fiole, la déboucha et renifla.

— Du parfum, dit-il adressant à Lillian un regard interrogateur.

— Pas n'importe quel parfum, répliqua-t-elle non sans appréhension. C'est à cause de lui que tu as été attiré par moi, au début.

— Ah oui ? dit-il en le sentant de nouveau.

— Je l'ai acheté chez un vieux parfumeur, à Londres. C'est un aphrodisiaque.

Le regard pétillant, Marcus demanda :

— Où as-tu appris ce mot ?

— D'Annabelle. Et c'est vrai, c'est un aphrodisiaque. Il contient un ingrédient dont le parfumeur m'a dit qu'il attirerait un prétendant.

— Quel est cet ingrédient ?

— Il n'a pas voulu me le révéler. Mais ça a marché. Ne ris pas, c'est vrai ! J'ai remarqué son effet sur toi le jour où nous avons joué au rounders, quand tu m'as embrassée derrière la haie. Tu t'en souviens ?

Marcus affichait une expression réjouie, mais il était clair qu'il ne croyait pas avoir été séduit par un parfum. Il huma de nouveau le flacon et avoua :

— Je me rappelle avoir remarqué cette odeur. Mais j'ai été attiré par toi pour un tas d'autres raisons longtemps avant ce jour-là.

— Menteur ! Tu me haïssais.

Il secoua la tête.

— Je ne t'ai jamais haïe. Tu me contrariais, tu me harcelais, tu me tourmentais, mais ce n'est pas du tout la même chose.

— Le parfum agit, s'entêta-t-elle. Non seulement tu y as été sensible, mais Annabelle l'a essayé sur son mari… et elle jure qu'à cause de lui, il l'a tenue éveillée toute la nuit.

— Mon cœur, riposta Marcus avec flegme, Hunt se conduit comme un sanglier en rut avec Annabelle depuis qu'ils se sont rencontrés. Son comportement n'a absolument rien d'étonnant.

— Mais il était étonnant de ta part ! Tu n'éprouvais aucun intérêt pour moi jusqu'à ce que je porte ce parfum, et dès que tu as senti un effluve…

— Es-tu en train de prétendre que j'aurais réagi de la même manière face à n'importe quelle femme qui l'aurait porté ?

Lillian ouvrit la bouche pour répondre, puis la referma comme il lui revenait à l'esprit qu'il n'avait prêté aucune attention à ses amies lorsqu'elles l'avaient essayé.

— Non, admit-elle. Mais il a apparemment fait une grosse différence en ce qui me concerne.

Un lent sourire se dessina sur les lèvres de Marcus.

— Lillian, je t'ai désirée à chaque instant depuis que je t'ai tenue dans mes bras pour la première fois. Et cela n'a absolument rien à voir avec ton fichu parfum. Toutefois, ajouta-t-il en portant une dernière fois le flacon à ses narines avant de remettre le bouchon, je connais l'ingrédient secret.

Lillian écarquilla les yeux.

— Ce n'est pas vrai !

— Si, rétorqua-t-il d'un air suffisant.

— Quel monsieur-je-sais-tout ! s'exclama Lillian, à la fois amusée et irritée. Peut-être que tu le devines, mais si *moi*, je ne l'ai pas trouvé, ce n'est certainement pas toi qui…

— Je le connais par déduction.

— Dis-le-moi, alors.

— Non. Je pense que je vais te laisser le découvrir toute seule.

— Dis-le-moi !

Elle se mit à lui marteler la poitrine de ses poings. La plupart des hommes auraient reculé, car elle ne manquait pas de force, mais Marcus se contenta de rire.

— Westcliff, si tu ne me le dis pas à l'instant, je vais te...

— Me torturer ? Désolé, ça ne marchera pas. J'y suis déjà accoutumé.

La soulevant avec une facilité vexante, il la jeta sur le lit. Avant qu'elle puisse esquisser un geste, il était sur elle, et riait de ses efforts pour se libérer.

— Tu vas me le payer ! lança-t-elle en enroulant l'une de ses jambes autour des siennes et en poussant violemment son épaule gauche.

Une enfance passée à se battre avec ses frères lui avait appris quelques trucs. Mais Marcus para sans difficulté chacun de ses coups. Il était musclé, souple, agile, et d'un poids surprenant.

— C'est trop facile, la taquina-t-il en lui permettant de rouler sur lui l'espace d'un instant.

Au moment où elle pensait le terrasser, il bascula sur elle d'un coup de reins.

— Ne me dis pas que tu ne peux pas faire mieux ?

— Salaud, marmonna Lillian en bandant ses muscles. Je pourrais gagner... si je n'étais pas en robe...

— Ton souhait peut encore être exaucé, répliqua-t-il avec un grand sourire.

Après avoir encore lutté quelques instants, il la cloua sur le matelas en prenant soin de ne pas lui faire mal.

— Arrêtons là. Tu fatigues. Nous dirons que c'est un match nul.

— Pas encore, haleta-t-elle, toujours déterminée à le vaincre.

— Pour l'amour du ciel, espèce de petite furie, dit-il non sans amusement, il est temps de te rendre.

— Jamais !

Elle le repoussa de toutes ses forces, mais ses bras tremblaient.

— Du calme, murmura-t-il d'un ton caressant.

Elle écarquilla les yeux en sentant son sexe dur se loger entre ses cuisses. Réprimant un cri, elle cessa de se débattre.

— Doucement, maintenant... chuchota-t-il en baissant le corsage de sa robe, ce qui eut pour effet de lui emprisonner momentanément les bras. Du calme...

Lillian s'immobilisa et le regarda, le cœur battant à tout rompre. Une lumière incertaine baignait cette partie de la chambre, enveloppant le lit d'ombre. La silhouette sombre de Marcus bougeait au-dessus d'elle, ses mains la tournaient d'un côté et de l'autre pour faire glisser sa robe, puis détacher son corset. Soudain, elle respirait. Elle respirait même trop fort, trop vite, et la caresse de la main de Marcus sur sa poitrine ne l'apaisait nullement.

Sa peau était devenue si sensible que le seul contact de l'air semblait l'irriter. Un tremblement la saisit lorsque Marcus entreprit de la déshabiller. Elle tressaillait chaque fois que ses phalanges ou le bout de ses doigts l'effleuraient.

Sans la quitter des yeux, il se débarrassa de ses propres vêtements avec nonchalance. Son corps élégamment sculpté lui était familier, à présent, de même que l'excitation douloureuse qui irradiait dans toute sa chair. Elle laissa échapper un gémissement quand il la rejoignit sur le matelas et l'attira contre son torse.

Son baiser fut lent, profond, et il explora les recoins soyeux de sa bouche jusqu'à ce qu'elle geigne de plaisir. Il couvrit ensuite ses seins de baisers légers, en agaçant la pointe du bout de la langue. Il la caressait, la préparait, comme si elle n'était pas déjà palpitante de désir, comme si elle ne le suppliait pas, le souffle haletant, de mettre un terme à ce délicieux supplice. Quand il referma la bouche sur la pointe dure de son sein et commença à tirer fermement, elle sentit dans son ventre une morsure aiguë, une aspiration si exigeante qu'elle eut l'impression de devenir folle.

D'une main qui tremblait violemment, elle saisit les doigts de Marcus, les guida vers la toison humide entre ses cuisses. Il sourit, et s'inclina vers l'autre sein dont il emprisonna l'extrémité dans le velours chaud de sa bouche. Le temps parut se suspendre lorsque ses doigts glissèrent délicatement sur son mont de Vénus, écartèrent les boucles douces, puis frottèrent la source de toutes les voluptés... Sa caresse était à la fois légère et d'une insistance exquise. Il la taquina, l'apaisa, joua de nouveau avec elle jusqu'à ce qu'elle s'abandonne à la jouissance en criant, arc-boutée contre sa main.

L'enlaçant, Marcus chuchota des mots tendres contre ses lèvres tandis que ses mains se promenaient sur son corps avec douceur. Lillian n'aurait su dire à quel moment précis son toucher devint plus excitant qu'apaisant, mais, peu à peu, son cœur s'emballa au rythme des sensations qu'il faisait naître sous ses doigts. Un peu maladroitement, elle ajusta son corps sous le sien. Lui écartant les jambes, il lui fit plier légèrement les genoux, puis la pénétra lentement. Elle tressaillit au tiraillement douloureux que provoqua cette invasion. Il était si dur au-dessus d'elle, en elle, que sa chair se crispa instinctivement. Mais rien ne pouvait arrêter cette progression qu'il s'employait à rendre, avec de tendres va-et-vient, la plus aisée possible. Chacun de ses coups de reins semblait lui arracher un frisson de plaisir et elle ne tarda pas à se détendre, la douleur refluant jusqu'à n'être plus qu'un pincement presque imperceptible. Elle se sentit devenir brûlante, fiévreuse, désespérée, à l'approche imminente d'un autre pic de plaisir. Soudain, à son grand étonnement, il se retira.

— Marcus... gémit-elle, je t'en supplie, ne t'arrête pas...

324

Il la fit taire d'un baiser, puis la souleva, et la retourna avec précaution. À plat ventre, le corps parcouru de spasmes, Lillian sentit qu'il glissait un oreiller sous son ventre, puis un autre, jusqu'à ce qu'elle se retrouve offerte devant lui, qui s'était agenouillé entre ses cuisses. Doucement, il écarta en les caressant les replis de son sexe, puis il fut de nouveau en elle, lui arrachant des gémissements incoercibles. Éperdue, elle tourna la tête de côté, la joue pressée contre le matelas, tandis qu'il lui immobilisait les hanches d'une main ferme. Il s'enfonça encore plus profondément que la première fois, se retirant, puis revenant, la caressant au rythme mesuré de ses va-et-vient... la poussant délibérément au bord de la folie. Elle le supplia, sanglota, geignit, jura même, et l'entendit rire doucement tandis qu'il l'amenait au sommet d'une jouissance dévastatrice. Sa chair palpitante se contracta autour de son sexe dur, le menant à une extase qui lui arracha un cri rauque.

Haletant, Marcus s'abattit sur elle, la bouche posée sur sa nuque, son sexe toujours enfoui en elle.

Immobile, passive sous son poids, Lillian humecta ses lèvres gonflées et marmonna :

— Et c'est *moi* que tu traites de sauvage...

Elle tressaillit quand il se mit à rire.

Quand bien même elle ressentait une agréable lassitude après leurs ébats, Lillian ne voulait surtout pas dormir. Elle était émerveillée de découvrir que cet homme, qu'elle jugeait auparavant ennuyeux et rigide, n'était ni l'un ni l'autre. Elle commençait à admettre qu'il y avait chez Marcus une douceur que peu de personnes étaient autorisées à voir. Et elle avait l'intuition qu'il tenait à elle, même si elle n'osait approfondir la question, ses propres sentiments devenant plus intenses à chaque seconde.

Après avoir essuyé son corps en nage avec une serviette humide, Marcus lui enfila la chemise dont il s'était débarrassé, et lui apporta une assiette garnie d'une poire pochée ainsi qu'un verre de vin doux. Ils partagèrent quelques bouchées, puis Lillian reposa l'assiette et la cuillère, et s'allongea tout contre lui. Appuyé sur le coude, il la contempla en enroulant paresseusement une boucle de ses cheveux autour de son index.

— Cela t'ennuie que je n'aie pas voulu t'abandonner à Saint-Vincent ?

Elle lui sourit, déconcertée.

— Pourquoi me demandes-tu une chose pareille ? Tu n'as pas de remords, tout de même ?

Marcus secoua la tête.

— Je me demandais simplement si tu avais des regrets.

Surprise et touchée par son besoin d'être rassuré, Lillian lui caressa le torse.

— Non, dit-elle avec franchise. Il est séduisant, et je l'aime bien… mais je ne le désire pas.

— Pourtant, tu as envisagé de l'épouser.

— Eh bien, l'idée d'être duchesse m'a tentée un instant, admit-elle. Mais uniquement pour te contrarier.

Un sourire illumina le visage de Marcus. Il se vengea en lui pinçant la pointe d'un sein, ce qui lui arracha un glapissement.

— Je n'aurais pas supporté de te voir mariée à un autre, avoua-t-il.

— Je ne pense pas que lord Saint-Vincent aura de difficultés à dénicher une autre héritière.

— Peut-être. Mais elles sont peu nombreuses à posséder une fortune comparable à la tienne… et aucune n'a ta beauté.

Ravie du compliment, Lillian s'allongea à demi sur lui.

— Continue. Je veux t'entendre vanter mes charmes avec lyrisme.

Se redressant en position assise, Marcus la souleva avec une facilité déconcertante et l'assit à califourchon sur lui. De l'index, il effleura la peau nacrée dans l'ouverture de la chemise.

— Je n'ai rien de lyrique. Les Marsden n'ont pas la fibre poétique. Cependant...

Il s'interrompit pour contempler la jeune femme assise en travers de ses cuisses, avec ses membres déliés et ses boucles qui cascadaient en désordre jusqu'à la taille.

— Je pourrais au moins te dire que tu ressembles à une princesse païenne, avec ta chevelure brune en bataille et tes yeux sombres et brillants.

— Et ? l'encouragea Lillian en nouant les bras autour de son cou.

Il posa les mains sur sa taille mince, les laissa glisser jusqu'à ses cuisses fuselées.

— Et que chaque rêve érotique que j'ai fait sur tes jambes magnifiques ne soutient pas la comparaison avec la réalité.

— Tu as rêvé de mes jambes ?

Lillian se tortilla comme ses paumes remontaient lentement à l'intérieur de ses cuisses.

— Oh oui, murmura-t-il, tandis que ses mains disparaissaient sous les pans de la chemise. De toi à califourchon... ajouta-t-il d'une voix plus sourde. Cramponnée à moi tandis que tu me chevauchais...

Les pupilles de Lillian se dilatèrent quand ses pouces caressèrent les fragiles replis de son sexe.

— Quoi ? murmura-t-elle, avant d'émettre un son étouffé quand il l'ouvrit d'une caresse gentiment persuasive.

Sous la chemise, ses mains habiles jouaient avec elle ; certains doigts la pénétraient, d'autres flirtaient adroitement avec la petite crête sensible qui semblait s'enflammer à son contact.

— Mais les femmes ne... balbutia-t-elle, éperdue. Pas comme ça. Du moins... *Oh!*... je n'ai jamais entendu dire...

— Certaines, si, murmura-t-il en la titillant d'une manière qui lui arracha un gémissement. Mon ange téméraire... je crois que je vais devoir te montrer.

Dans son innocence, Lillian ne comprit que lorsque, l'ayant soulevée de nouveau, il l'aida à glisser le long de son sexe engorgé. Choquée au-delà de toute expression, Lillian, ainsi empalée, tenta quelques timides mouvements, encouragée par ses murmures et la tendre pression de ses mains sur ses hanches.

— Voilà, dit-il d'une voix hachée quand, au bout d'un moment, elle sembla trouver un rythme. Tu es en bonne voie...

Passant de nouveau la main sous la chemise, il se mit à dessiner des cercles du pouce autour du petit bouton sensible en contrepoint à ses ondulations. Il la regardait au fond des yeux, jouissant de son plaisir, et lorsque Lillian mesura à quel point il était concentré sur elle, les spasmes de l'extase déferlèrent en elle tandis que son cœur, son corps et son esprit s'emplissaient de lui. Lui agrippant la taille, Marcus la maintint fermement et, d'un ultime coup de reins, laissa son propre plaisir se déverser en elle.

À bout de forces, Lillian s'effondra sur lui, la tête reposant sur sa poitrine. Sous sa joue, le cœur de Marcus battit à un rythme effréné pendant de longues minutes avant de se calmer peu à peu.

— Mon Dieu, marmonna-t-il en l'entourant de ses bras, puis en les laissant retomber comme si l'effort requis était trop grand. Lillian... Lillian...

— Mmm? fit-elle en battant des paupières, saisie d'une irrésistible envie de dormir.

— J'ai changé d'avis au sujet des négociations. Tu peux avoir ce que tu veux. Tu peux m'imposer n'importe quelle condition, tout ce qu'il est en mon pouvoir d'accomplir. Simplement, pour que j'aie l'esprit tranquille, dis-moi que tu seras ma femme.

Lillian réussit à lever la tête pour le regarder. Il avait les yeux mi-clos.

— Si c'est là un exemple de ton aptitude à négocier, je me fais un peu de souci pour tes affaires. Tu ne cèdes pas aussi aisément aux exigences de tes associés, j'espère.

— Non. Et je ne couche pas non plus avec eux.

— Alors, pour que tu aies l'esprit tranquille, dit-elle avec un lent sourire, oui, je serai ta femme. Je dois néanmoins t'avertir... tu risques de te mordre les doigts quand tu prendras connaissance de mes conditions. Je pourrais demander à faire partie du conseil d'administration de la savonnerie, par exemple...

— Que Dieu me vienne en aide, marmonna-t-il.

Et avec un profond soupir de contentement, il s'endormit.

23

Lillian passa la majeure partie de la nuit dans le lit de Marcus. Elle s'éveillait de temps à autre pour se retrouver enveloppée par la chaleur de son corps. Il devait être épuisé par leurs ébats, car il ne bougea quasiment pas. Quand l'aube approcha, cependant, il fut le premier à se réveiller. Lillian protesta quand il lui murmura à l'oreille :

— Le jour est presque levé. Ouvre les yeux. Il faut que je te ramène dans ta chambre.

— Non, répondit-elle d'une voix ensommeillée. Dans quelques minutes. Plus tard.

Elle essaya de se blottir entre ses bras, mais Marcus, après lui avoir embrassé le sommet du crâne, la tira doucement en position assise.

— Maintenant, insista-t-il en lui massant le dos. Un domestique va bientôt venir allumer le feu… et de nombreux invités vont chasser ce matin, ce qui signifie qu'ils vont se lever tôt.

— Un jour, grommela Lillian, il faudra que tu m'expliques pourquoi les hommes éprouvent une joie aussi impie à sortir aux aurores et à patauger dans la boue pour tuer des petites bêtes.

— Nous aimons nous confronter à la nature. Et, plus important, cela nous donne une excuse pour boire avant midi.

Elle sourit et enfonça le nez dans son épaule.

— J'ai froid, chuchota-t-elle. Viens avec moi sous les couvertures.

Terriblement tenté, Marcus s'obligea à quitter le lit. Lillian s'enfonça aussitôt sous les couvertures, mais le répit fut de courte durée. S'étant habillé, il revint vers le lit et la découvrit impitoyablement.

— Ça ne sert à rien de te plaindre, dit-il en l'enveloppant dans l'un de ses peignoirs. Tu vas retourner dans ta chambre. Il ne faut pas qu'on te voie avec moi à une heure pareille.

— Tu as peur du scandale?

— Non. Mais il est dans ma nature de me conduire avec discrétion lorsque c'est possible.

— Quel gentleman! se moqua-t-elle en levant les bras pour qu'il noue la ceinture du peignoir. Tu devrais épouser une fille tout aussi discrète.

— Le problème, c'est qu'elles sont loin d'être aussi amusantes que les délurées.

— C'est ce que je suis? demanda-t-elle en l'enlaçant. Une fille délurée?

— Oh oui, acquiesça Marcus avant de couvrir sa bouche de la sienne.

Daisy s'éveilla en entendant gratter à la porte. Entrouvrant les yeux, elle constata qu'il était encore très tôt, et que sa sœur était assise devant la coiffeuse, occupée à se démêler les cheveux.

— Qui cela peut-il être? interrogea-t-elle en s'asseyant.

— Je vais voir.

Déjà vêtue d'une robe de soie écarlate, Lillian gagna la porte, qu'elle entrebâilla suffisamment pour que Daisy entraperçoive le bonnet d'une femme de chambre. Une conversation à voix basse s'engagea et, quoique Daisy ne réussît pas à en saisir la teneur, elle perçut la surprise de sa sœur, puis son irritation à peine voilée.

— Très bien, fit-elle. Dites-lui que c'est d'accord. Encore que je ne voie pas l'intérêt de toutes ces cachotteries.

La femme de chambre disparut et Lillian referma la porte, l'air contrarié.

— Qu'est-ce que c'est ? s'enquit Daisy. Que t'a-t-elle dit ? Qui l'a envoyée ?

— Ce n'est rien, répondit Lillian, avant d'ajouter avec une ironie appuyée : je ne suis pas censée le dire.

— J'ai entendu parler de cachotteries.

— Oh, c'est juste une histoire assommante dont je dois m'occuper. Je t'expliquerai cet après-midi – et j'imagine que ce sera un récit fort divertissant.

— Ça concerne lord Westcliff ?

— Indirectement.

Le visage de Lillian s'éclaircit et, soudain, elle eut l'air radieusement heureuse. Plus que sa sœur ne l'avait jamais vue.

— Oh, Daisy, c'est révoltant, cette façon que j'ai d'avoir toujours envie d'être après lui ! Je crains de faire quelque chose d'atrocement stupide, aujourd'hui. De me mettre à chanter ou quelque chose comme ça. Pour l'amour du ciel, retiens-moi !

— Promis, assura Daisy en lui souriant. Tu es amoureuse, alors ?

— Ce mot ne doit pas être mentionné. Même si je l'étais – je n'admets rien, note bien –, il est hors de question que je sois la première à le prononcer. C'est une question de fierté. D'autant qu'il y a toutes les chances pour qu'il ne le dise pas en retour, mais se contente d'un « merci » poli, auquel cas j'aurai envie de le tuer. Ou de me tuer.

— J'espère que le comte n'est pas aussi entêté que toi.

— Il ne l'est pas, assura Lillian. Encore qu'il croie l'être.

Quelque réminiscence lui arracha un gloussement et, plaquant la main sur le front, elle s'exclama avec une joie diabolique :

— Oh, Daisy, quelle comtesse abominable je vais être !

— Dis plutôt « non conventionnelle », proposa sa sœur avec diplomatie.

— Je peux être la comtesse que je veux, déclara Lillian, avec un mélange de ravissement et d'étonnement. C'est Westcliff qui l'a dit. Et le pire, c'est que je crois qu'il le pense vraiment.

Après un petit déjeuner léger, Lillian sortit sur la terrasse à l'arrière du manoir. Accoudée à la rambarde, elle contempla les immenses jardins magnifiquement entretenus, et soupira en songeant à son rendez-vous avec la comtesse dans le Clos des Papillons.

Celle-ci avait demandé à s'entretenir en privé avec elle, et qu'elle veuille la rencontrer si loin de la maison n'était pas bon signe. La comtesse ayant des difficultés à marcher, se rendre dans le jardin secret était une épreuve. Il aurait été bien plus simple et plus raisonnable qu'elle reçoive Lillian dans le salon privé des Marsden. Mais ce qu'elle avait à dire était peut-être si privé – ou si bruyant – qu'elle ne voulait pas risquer d'être entendue.

Lillian s'attendait à une diatribe, bien sûr. Elle savait d'expérience que la comtesse avait la dent dure et se moquait d'être blessante. Mais cela n'avait guère d'importance. Chacune de ses paroles glisserait sur elle comme l'eau sur les plumes d'un canard, car elle avait la certitude que rien ne l'empêcherait d'épouser Marcus. La comtesse devrait comprendre qu'il était dans son intérêt d'entretenir des relations cordiales avec sa belle-fille. Car elles étaient capables de se rendre mutuellement la vie difficile.

— J'arrive, vieille sorcière, marmonna Lillian en descendant les marches qui menaient au jardin. Préparez-vous au pire.

Quand elle arriva devant la porte du Clos des Papillons, celle-ci était entrebâillée. Carrant les épaules, Lillian afficha une expression impassible et franchit le seuil du jardin.

La comtesse était assise sur le banc circulaire comme sur un trône, la main posée sur le pommeau orné de diamants de sa canne, le visage glacial.

— Bonjour, milady, la salua Lillian avec affabilité en la rejoignant. Quel endroit délicieux vous avez choisi pour notre rencontre. J'espère que le trajet depuis la maison n'a pas été trop fatigant.

— C'est mon affaire, pas la vôtre.

Son regard était dépourvu d'expression, et pourtant, un frisson courut dans le dos de Lillian. Il ne s'agissait pas vraiment de peur, mais d'une appréhension instinctive qu'elle n'avait jamais ressentie lors de leurs précédentes rencontres.

— Je manifestais simplement de l'intérêt pour votre bien-être, dit-elle en levant les mains en un geste de défense moqueur. Je ne vous provoquerai plus avec mes tentatives d'amabilité, milady. Je vous en prie, dites ce que vous avez à dire. Je suis ici pour écouter.

— Je l'espère fortement, pour votre bien et pour celui de mon fils.

Elle prononça ces paroles d'un ton froid, tout en semblant vaguement perplexe, comme si elle ne parvenait pas à croire à leur nécessité. Il ne faisait aucun doute que, de tous les revers qu'elle avait essuyés durant son existence, celui-ci était le plus inattendu.

— Si j'avais imaginé qu'une fille aussi commune que vous réussirait à séduire le comte, je serais intervenue beaucoup plus tôt. Le comte ne possède plus toutes ses facultés pour en être arrivé à cette folie.

Comme elle s'interrompait pour reprendre son souffle, Lillian s'entendit demander avec calme :

— Pourquoi appelez-vous cela une folie ? Il y a quelques semaines, vous admettiez que je serais capable de séduire un pair anglais. Pourquoi pas le comte ? Votre opposition est-elle plus particulièrement motivée par une aversion personnelle ou...

— Espèce d'idiote ! s'exclama la comtesse. Mon objection vient du fait qu'en quinze générations, aucun héritier des Marsden ne s'est marié en dehors de l'aristocratie. Et il est hors de question que mon fils soit le premier à le faire ! Vous ne comprenez rien à l'importance du lignage – vous qui venez d'un pays sans tradition, sans culture et sans le moindre vestige de noblesse. Si le comte vous épousait, ce serait non seulement son échec, mais aussi le mien, ainsi que la ruine de tous les hommes et de toutes les femmes apparentés à l'écu des Marsden.

Cette déclaration pompeuse aurait arraché un rire narquois à Lillian si elle ne s'était rendu compte, pour la première fois, que la croyance de lady Westcliff en l'inviolabilité du noble lignage des Marsden confinait à la ferveur religieuse. Pendant que cette dernière s'efforçait de recouvrer son sang-froid, Lillian se demanda comment ramener le problème à un niveau personnel, et en appeler aux sentiments – profondément enfouis – de la comtesse pour son fils.

Elle n'avait jamais été très à l'aise quand il s'agissait d'exprimer ses émotions. Elle préférait faire des remarques astucieuses ou cyniques, car cela lui paraissait moins dangereux que de laisser parler son cœur. Mais l'enjeu était de taille. Et elle devait peut-être un effort de sincérité à cette femme dont elle allait bientôt épouser le fils.

— Milady, commença-t-elle avec précaution, je sais qu'au plus profond de vous, vous désirez le bonheur de votre fils. J'aimerais que vous compreniez à quel point je désire la même chose. Il est vrai que je ne suis pas noble et que je ne possède pas les manières que vous auriez souhaitées...

Elle marqua une pause avant d'ajouter, avec un sourire d'autodérision :

— Et que je ne suis pas vraiment certaine de savoir ce qu'est un écu... Mais je pense... je pense que je pourrais rendre Westcliff heureux. Ou, en tout cas, le soulager de certaines de ses tâches... Et je ne suis pas une écervelée complète, je vous l'assure. Si vous ne deviez croire qu'une chose, sachez que je ne ferai jamais rien qui pourrait l'embarrasser, ou vous offenser...

— Je n'écouterai pas un mot de plus de ce fatras grotesque ! s'écria la comtesse. Tout en vous m'offense. Je ne voudrais pas de vous comme domestique dans ma demeure, et encore moins comme maîtresse de celle-ci ! Mon fils se moque de vous. Vous n'êtes que le symptôme de ses griefs passés contre son père. Vous êtes une rébellion, une vengeance inutile contre un fantôme. Et, quand l'attrait de la nouveauté se sera émoussé, il en viendra à mépriser son épouse vulgaire autant que moi, je vous méprise. Mais il sera trop tard. La lignée aura été ruinée.

Lillian demeura impassible, bien qu'elle sentît le sang refluer de son visage. Jamais personne ne l'avait regardée avec une telle haine. Il était évident que la comtesse lui souhaitait tout le mal possible, à part la mort... et encore. Cependant, au lieu de reculer, de pleurer ou de protester, Lillian se surprit à contre-attaquer.

— En m'épousant, c'est peut-être de *vous* qu'il veut se venger, milady. Si tel est le cas, je suis ravie de servir de moyen de représailles.

— Comment osez-vous ! glapit la comtesse, les yeux exorbités.

Bien qu'elle fût tentée, Lillian s'abstint de poursuivre dans cette voie de peur de provoquer une attaque chez la comtesse. Tuer la mère de son futur époux n'était pas une manière idéale de commencer sa vie conjugale, songea-t-elle avec ironie.

— Nos positions sont claires, se contenta-t-elle de déclarer. J'avais l'espoir que notre conversation aboutirait à un résultat différent. Peut-être qu'avec le temps, nous en viendrons à une certaine forme d'entente.

— Certes... répondit la comtesse d'une voix sifflante.

Son regard exprimait une telle malveillance que Lillian dut prendre sur elle pour ne pas reculer. Elle se sentait comme souillée par la laideur de leur échange, et n'avait plus qu'une envie : s'éloigner au plus vite de la comtesse. Mais elle se raisonna. Celle-ci ne pouvait rien contre elle tant que Marcus la voulait pour femme.

— Je l'épouserai, affirma-t-elle avec calme.

— Pas tant que je vivrai, riposta la comtesse.

Elle se leva en s'appuyant lourdement sur sa canne. Sensible à sa fragilité physique, Lillian faillit faire un geste pour l'aider, mais la comtesse lui jeta un regard si venimeux qu'elle se ravisa. Elle n'aurait pas été surprise de recevoir un coup de canne en remerciement.

Un doux soleil matinal perça le voile de brume et quelques belles-dames déplièrent leurs ailes pour voltiger au-dessus des fleurs à peine écloses. C'était un si beau jardin, et un décor si incongru pour les paroles empoisonnées qui y avaient été échangées.

— Laissez-moi vous ouvrir la porte, proposa Lillian quand la vieille dame s'en approcha d'un pas incertain.

La comtesse attendit, l'air hautain, puis franchit le seuil.

— Nous aurions pu nous retrouver dans un endroit plus facile d'accès, ne put s'empêcher de remarquer

Lillian. Après tout, il aurait été tout aussi facile de nous disputer à l'intérieur du manoir.

Sans lui prêter attention, lady Westcliff s'éloigna. Elle dit alors quelque chose de curieux, non par-dessus son épaule, mais sur le côté, comme si elle s'adressait à quelqu'un d'autre.

— Vous pouvez intervenir.

— Pardon? fit Lillian, interloquée, en esquissant un pas hors du jardin secret.

À peine eut-elle le temps de discerner un mou-vement qu'elle fut saisie avec brutalité par-derrière et qu'on lui plaqua quelque chose sur la bouche et le nez. Les yeux agrandis par la frayeur, suffo-quant à demi, elle tenta de se débattre. Le linge qu'on lui pressait avec force sur le visage était saturé d'un produit à l'odeur douceâtre. À mesure que ses émanations se répandaient dans ses narines, sa gorge, sa poitrine, sa tête... elle perdait le contrôle de son corps. Le soleil devint noir, ses paupières se fermèrent, et elle sombra dans une obscurité épaisse.

De retour d'un petit déjeuner tardif servi dans le pavillon d'été, après la partie de chasse, Marcus gra-vit les marches qui menaient à la terrasse. Il aper-çut Hunt, qui venait lui aussi de rentrer, penché sur sa femme. Celle-ci paraissait très préoccupée et chuchotait à l'oreille de son mari, les doigts agrip-pés à sa manche.

Marcus atteignait la dernière marche, lorsqu'il fut rejoint par Daisy Bowman et son amie Evangeline Jenner qui, comme à son habitude, ne parvint pas à croiser son regard. Il esquissa un salut et sourit à Daisy, pour qui, il le pressentait, il n'aurait aucun mal à éprouver une affection fraternelle. Sa sil-houette délicate et son esprit délicieusement exu-bérant lui rappelaient Olivia lorsqu'elle était plus jeune. En cet instant, toutefois, elle n'affichait pas sa gaieté habituelle.

— Milord, murmura-t-elle, je suis soulagée de vous voir revenu. Il y a un… un problème dont nous aimerions vous parler.

— En quoi puis-je vous être utile? s'enquit-il aussitôt.

— Il s'agit de ma sœur, répondit-elle d'une voix tendue. On ne la trouve nulle part. La dernière fois que je l'ai vue, c'était il y a environ cinq heures. Elle est partie sans vouloir me dire où elle allait. Ne la voyant pas revenir, j'ai pris sur moi d'aller à sa recherche. Evangeline et Annabelle l'ont cherchée, elles aussi. En vain. Je suis même allée jusqu'au puits aux souhaits, au cas où elle aurait été prise d'un caprice soudain. Cela ne lui ressemble pas de disparaître ainsi. Pas sans moi, en tout cas. Peut-être est-il un peu tôt pour s'inquiéter, mais…

Elle s'interrompit et fronça les sourcils, comme si elle tentait de se raisonner sans y parvenir.

— Il est arrivé quelque chose, milord. Je le sens.

Bien qu'assailli par l'inquiétude, Marcus s'efforça de garder un visage impassible. Il passa mentalement en revue toutes les explications plausibles à l'absence de Lillian, depuis les plus frivoles jusqu'aux plus sérieuses. En vain. Lillian n'était pas du genre à s'égarer après s'être trop éloignée de la maison ni, malgré son goût pour les plaisanteries, à jouer un tour de cette espèce. Il était fort peu probable qu'elle ait rendu visite à quelqu'un, car elle ne connaissait personne au village. De plus, elle n'aurait pas quitté seule la propriété. S'était-elle blessée? Avait-elle été victime d'un malaise?

Son cœur battait à grands coups anxieux, mais il s'efforça de demander d'une voix calme :

— Est-il possible qu'elle se soit rendue aux écuries et…

— No… non, milord, dit Evangeline. J'y suis allée. Tous les chevaux sont là, et aucun des garçons d'écurie n'a v… vu Lillian aujourd'hui.

Marcus hocha brièvement la tête.

— Je vais organiser une fouille soigneuse de la maison et des environs. D'ici une heure, nous l'aurons retrouvée.

Rassérénée qu'il prenne ainsi les choses en main, Daisy laissa échapper un soupir tremblant.

— Que puis-je faire ?

— Dites-m'en plus sur ce qui s'est passé avant qu'elle parte. De quoi avez-vous parlé ?

— Une femme de chambre lui a apporté un message ce matin, et…

— À quelle heure ?

— Vers 7 heures.

— De quelle femme de chambre s'agit-il ?

— Je l'ignore, milord. La porte était entrouverte et la femme de chambre portait un bonnet.

Durant la conversation, Hunt et Annabelle les avaient rejoints.

— Je vais interroger la gouvernante et les femmes de chambre, décréta Hunt.

— Bien. Je vais organiser la fouille de la propriété, annonça Marcus, saisi d'un irrésistible besoin d'action.

Il rassemblerait des domestiques et quelques invités, y compris le père de Lillian. Sachant la durée de l'absence de Lillian, il évalua la distance qu'elle aurait pu parcourir à pied sur un terrain relativement accidenté.

— Nous allons commencer par les jardins, puis nous poursuivrons les recherches dans un rayon de quatre lieues autour du manoir.

Croisant le regard de Hunt, il indiqua les portes-fenêtres, et tous deux pivotèrent.

— Milord, vous allez la retrouver, n'est-ce pas ? fit la voix de Daisy dans le dos de Marcus.

— Oui, répondit-il sans hésitation, en lui faisant face. Et ensuite, je vais l'étrangler.

Daisy esquissa un pâle sourire et le suivit des yeux tandis qu'il s'éloignait.

Au fil des heures, l'humeur de Marcus passa de la frustration excédée à une abominable inquiétude. Thomas Bowman, plus ou moins convaincu que sa fille faisait encore des siennes, s'était joint à un groupe de cavaliers pour fouiller le bois voisin ainsi que les prairies des alentours. Un autre groupe de volontaires descendit vers la rivière. On explora avec soin la résidence des célibataires, la loge du gardien, la glacière, la chapelle, les serres, la cave à vin et les écuries. Pas un pouce de Stony Cross Park n'échappa à leur inspection, mais ils ne trouvèrent rien, pas même une trace de pas ou un gant perdu, indiquant ce qui aurait pu arriver à Lillian.

Marcus arpenta les bois et les champs jusqu'à ce que les flancs de Brutus soient couverts de sueur et sa bouche blanche d'écume, tandis que Simon Hunt, resté au manoir, interrogeait les domestiques avec méthode. C'était le seul homme auquel Marcus faisait confiance pour mener cette tâche avec l'efficacité impitoyable dont lui-même aurait usé. Pour sa part, il aurait été incapable de s'entretenir patiemment avec quiconque. Savoir que Lillian était quelque part, perdue ou peut-être blessée, le remplissait d'une émotion inconnue… Une émotion qu'il identifia peu à peu comme de la peur. La pensée qu'il était incapable de lui venir en aide, voire de la retrouver, lui était intolérable.

— Allez-vous ordonner de draguer les étangs et le lac, milord ? s'enquit William, le majordome, après un rapide compte rendu des recherches.

Marcus le fixa d'un regard vide, les oreilles bourdonnantes.

— Pas encore, s'entendit-il répondre d'une voix étonnamment égale. Je vais dans mon bureau faire le point avec M. Hunt. Venez me prévenir si jamais du nouveau survenait dans les prochaines minutes.

— Bien, milord.

Marcus entra sans frapper dans la pièce où Hunt recevait les domestiques à tour de rôle. La femme de chambre assise devant lui bondit sur ses pieds à la vue de Marcus et esquissa une révérence nerveuse.

— Asseyez-vous, lui ordonna-t-il.

Était-ce son ton, son expression ou sa simple présence ? Toujours est-il qu'elle fondit en larmes. Marcus reporta les yeux sur Simon Hunt, qui lui-même fixait la femme de chambre d'un regard aussi calme que tenace.

— Westcliff, je viens d'interroger cette jeune femme, Gertie, et je pense qu'elle a peut-être des informations à nous fournir sur la mystérieuse disparition de Mlle Bowman. Je crois toutefois que la crainte d'être renvoyée pourrait inciter Gertie à garder le silence. Si, en tant qu'employeur, tu pouvais lui assurer...

— Vous ne serez pas renvoyée, coupa Marcus d'une voix dure, si vous me donnez ces informations immédiatement. Dans le cas contraire, non seulement vous serez renvoyée, mais je veillerai à ce que vous soyez poursuivie comme complice dans la disparition de Mlle Bowman.

Gertie le regarda, les yeux exorbités. Cessant de pleurer, elle balbutia :

— Mi... Milord, on m'a envoyée port... porter un message à Mlle Bowman ce matin, mais il fallait pas que je le dise à qui que ce soit. C'était un rendez-vous secret, dans le Clos des Papillons... et elle m'a dit que si j'ouvrais la bouche, je serais mise à la porte...

— Qui « elle » ? demanda Marcus, dont le sang bouillonnait. Qui devait-elle rencontrer ? Parlez, que diable !

— C'est la comtesse, chuchota Gertie, l'air terrorisé par ce qu'elle lisait sur son visage. C'est lady Westcliff, milord.

Le dernier mot n'avait pas franchi ses lèvres que Marcus avait quitté la pièce et fonçait vers l'escalier, en proie à une fureur meurtrière.

— Westcliff! hurla Hunt en s'élançant à sa poursuite. Westcliff... bon sang, attends...

Marcus ne fit qu'accélérer l'allure, grimpant les marches deux à deux. Il savait mieux que quiconque de quoi la comtesse était capable... Et un sentiment d'horreur l'envahit à la pensée que, d'une façon ou d'une autre, il avait peut-être déjà perdu Lillian.

24

Lillian avait conscience d'être secouée avec une régularité irritante, et elle finit par comprendre qu'elle se trouvait dans une voiture lancée à grande vitesse. Une odeur horrible flottait dans l'air... celle d'une espèce de solvant puissant, comme de la térébenthine. Alors que, déconcertée, elle essayait de bouger, elle se rendit compte que son oreille reposait sur un coussin dur. Elle se sentait affreusement mal. Sa gorge la brûlait, et elle avait des haut-le-cœur incessants. Elle gémit tandis que son esprit embrumé tentait de se libérer de rêves déplaisants.

Ouvrant les yeux avec peine, elle aperçut quelque chose au-dessus d'elle... Un visage qui semblait foncer vers elle puis disparaître. Elle voulut demander ce qui lui arrivait, mais son cerveau semblait avoir été séparé de son corps et, même si elle avait vaguement conscience de parler, les mots qu'elle prononçait n'avaient aucun sens.

— Chuuut...

Une main se posa sur sa tête.

— Reposez-vous. Vous allez bientôt revenir à vous, mon ange. Restez tranquille et respirez.

Désorientée, Lillian ferma les yeux et s'efforça de se concentrer. Après quelques instants, elle associa la voix à une image.

— *Sinvinsan*... marmonna-t-elle d'une voix pâteuse.

— Oui, mon cœur.

Un ami! Quelqu'un qui allait l'aider, songea-t-elle, soulagée. Mais presque immédiatement, son instinct la mit en garde. Quand elle remua la tête, celle-ci roula sur ce qui se révéla être la cuisse de Saint-Vincent. L'odeur écœurante la submergeait... elle était dans ses narines, sur son visage, elle lui piquait les yeux. Elle porta les mains à son visage pour s'en débarrasser, mais Saint-Vincent lui agrippa les poignets.

— Non, non, murmura-t-il. Attendez... Buvez ceci. Juste une gorgée.

Il pressa le goulot d'une gourde contre ses lèvres, et de l'eau fraîche coula dans sa bouche. Lillian l'avala avec reconnaissance, et demeura immobile quand il passa un linge humide sur sa figure.

— Mon pauvre cœur, murmura Saint-Vincent. L'idiot qui vous a amenée à moi a dû vous donner deux fois plus d'éther qu'il n'était nécessaire. Il y a longtemps que vous auriez dû vous réveiller.

De l'éther... L'idiot qui vous a amenée à moi...

Lillian rouvrit les yeux, mais tout demeurait flou autour d'elle.

— Vois pas... souffla-t-elle.

— Ça devrait aller mieux dans quelques minutes.

De l'éther... Pourquoi? demanda-t-elle, ignorant si elle devait attribuer son tremblement incontrôlable à l'intoxication à l'éther ou à la découverte qu'elle gisait, impuissante, entre les bras d'un ennemi.

Même si elle ne distinguait pas l'expression de Saint-Vincent, elle perçut dans sa voix une gravité pleine de contrition lorsqu'il répondit :

— Je n'ai pas eu le choix, mon cœur, sinon j'aurais veillé à ce que vous soyez mieux traitée. On m'a seulement dit que si j'étais intéressé, je devais venir vous chercher sans délai, ou bien l'on se débarrasserait de vous d'une manière ou d'une autre.

Connaissant la comtesse, je n'aurais pas été surpris qu'elle décide de vous enfermer dans un sac et de vous noyer, comme un chat.

— La comtesse… répéta Lillian d'une voix faible. Westcliff… Dites-lui…

Dieu qu'elle souhaitait la présence de Marcus ! Elle voulait entendre sa voix profonde, sentir ses mains aimantes sur elle, la chaleur de son corps contre le sien. Mais Marcus ignorait où elle était et ce qui lui était arrivé.

— Votre destin a subi une altération, mon petit, expliqua Saint-Vincent comme s'il avait lu dans ses pensées. Inutile de réclamer Westcliff… Vous êtes hors de sa portée, à présent.

Lillian se débattit pour s'asseoir, et faillit rouler sur le sol de la voiture. Saint-Vincent la retint d'une simple pression sur les épaules.

— Du calme. Vous n'êtes pas encore assez solide pour vous asseoir seule. N'essayez pas. Vous risquez d'être malade.

À sa grande honte, Lillian ne put retenir un gémissement de désespoir quand elle retomba, impuissante, sur ses cuisses.

— Qu'est-ce que cela signifie ? articula-t-elle en ravalant un haut-le-cœur. Où allons-nous ?

— À Gretna Green. Pour nous marier, mon ange.

— Gretna Green ?

— Ah, j'oubliais que vous étiez américaine… Gretna Green est un village d'Écosse dont le forgeron est habilité à célébrer des mariages sans aucune formalité. D'où sa renommée.

Une bouffée de panique submergea Lillian qui réussit pourtant à murmurer :

— Je ne… coopérerai pas.

— Je crains que vous n'ayez pas le choix, répliqua Saint-Vincent d'un ton égal. Je connais plusieurs méthodes pour m'assurer votre coopération, même si je préférerais ne pas vous infliger de douleurs inutiles. Et, après la cérémonie, une consommation immédiate rendra l'union indissoluble.

— Westcliff ne l'acceptera pas, croassa-t-elle. Quoi que vous fassiez. Il me... il me reprendra.

— Il n'aura aucun droit légal sur vous à ce moment-là, mon cœur. Et je le connais depuis suffisamment longtemps pour être certain qu'il ne voudra plus de vous une fois que vous aurez été à moi.

— Pas s'il s'agit d'un viol, répliqua Lillian d'une voix étranglée. Il ne me blâmera pas.

Elle tressaillit quand Saint-Vincent fit glisser sa paume sur son épaule.

— Il ne sera pas question de viol. Si je connais une chose, très chère, c'est la manière de... Bref, je ne vais pas me vanter. Mais inutile d'ergoter. Je peux vous assurer que, même si Westcliff ne vous blâme pas, il ne courra pas le risque que sa femme donne naissance au bâtard d'un autre. Il n'acceptera pas non plus une femme qui aura été profanée. Il vous fera savoir – à regret, bien sûr – qu'il vaudrait mieux pour tout le monde que les choses en restent là. Après quoi, il épousera la jeune fille anglaise convenable qu'il aurait dû choisir dès le départ. Tandis que vous, continua-t-il en lui effleurant la joue de l'index, vous serez parfaite pour moi. J'ose affirmer que votre famille se réconciliera très rapidement avec moi. Vos parents sont du genre à faire de nécessité vertu.

Lillian n'était pas d'accord avec cette analyse, en ce qui concernait Marcus en tout cas. Elle avait toute confiance en sa loyauté. Toutefois, elle préférait ne pas mettre cette théorie à l'épreuve – notamment avec la consommation forcée du mariage. Elle demeura immobile une longue minute, et découvrit avec soulagement que sa vision devenait plus nette et que les haut-le-cœur s'espaçaient, même si des flots de salive âcre ne cessaient de lui monter à la bouche.

À présent qu'elle avait surmonté la première attaque de panique, elle était capable de rassembler suffisamment ses idées pour réfléchir. Bien qu'une partie d'elle-même ne demandât qu'à exploser de fureur, elle parvint à se convaincre qu'elle n'en tirerait guère de bénéfices.

— Je veux m'asseoir, dit-elle d'un ton neutre.

Saint-Vincent parut surpris, et admiratif, de la découvrir si calme.

— Lentement, dans ce cas. Et laissez-moi vous soutenir le temps que vous recouvriez votre équilibre.

Des étincelles bleues et blanches papillonnèrent devant ses yeux comme il l'aidait à se redresser, puis à se caler dans un coin de la voiture. Une faiblesse la saisit, accompagnée d'un nouvel afflux de salive, mais elle réussit à se reprendre. Elle constata alors que sa robe était dégrafée et que le devant, béant, révélait sa chemise chiffonnée. Le cœur battant d'anxiété, elle tenta sans succès de rapprocher les bords du corsage. Quand elle leva un regard accusateur vers Saint-Vincent, il avait le visage grave, mais ses yeux souriaient.

— Non, je n'ai pas abusé de vous. Pas encore. Je préfère que mes victimes soient conscientes. Cependant, votre respiration était faible, et j'ai craint qu'entre la dose excessive d'éther et votre corset trop serré, vous ne connaissiez une fin prématurée. J'ai enlevé le corset, mais je n'ai pas réussi à rattacher votre robe.

— Encore de l'eau, demanda Lillian d'une voix enrouée.

Elle but une petite gorgée de la gourde de peau qu'il lui tendit. Ses yeux restaient fixés sur son visage, cherchant quelque vestige du charmant compagnon qu'elle avait connu à Stony Cross Park. Mais elle ne voyait que le regard impassible d'un homme qui ne reculerait devant rien, pas même un viol, pour parvenir à ses fins. Il ne possédait aucun principe, aucun sens de l'honneur, aucune faiblesse humaine. Elle pourrait pleurer, crier, le supplier, rien ne l'émouvrait.

— Pourquoi moi ? demanda-t-elle. Pourquoi pas une autre héritière ?

— Parce que vous étiez l'option la plus commode. Et que, financièrement parlant, vous êtes de loin la plus avantageuse.

— Et que vous voulez frapper Westcliff. Parce que vous êtes jaloux de lui.

— Mon ange, c'est aller un peu trop loin. Je n'échangerais pour rien au monde ma place contre celle de Westcliff, qui croule sous les obligations. Je cherche simplement à améliorer ma situation.

— Et vous êtes donc disposé à prendre une femme qui vous haïra ? Si vous croyez que je vous pardonnerai un jour, vous n'êtes qu'un sot vaniteux et égocentrique. Je ferai tout ce qui est en mon pouvoir pour vous rendre la vie impossible. C'est ce que vous désirez ?

— Pour le moment, tout ce que je veux, c'est votre argent. Plus tard, nous chercherons comment vous ramener à de meilleurs sentiments envers moi. En cas d'échec, je peux toujours vous installer à la campagne, avec pour seule distraction la contemplation des vaches et des moutons.

Lillian pressa les doigts sur ses tempes dans l'espoir de soulager la douleur qui la taraudait.

— Ne me sous-estimez pas, répliqua-t-elle, les yeux fermés. Je ferai de votre vie un enfer. Je pourrais même vous tuer.

Il accueillit sa déclaration par un rire sans joie.

— Je ne doute pas que quelqu'un le fera, un jour ou l'autre. Pourquoi pas ma propre épouse ?

Lillian garda le silence, et ferma les yeux pour lutter contre les larmes qui menaçaient. Elle ne pleurerait pas. Elle attendrait le moment opportun... Et si sa liberté passait par le meurtre, elle s'en accommoderait avec joie.

Le temps que Marcus atteigne les appartements privés de la comtesse, Simon Hunt sur les talons, l'agitation avait attiré l'attention de la moitié du personnel. Trop pressé d'en finir avec cette garce vicieuse qui lui servait de mère, Marcus n'eut que vaguement conscience des visages abasourdis des domestiques qu'il dépassait. Il ne prêtait aucune attention aux exhortations de Hunt qui le sommait de se calmer et de ne pas agir sous l'emprise de la fureur. Jamais, de toute sa vie, Marcus n'avait été aussi inaccessible à toute tentative de raisonnement.

Quand il atteignit la porte des appartements de sa mère, elle était fermée. Il secoua violemment la poignée.

— Ouvrez ! rugit-il. Ouvrez immédiatement !

Il y eut un silence, puis :

— Milord, fit la voix effrayée d'une servante, la comtesse m'a ordonné de vous dire qu'elle se reposait.

— Je m'en vais lui faire connaître le repos éternel si vous n'ouvrez pas cette porte *sur-le-champ* !

— Milord, s'il vous plaît...

Il recula de quelques pas, puis se jeta contre le panneau, qui tressauta sur ses gonds avec un craquement de bois fendu. Deux invitées, témoins involontaires de cette démonstration de rage, poussèrent des cris.

— Mon Dieu, s'écria l'une d'elles, il est devenu fou furieux !

De nouveau, Marcus recula avant de s'élancer contre la porte. Cette fois, des éclats de bois sautèrent. Sentant Hunt l'agripper par-derrière, il fit volte-face, le poing levé, prêt à lancer une attaque sur tous les fronts.

— Seigneur, marmonna Hunt en esquissant un pas en arrière, les mains levées en un geste défensif.

Le visage crispé, il fixait Marcus comme s'il s'agissait d'un étranger.

— Westcliff...

— Fiche-moi la paix, bon sang !

— Volontiers. Mais laisse-moi te signaler que si la situation était inversée, tu serais le premier à me conseiller de garder la tête froide...

L'ignorant, Marcus pivota vers la porte, visa la serrure et la fit sauter d'un coup de botte bien placé. Le hurlement de la servante, à l'intérieur, se répercuta dans toute la cage d'escalier quand le panneau de bois céda brusquement. Après avoir traversé l'antichambre au pas de charge, Marcus fit irruption dans la chambre, où il trouva la comtesse installée dans un fauteuil près de la cheminée, vêtue de pied en cap et le cou ceint de plusieurs rangs de perles. Elle le toisa avec un dédain amusé.

Le souffle rauque, Marcus avança sur elle en proie à des envies de meurtre. De toute évidence, elle ne se rendait pas compte du danger qu'elle courait, sinon elle ne l'aurait pas reçu avec autant de calme.

— La bête est lâchée, dirait-on, murmura-t-elle. Votre dégringolade de gentleman à brute épaisse a été très rapide. Mes compliments à Mlle Bowman pour son efficacité.

— Qu'avez-vous fait d'elle ?

— Qu'ai-je fait d'elle ? répéta la comtesse d'un air innocent. Que diable voulez-vous dire, Westcliff ?

— Vous lui avez donné rendez-vous ce matin au Clos des Papillons.

— Je ne m'éloigne jamais autant du manoir, répliqua-t-elle d'un ton hautain. Quelle affirmation ridic...

Elle laissa échapper un cri strident quand Marcus referma les doigts sur ses rangs de perles et les tordit.

— Dites-moi où elle est ou je vous étrangle !

Une fois de plus, Simon Hunt le saisit par-derrière, bien décidé à l'empêcher de commettre un meurtre.

— Westcliff !

Marcus resserra son étreinte sur le collier, et scruta sans ciller le visage de sa mère. La lueur de triomphe vindicatif qui brillait dans ses yeux ne lui échappa pas, et il ne détacha pas son regard du sien même quand il entendit la voix d'Olivia.

— Marcus ! Marcus, écoute-moi ! Je te donne la permission de l'étrangler plus tard. Je suis même prête à t'aider. Mais attends au moins de savoir ce qu'elle a fait.

Sans paraître l'entendre, Marcus continua de serrer, jusqu'à ce que les yeux de la vieille femme semblent prêts à jaillir de leurs orbites.

— Si vous ne me dites pas où est Lillian Bowman, je vous envoie au diable. Parlez ou je vous étrangle pour vous y obliger. Et croyez-moi, je tiens suffisamment de mon père pour le faire sans hésitation.

— Oh oui, vous tenez de lui, grinça la comtesse. Je vois que toutes vos prétentions à être plus noble, plus sage et meilleur que lui ont fini par s'évanouir. Cette Bowman vous a empoisonné sans même que vous en soyez…

— Immédiatement ! rugit-il.

Pour la première fois, la comtesse parut mal à l'aise, sans perdre sa suffisance pour autant.

— Je le reconnais, j'ai rencontré Mlle Bowman ce matin dans le Clos des Papillons… où elle m'a fait part de son intention de s'enfuir avec lord Saint-Vincent.

— C'est un mensonge ! s'écria Olivia, outrée.

D'autres voix se joignirent à la sienne : celles d'Annabelle et de Daisy, qui assistaient à la scène depuis le seuil et niaient avec vigueur.

Marcus lâcha la comtesse comme s'il s'était brûlé. Le soulagement indicible de savoir Lillian vivante s'évanouit dès qu'il prit conscience qu'elle était loin d'être en sécurité. Saint-Vincent ayant cruellement besoin d'argent, il était tout à fait logique qu'il ait enlevé Lillian. Marcus se détourna de sa mère. Il ne voulait plus jamais la voir ni lui parler. Son regard croisa celui de Simon Hunt qui, comme c'était prévisible, se livrait déjà à des calculs rapides.

— Il va l'emmener à Gretna Green, bien sûr, murmura son ami. Ils ont dû prendre en direction de l'est pour rejoindre la route principale, dans le Hertfordshire. Il ne se hasardera pas à emprunter des petites routes où il risquerait de s'embourber ou de casser un essieu. Depuis le Hertfordshire, il faut environ quarante-cinq heures pour rejoindre l'Écosse… à raison de quatre lieues de l'heure, avec des arrêts pour changer les chevaux…

— Vous ne les rattraperez jamais! caqueta la comtesse.

— Oh, fermez-la, vieille sorcière! cria Daisy, à bout. Lord Westcliff, voulez-vous que je coure jusqu'aux écuries pour leur ordonner de seller un cheval?

— Deux chevaux, intervint Simon Hunt. Je pars avec lui.

— Lesquels dois-je…

— Ébène et Yasmine, répondit Marcus.

C'étaient ses deux meilleurs arabes, capables de parcourir de longues distances à une allure soutenue. Avec eux, ils iraient trois fois plus vite que la voiture de Saint-Vincent.

Daisy disparut et Marcus se tourna vers sa sœur.

— Veille à ce que la comtesse soit partie lorsque je reviendrai. Prépare ce dont elle a besoin et fais-la conduire hors de la propriété.

— Où souhaites-tu que je l'envoie? demanda Olivia, pâle mais posée.

— Je m'en moque éperdument, tant qu'elle s'abstient de revenir.

Comprenant qu'on la bannissait et, sans doute, qu'on la condamnait à l'exil, la comtesse se leva.

— Je ne me laisserai pas chasser de cette manière! Je ne le tolérerai pas, milord!

— Et préviens la comtesse, poursuivit Marcus, que s'il arrive quoi que ce soit à Mlle Bowman, elle a intérêt à ce que je ne mette jamais la main sur elle.

Marcus sortit de la pièce, se frayant un chemin parmi le petit groupe rassemblé sur le palier. Simon Hunt lui emboîta le pas, après s'être arrêté brièvement pour murmurer quelques mots à l'oreille d'Annabelle et l'embrasser sur le front.

Dans le silence qui suivit, la comtesse marmonna:

— Peu importe ce qu'il advient de moi. Il me suffit de savoir que je l'ai empêché de souiller la lignée familiale.

Olivia se retourna pour adresser à sa mère un regard à la fois apitoyé et méprisant.

— Marcus n'échoue jamais, dit-elle sans élever la voix. Il a passé son enfance à apprendre à surmonter les épreuves les plus ardues. Maintenant qu'il a enfin trouvé quelqu'un qui mérite qu'on se batte pour lui... vous croyez vraiment qu'il laissera quoi que ce soit l'arrêter?

25

En dépit de sa peur et de son inquiétude, les effets résiduels de l'éther eurent raison de Lillian qui s'endormit, la tête appuyée contre la paroi capitonnée de la voiture. Elle se réveilla brutalement lorsque celle-ci s'immobilisa. Le dos douloureux, les pieds engourdis, elle se frotta les yeux, priant pour se réveiller dans la petite chambre paisible de Stony Cross Park... ou, mieux encore, dans le lit de Marcus. Elle ouvrit les paupières, et son cœur manqua un battement quand elle reconnut l'intérieur de la voiture de Saint-Vincent.

Les doigts tremblants, elle écarta le rideau de la fenêtre. Le soleil couchant jetait ses derniers feux à travers un bosquet de chênes. La voiture était arrêtée devant un relais de poste à l'enseigne du *Bull and Mouth*. C'était une vaste auberge, composée de trois bâtiments contigus, qui pouvaient sans doute accueillir une centaine de chevaux.

Un mouvement près d'elle attira son attention. Elle commença à pivoter et se raidit comme on lui immobilisait les poignets dans le dos.

— Qu'est-ce que... commença-t-elle.

Au même instant, elle sentit le froid du métal sur sa peau et entendit un cliquetis. Des menottes!

— Espèce de salaud, siffla-t-elle. Espèce de lâche. Vous n'êtes qu'un...

Elle ne put achever, car on lui avait enfoncé un tampon de tissu dans la bouche, puis on la bâillonna.

— Désolé, lui chuchota Saint-Vincent à l'oreille, sans paraître l'être le moins du monde. Vous ne devriez pas tirer sur vos poignets, mon cœur. Vous risquez de les écorcher inutilement. Un jouet intéressant que celui-là, ajouta-t-il en glissant le doigt sous l'anneau métallique pour lui caresser la peau. Je connais certaines femmes qui les apprécient beaucoup.

Faisant pivoter son corps rigide face à lui, il sourit devant son expression de fureur mêlée de perplexité.

— Mon innocente... Ce sera un grand plaisir de vous initier.

Comment cet homme pouvait-il être à la fois aussi beau et aussi traître ? ne put s'empêcher de s'étonner Lillian. Un méchant aurait dû être aussi monstrueux à l'extérieur qu'à l'intérieur. Il était injuste qu'une brute sans âme comme Saint-Vincent ait été dotée d'une telle beauté.

— Je reviens, reprit-il. Restez tranquille... et essayez de ne pas causer de troubles.

Quel crétin suffisant ! songea Lillian avec amertume, la gorge nouée sous l'effet d'une panique grandissante. Tandis que Saint-Vincent ouvrait la portière et sautait à bas de la voiture, elle s'obligea à respirer lentement pour tenter de dominer sa peur et réfléchir.

À Stony Cross Park, on avait dû remarquer son absence depuis des heures. Tandis qu'on la cherchait, qu'on s'inquiétait, la comtesse devait se féliciter d'être débarrassée d'elle. À quoi pensait Marcus, à cet instant ? Qu'est-ce qu'il... Non, elle ne pouvait se permettre de penser à lui, car ses yeux la picotaient, et elle ne voulait pas pleurer. Pas question de montrer la moindre faiblesse devant Saint-Vincent.

La portière s'ouvrit, et ce dernier grimpa dans la voiture qui s'ébranla lentement pour gagner la cour située à l'arrière de l'auberge.

— Je vais vous emmener dans une chambre où vous pourrez satisfaire vos besoins naturels, annonça-t-il à Lillian. Malheureusement, nous n'avons pas le temps de prendre un repas. Mais je vous promets un petit déjeuner décent demain matin.

Lorsque la voiture s'arrêta, Saint-Vincent la prit par la taille et l'attira vers lui. Il glissa un regard appréciateur à ses seins, visibles sous le fin tissu de sa chemise dans l'ouverture de sa robe, puis l'enveloppa dans son manteau pour dissimuler les menottes et le bâillon, et la jeta sur son épaule.

— Je vous déconseille fortement de vous débattre ou de donner des coups de pied, la prévint-il. Ou je pourrais décider de différer notre départ, le temps de vous montrer précisément ce que mes amoureuses trouvent de si délicieux aux menottes.

Lillian prit sa menace de viol au sérieux. Aussi se tint-elle tranquille quand il traversa la cour et gagna un escalier extérieur. Quelqu'un dut lui poser une question, car elle l'entendit expliquer avec un rire complaisant :

— Mon p'tit rayon d'amour a comme un coup dans l'aile. Le gin, c'est son péché mignon ! Devant un bon cognac français, elle fait sa dégoûtée, et puis elle se jette sur le tord-boyaux, cette cervelle de moineau…

L'autre s'esclaffa, au grand dam de Lillian. Elle compta les marches que Saint-Vincent montait… Vingt-huit, avec un palier au milieu. Arrivés au niveau supérieur, ils franchirent une porte et empruntèrent un long couloir. Quelques secondes plus tard, ils pénétraient dans une chambre dont il referma la porte d'un coup de pied.

Après avoir déposé Lillian sur le lit, il la débarrassa du manteau et repoussa ses cheveux en désordre.

357

— Je veux m'assurer qu'ils nous donnent des chevaux convenables, murmura Saint-Vincent, les yeux brillants comme des gemmes, et tout aussi froids. Je serai bientôt de retour.

Lui arrivait-il jamais de ressentir une quelconque émotion ? s'interrogea Lillian. Ou traversait-il simplement la vie tel un comédien en scène, arborant l'expression qui servait au mieux ses intérêts ? Quelque chose dans le regard scrutateur qu'elle attachait sur lui effaça son léger sourire. Il fouilla dans sa poche, en tira une clé à la vue de laquelle Lillian eut un tressaillement d'excitation. Après l'avoir fait rouler sur le côté, Saint-Vincent ouvrit l'une des menottes. Elle ne put retenir un soupir de soulagement quand ses bras furent de nouveau libres. Hélas, ils le restèrent peu de temps ! Avec une facilité irritante, il lui attrapa les poignets, et les attacha aux barreaux métalliques de la tête de lit.

Étendue, impuissante, devant lui, les bras étirés au-dessus de la tête, Lillian l'observa avec méfiance. Saint-Vincent balaya son corps d'un regard insolent qui lui signifiait sans aucune ambiguïté qu'elle était à sa merci. « Seigneur, je vous en prie, ne le laissez pas... » pria-t-elle. Elle ne détourna pas les yeux, pas plus qu'elle ne se recroquevilla. Elle pressentait qu'une des raisons qui l'avaient protégée jusqu'à présent, c'était son absence apparente de peur.

Sa gorge se serra pourtant douloureusement quand Saint-Vincent frôla d'une main experte la peau nue que dévoilait l'encolure distendue de sa chemise.

— Si seulement nous avions le temps de jouer, observa-t-il d'un ton léger.

Les yeux rivés sur son visage, il referma les doigts sur l'un de ses seins, qu'il caressa jusqu'à sentir la pointe durcir sous sa paume. Honteuse, pleine de rage, Lillian inspira avec force.

Lentement, Saint-Vincent retira sa main et s'écarta du lit.

— Bientôt, murmura-t-il, sans qu'elle sache s'il parlait de son retour des écuries ou de son intention de coucher avec elle.

Les paupières closes, Lillian écouta le bruit de ses pas sur le plancher. La porte s'ouvrit, se referma, et une clé tourna dans la serrure. Basculant alors la tête en arrière, elle examina les menottes. Elles étaient en acier, reliées par une chaîne, et portaient une inscription gravée : *Kigby-Dumfries n° 30, fabrication garantie, produit d'Angleterre*.

Après quelques contorsions, Lillian réussit à attraper une épingle restée accrochée dans sa chevelure. À grand-peine, elle la détordit, en recourba l'extrémité et l'inséra dans la serrure. Mais l'extrémité de l'épingle ne cessait de glisser, rendant l'opération délicate. Lillian laissa échapper un juron quand elle finit par se recourber sous la pression. Elle la ressortit, la redressa, puis fit une nouvelle tentative, en s'efforçant d'exercer une pression avec le dos de son poignet contre le rebord intérieur de l'anneau. Tout à coup, il y eut un cliquetis, et la menotte s'ouvrit.

Lillian bondit du lit comme s'il était en feu, se rua vers la porte, les menottes dansant à son poignet. Après avoir arraché le bâillon et craché le tampon de tissu, elle s'attaqua à la serrure de la porte. À l'aide d'une autre épingle, elle crocheta le verrou sans difficulté.

— Dieu soit loué ! souffla-t-elle.

Des voix montaient de la taverne, en dessous, et elle estima que ses chances de trouver un inconnu compatissant, prêt à l'aider, seraient bien meilleures à l'intérieur de l'auberge que dans la cour, où se pressaient les cochers et les valets.

Un coup d'œil rapide dans le couloir pour s'assurer qu'il était désert, et elle s'élança hors de la chambre.

Consciente de sa tenue débraillée, elle rapprocha les bords de son corsage tout en courant vers l'escalier intérieur. Son cœur battait à grands coups sourds, et elle était en proie à un désespoir tel qu'elle se sentait capable de tout. Ses pieds volaient au-dessus des marches comme si son corps obéissait à une force qui lui était propre.

Parvenue au bas de l'escalier, elle se rua dans la salle principale de l'auberge. Les conversations s'interrompirent abruptement, et les regards convergèrent sur elle. Repérant dans un angle une table et quelques fauteuils auprès desquels se tenaient quatre ou cinq gentlemen bien vêtus, Lillian se précipita vers eux et déclara sans préambule :

— Il faut que je voie l'aubergiste, ou quelqu'un susceptible de m'aider. Je dois…

Elle s'interrompit en entendant son prénom. Le corps tendu comme un arc, elle jeta un coup d'œil par-dessus son épaule. Pas de Saint-Vincent !

— Lillian ! fit de nouveau la voix profonde.

Ses jambes faillirent se dérober sous elle comme un homme brun franchissait la porte d'entrée. « C'est impossible ! » pensa-t-elle en clignant des paupières avec force. Sa vue lui jouait des tours. Vacillant, elle pivota pour lui faire face.

— Westcliff, souffla-t-elle avant de faire quelques pas.

Le reste de la pièce parut s'évanouir. Pâle sous son hâle, Marcus la fixait avec intensité comme s'il redoutait qu'elle disparaisse. Il la rejoignit en trois enjambées, referma les bras autour d'elle et la serra contre lui à l'étouffer.

— Mon Dieu, murmura-t-il, le visage enfoui dans ses cheveux.

— Tu… es venu, balbutia Lillian qui tremblait de la tête aux pieds. Tu m'as trouvée.

Elle ne comprenait pas comment une telle chose était possible. Percevant son tremblement, il referma les pans de son manteau sur elle sans cesser de murmurer des mots tendres, la bouche contre ses cheveux. Il sentait le cheval et la sueur.

— Marcus, suis-je folle ? Oh, s'il te plaît, dis-moi que c'est toi ! Dis-moi que tu ne vas pas partir…

— C'est bien moi, assura-t-il d'une voix rauque. Et je n'ai pas l'intention d'aller où que ce soit.

Il recula légèrement. Ses yeux sombres la parcoururent tandis qu'il palpait son corps avec fébrilité.

— Mon amour… es-tu blessée ?

En découvrant les menottes, il sursauta violemment, puis déclara en frémissant de fureur :

— Nom de Dieu, je vais l'envoyer au…

— Je vais bien, murmura Lillian en hâte. Je ne suis pas blessée.

Portant sa main à ses lèvres, Marcus l'embrassa avec force, puis :

— Lillian, est-ce qu'il…

Lisant la question dans son regard, devinant les mots qu'il ne pouvait se résoudre à prononcer, Lillian répondit d'une voix étranglée :

— Non, il ne s'est rien passé. Il n'y avait pas assez de temps.

— Il n'empêche que je vais le tuer, articula-t-il avec une détermination qui arracha un frisson à Lillian.

S'apercevant que sa robe était dégrafée, il la lâcha le temps d'enlever son manteau et de le draper sur ses épaules.

— Cette odeur ? dit-il soudain en se figeant. Qu'est-ce que c'est ?

— De l'éther, répondit-elle après une hésitation.

Comme il ouvrait de grands yeux, elle se força à sourire, et ajouta vivement :

— Ça n'a pas été si terrible, en vérité. J'ai dormi presque toute la journée. À part la nausée, je…

Un grondement animal s'échappa de la gorge de Marcus, qui l'attira de nouveau contre lui.

— Je suis désolé. Je suis tellement désolé. Lillian, mon doux amour… tu es en sécurité, à présent. Il ne t'arrivera plus rien. Je le jure sur ma vie.

Il prit son visage entre ses mains et la gratifia d'un baiser qui, bien que doux et bref, fut si intense qu'elle en vacilla. Fermant les yeux, elle s'abandonna contre lui. Elle craignait encore que rien de tout cela ne fût réel : elle allait se réveiller, et se retrouver avec Saint-Vincent... Marcus murmurait des mots de réconfort, la tenant enlacée dans une étreinte qui paraissait tendre, mais que les efforts associés de dix hommes n'auraient pu rompre. Quand elle rouvrit les yeux, Lillian eut la surprise de voir s'approcher Simon Hunt.

— Monsieur Hunt...

— Tout va bien, mademoiselle Bowman ? demanda-t-il en la couvant d'un regard soucieux.

Elle dut se tordre le cou pour se soustraire aux baisers de Marcus avant de répondre, haletante :

— Oui, tout va bien. Comme vous pouvez le constater, je n'ai rien.

— C'est un grand soulagement, avoua Hunt avec un sourire. Votre famille et vos amis étaient morts d'inquiétude.

— La comtesse... commença Lillian avant de s'arrêter net.

Comment expliquer l'étendue de sa trahison à Marcus ? Cependant, comme elle plongeait son regard dans le sien, elle y lut une telle inquiétude qu'elle se demanda comment elle avait pu le croire dépourvu de tout sentiment.

— Je sais ce qu'elle a fait, murmura-t-il en lissant sa chevelure en désordre. Tu n'auras pas à la revoir. Elle sera partie pour de bon lorsque nous rentrerons à Stony Cross Park.

Alors que les questions et les interrogations se bousculaient dans son esprit, Lillian se sentit soudain submergée de fatigue. La joue appuyée contre l'épaule rassurante de Marcus, elle n'écouta qu'à demi l'échange qui s'ensuivit.

— ... trouver Saint-Vincent, entendit-elle dire Marcus.

— Non ! répliqua Simon Hunt. C'est *moi* qui irai à la recherche de Saint-Vincent. Toi, tu t'occupes de Mlle Bowman.

— Nous avons besoin d'intimité.

— Je crois qu'il y a une petite pièce par-là... C'est plus un vestibule, à vrai...

La voix de Hunt mourut et, au même moment, Lillian prit conscience de la tension qui raidissait le corps de Marcus. Lentement, il pivota pour regarder en direction de l'escalier.

Saint-Vincent était en train de le descendre, sans doute après être retourné dans la chambre par l'extérieur et avoir découvert qu'elle était vide. S'arrêtant à mi-chemin, il contempla le tableau qui s'offrait à lui : les petits groupes de clients médusés... l'aubergiste renfrogné... et le comte de Westcliff, qui le couvrait d'un regard meurtrier.

Un silence mortel s'abattit dans la taverne, qui rendit d'autant plus audible le grognement de Westcliff.

— Nom de Dieu, je vais te massacrer !

— Marcus, attends... murmura Lillian, éperdue.

Elle fut repoussée sans cérémonie vers Simon Hunt, qui la rattrapa spontanément tandis que Marcus fonçait vers l'escalier. Au lieu de contourner la rampe, il sauta par-dessus, comme un chat. Saint-Vincent tenta une retraite stratégique, mais Marcus se jeta en avant, l'attrapa par les jambes et l'obligea à redescendre. Ils s'empoignèrent, échangèrent des coups et des jurons, jusqu'à ce que Saint-Vincent tente un coup de pied à la tête. Pour éviter sa lourde botte, Marcus fut forcé de le lâcher. Le vicomte en profita pour s'élancer dans l'escalier, Marcus sur ses talons. Ils ne tardèrent pas à disparaître, suivis par un groupe d'hommes enthousiastes, qui hurlaient des conseils, échangeaient des paris, et s'enthousiasmaient à la vue de ces deux aristocrates s'affrontant comme des coqs de combat.

Le visage pâle, Lillian jeta un coup d'œil à Simon Hunt, qui arborait un mince sourire.

— Vous n'allez pas l'aider ?

— Certes non. Westcliff ne me le pardonnerait jamais. C'est sa première bagarre dans une taverne.

Voyant qu'elle vacillait légèrement, il posa la main au creux de son dos et la guida vers le groupe de fauteuils. Des bruits divers en provenance de l'étage leur parvenaient : chocs sourds, fracas de mobilier qui se brise, verre volant en éclats.

— À présent, dit Hunt sans paraître se soucier du tumulte, si vous me permettiez de jeter un coup d'œil à cette menotte, je pourrais peut-être faire quelque chose.

— J'en doute, fit Lillian avec lassitude. La clé est dans la poche de Saint-Vincent, et je n'ai plus d'épingles à cheveux.

S'asseyant auprès d'elle, Hunt lui saisit le poignet, l'examina de près, puis déclara avec une satisfaction qu'elle jugea inappropriée :

— Nous avons de la chance… Une paire de Higby-Dumfries numéro 30 !

Lillian lui adressa un regard ironique.

— J'en déduis que vous êtes amateur de menottes ?

— Non, répondit-il en souriant, mais j'ai un ami ou deux dans les forces de l'ordre. Je sais que ce type de menottes a été fourni en quantité à la police, jusqu'à ce qu'on découvre qu'elles avaient un défaut. Désormais, on trouve des douzaines de Higby-Dumfries chez n'importe quel prêteur sur gages.

— Quel défaut ?

En guise de réponse, Hunt ajusta l'anneau sur son poignet, orientant la charnière et le verrou vers le bas. Il marqua une pause comme un nouveau fracas ébranlait l'auberge, puis sourit à Lillian, dont les sourcils se fronçaient un peu plus à chaque seconde.

— Je vais m'en mêler, lui promit-il. Mais d'abord…

Il sortit un mouchoir de sa poche et l'inséra entre le poignet de Lillian et le métal.

— Voilà qui devrait amortir un peu l'impact du coup.

— L'impact du coup ? De quel coup ?

— Ne bougez pas.

Lillian poussa un cri étranglé quand il leva son poignet menotté au-dessus de la table avant de l'abattre avec force sur la charnière. Le choc suffit à déloger le levier à l'intérieur de la serrure, et la menotte s'ouvrit comme par enchantement. Ébahie, Lillian regarda Hunt tout en se massant le poignet.

— Merci. Je…

Il y eut un autre fracas épouvantable, cette fois juste au-dessus de leur tête, et les rugissements des témoins firent trembler les murs. Dominant le vacarme, l'aubergiste se plaignait d'une voix stridente que son établissement allait être réduit en miettes.

— Monsieur Hunt, je souhaiterais que vous envisagiez de vous rendre utile à lord Westcliff ! s'exclama Lillian.

Hunt haussa un sourcil moqueur.

— Vous ne craignez tout de même pas que Saint-Vincent n'ait le dessus ?

— La question n'est pas de savoir si j'ai ou non confiance dans les capacités de lord Westcliff, répliqua Lillian avec impatience. Le fait est que j'ai *trop* confiance en elles. Et je ne tiens pas vraiment à être convoquée comme témoin dans un procès pour meurtre.

— Vous marquez un point, là.

Hunt se leva, replia son mouchoir avant de le fourrer dans sa poche, puis se dirigea vers l'escalier avec un bref soupir, en grommelant :

— J'ai passé la majeure partie de la journée à tenter de l'empêcher de tuer des gens.

Lillian n'eut pas une conscience très claire du reste de la soirée. Appuyée contre Marcus, elle sentait son bras ferme la soutenir. Bien qu'échevelé et contusionné, il émanait de lui l'énergie primitive du mâle qui vient de sortir victorieux d'un combat. Elle devina qu'il donnait une grande quantité d'ordres, et que tout le monde s'employait à les satisfaire. Il fut convenu qu'ils logeraient à l'auberge, et que Hunt partirait dès l'aube pour Stony Cross Park. Entre-temps, ce fut lui qui s'occupa de charger Saint-Vincent – ou ce qu'il en restait – dans sa voiture et de le faire reconduire dans sa résidence londonienne. Apparemment, il ne serait pas poursuivi pour ses méfaits, car cela ne servirait qu'à transformer l'épisode en un scandale retentissant.

Une fois toutes les dispositions prises, Marcus porta Lillian jusqu'à la plus grande des chambres. La pièce était chichement meublée mais très propre, avec un grand lit garni de draps fraîchement repassés et d'une courtepointe en patchwork aux couleurs fanées. Deux servantes apportèrent une antique baignoire sabot en cuivre qu'elles déposèrent devant la cheminée, puis elles transportèrent d'innombrables bouilloires fumantes pour la remplir. En attendant que l'eau refroidisse, Marcus obligea Lillian à avaler un bol de soupe, qui n'était pas mauvaise même si les ingrédients étaient impossibles à identifier.

— C'est quoi, ces petits morceaux marron? s'enquit-elle, méfiante.

— Aucune importance. Avale, répondit-il en lui présentant une autre cuillerée de soupe.

— C'est du mouton? Du bœuf? Est-ce que ça avait des cornes, à l'origine? Des sabots? Des plumes? Des écailles? Je n'aime pas manger quelque chose dont j'ignore…

— Encore, coupa-t-il, impitoyable, en lui enfournant une nouvelle cuillerée.

— Tu es un tyran.

366

— Je sais. Bois un peu d'eau.

Se résignant à ses manières dominatrices – juste pour une nuit –, Lillian termina sa collation. Revigorée, elle laissa Marcus l'attirer sur ses genoux.

— À présent, raconte-moi ce qui s'est passé. Depuis le début.

Blottie contre sa poitrine, Lillian se surprit à parler avec une animation grandissante. Elle lui raconta sa rencontre avec lady Westcliff dans le Clos des Papillons, ainsi que les événements qui avaient suivi. De temps à autre, Marcus interrompait son flot de paroles par des murmures apaisants, de crainte, sans doute, d'une fébrilité et d'un énervement excessifs. Des lèvres, il lui effleurait les cheveux, et elle sentait la chaleur de son souffle sur sa peau. Elle se détendit peu à peu, et une douce langueur l'envahit.

— Comment as-tu réussi à persuader la comtesse de tout avouer aussi rapidement? demanda-t-elle. J'aurais cru qu'elle préférerait mourir plutôt que d'admettre quoi que ce soit…

— J'ai bien peur que ce ne soit le choix que je lui ai laissé.

Lillian ouvrit de grands yeux.

— Oh, murmura-t-elle. Je suis désolée, Marcus. Il s'agit de ta mère, après tout…

— Seulement au sens le plus technique du terme, répliqua-t-il. Je n'éprouvais aucun attachement filial envers elle auparavant, mais si ç'avait été le cas, il n'aurait pas survécu à ce qui s'est passé aujourd'hui. Elle a fait assez de mal comme cela. Nous ferons en sorte qu'elle demeure en Écosse ou, peut-être, à l'étranger.

— T'a-t-elle rapporté notre conversation? s'enquit Lillian après une hésitation.

Marcus secoua la tête tout en esquissant un sourire.

— Elle m'a juste dit que tu avais décidé de t'enfuir avec Saint-Vincent.

— De m'enfuir? répéta Lillian, effarée. Comme si j'avais délibérément… Comme si je l'avais choisi, lui, plutôt que…

Elle s'interrompit, atterrée, en imaginant ce qu'il avait pu ressentir. Elle n'avait pas versé une seule larme de la journée, mais à la pensée que Marcus ait pu envisager, ne serait-ce qu'une seconde, qu'une autre femme l'avait quitté pour Saint-Vincent… C'en fut trop. Elle éclata en sanglots, à sa grande surprise autant qu'à celle de Marcus.

— Tu ne l'as pas crue, n'est-ce pas? Mon Dieu, je t'en prie, dis-moi que tu ne l'as pas crue!

— Bien sûr que non.

Il la regarda avec étonnement, puis ramassa en hâte une serviette de table pour essuyer les larmes qui ruisselaient sur ses joues.

— Allons, allons, ne pleure pas…

— Je t'aime, Marcus.

Lui prenant la serviette des mains, Lillian se moucha bruyamment et, sans cesser de pleurer, balbutia :

— Je t'aime. Je me moque d'être la première à le dire, et même la seule. Je veux juste que tu saches à quel point…

— Je t'aime aussi, coupa-t-il, la voix rauque. Je t'aime aussi. Lillian… Je t'en prie, arrête de pleurer. Ça me brise le cœur. Arrête.

Elle hocha la tête et se moucha de nouveau. Elle devait avoir le visage marbré, les yeux gonflés, le nez rouge, et pourtant, prenant sa tête entre ses mains, Marcus pressa ses lèvres sur les siennes, puis dit d'une voix étranglée :

— Tu es si belle…

Cette déclaration, quoique visiblement sincère, lui arracha un gloussement entre deux sanglots. Marcus l'enveloppa de ses bras autour et l'étreignit à l'étouffer.

— Mon amour, murmura-t-il, personne ne t'a jamais dit qu'il était peu poli de rire au nez d'un homme qui fait sa déclaration?

Elle se moucha une dernière fois avec un renifle-ment fort peu élégant.

— Je suis une cause perdue, je le crains. Tu veux toujours m'épouser?

— Oui. Tout de suite.

Lillian fut tellement stupéfaite que ses larmes se tarirent.

— Quoi?

— Je veux t'emmener à Gretna Green. L'auberge loue des voitures... Nous serons en Écosse après-demain.

— Mais... mais tout le monde s'attendra certai-nement à un mariage respectable, dans une église...

— Je ne veux plus t'attendre. Et je me moque comme d'une guigne de la respectabilité.

Lillian esquissa un sourire tremblant. Nombre de personnes seraient sidérées d'entendre de tels pro-pos dans sa bouche.

— Il y aura comme un parfum de scandale, tu sais, l'avertit-elle. Le comte de Westcliff se précipi-tant à Gretna Green pour se marier...

— Eh bien, commençons donc par un scandale.

Il l'embrassa, et elle répondit par un gémissement sourd, s'arquant contre son corps jusqu'à ce qu'il approfondisse son baiser. Le souffle court, il posa les lèvres sur sa gorge frémissante.

— Dis «oui, Marcus».

— Oui, Marcus.

Il fixa sur elle un regard sombre, incandescent, et elle devina qu'il aurait aimé lui dire une multitude de choses. Toutefois, il se contenta de déclarer :

— Il est temps de prendre ton bain.

Elle aurait pu se débrouiller seule, mais il insista pour la dévêtir et la baigner comme une enfant. S'abandonnant à ses soins, détendue, elle contem-pla son visage hâlé à travers le voile de vapeur qui s'élevait de la baignoire. Avec des gestes délibéré-ment lents, il savonna puis rinça son corps jusqu'à ce que sa peau soit rose et éclatante. La soulevant dans ses bras, il la déposa sur le sol et entreprit de la sécher avec un linge doux.

— Lève les bras, murmura-t-il.

Lillian jeta un coup d'œil au vêtement à l'aspect élimé qu'il tenait à la main.

— Qu'est-ce que c'est ?

— Une chemise de nuit prêtée par la femme de l'aubergiste, répondit-il en la lui passant par-dessus la tête.

Lillian glissa les bras dans les manches et soupira d'aise en respirant l'odeur de flanelle propre. La chemise de nuit était d'une couleur indéfinie et beaucoup trop grande pour elle, mais le contact de l'étoffe douce et usée la réconforta.

Pelotonnée dans le lit, elle regarda Marcus se baigner à son tour, puis se sécher. Les muscles de son dos roulaient sous sa peau, et c'était un plaisir que de contempler son corps superbement découplé. Un sourire irrépressible lui monta aux lèvres quand elle songea que cet homme extraordinaire lui appartenait… et qu'elle ne saurait jamais vraiment comment elle avait gagné son cœur, pourtant bien gardé.

Après avoir éteint la lampe, Marcus la rejoignit dans le lit, et elle se blottit contre lui, inhalant son odeur fraîche de savon, de soleil et de sel mêlés. Elle voulait se noyer dans son parfum, elle voulait l'embrasser et toucher chaque parcelle de son corps.

— Fais-moi l'amour, Marcus, chuchota-t-elle.

Sa silhouette sombre se détacha au-dessus d'elle, et il glissa la main dans ses cheveux.

— Mon amour, dit-il, une pointe de tendre amusement dans la voix, depuis ce matin, tu as été menacée, droguée, enlevée, menottée et transportée à travers l'Angleterre. Tu ne trouves pas que cela fait assez pour une journée ?

Lillian secoua la tête.

— J'étais un peu fatiguée tout à l'heure, mais maintenant, j'ai repris des forces. Je ne pourrai pas dormir, je t'assure.

Pour une raison qu'elle ne s'expliqua pas, cela le fit rire.

Il se laissa glisser à côté d'elle et, tout d'abord, elle crut qu'il souhaitait occuper l'autre moitié du lit, jusqu'à ce qu'elle sente qu'il retroussait sa chemise de nuit. Sa respiration s'accéléra comme il repoussait l'épaisse flanelle plus haut, encore plus haut, dévoilant ses seins dont les pointes durcirent instantanément. Il promena sa bouche douce et chaude sur sa peau, éveillant de délicieuses sensations dans les endroits les plus inattendus : la zone chatouilleuse le long des côtes, la chair satinée sous son sein, le rebord délicat de son nombril. Quand Lillian voulut le caresser en retour, il repoussa doucement ses mains, et elle comprit qu'il souhaitait qu'elle se laisse faire. Son souffle se fit régulier et profond, tandis que les muscles de son ventre et de ses jambes frissonnaient de plaisir.

Marcus dessina un chemin de baisers jusqu'à l'humidité secrète entre ses cuisses, et elle écarta aussitôt les jambes sous sa caresse. Elle était ouverte, totalement vulnérable, chacun de ses nerfs vibrant d'une excitation douloureuse. Un gémissement faible, aigu, s'échappa de sa gorge quand il insinua sa langue dans le triangle sombre, et des ondes de plaisir exquises la traversèrent à chacun de ses passages sur sa chair moite. Il s'affaira à la titiller, la taquiner, puis imprima à sa bouche un rythme doux jusqu'à ce que, les membres alourdis, le souffle haletant, elle pousse de petits cris inarticulés. Enfin, il glissa les doigts en elle, et elle s'arqua contre sa main, submergée par les vagues successives de la jouissance.

Hébétée, elle sentit qu'il rabattait sa chemise de nuit.

— À ton tour, maintenant, souffla-t-elle quand il l'attira contre lui. Tu n'as pas eu…

— Dors, chuchota-t-il. J'aurai mon tour demain.

— Je ne suis toujours pas fatiguée, insista-t-elle.

— Ferme les yeux, ordonna-t-il en posant la main sur ses fesses, qu'il se mit à caresser doucement.

Il lui frôla le front, puis les paupières de ses lèvres.

— Repose-toi. Tu as besoin de recouvrer des forces… parce que lorsque nous serons mariés, je serai incapable de te laisser tranquille. Je vais vouloir t'aimer à chaque heure, à chaque minute de la journée. Je ne connais rien de plus beau sur terre que ton sourire, continua-t-il en l'enlaçant plus étroitement. Aucun son plus doux que ton rire… pas de plaisir plus grand que de te tenir dans mes bras. J'ai compris aujourd'hui que je ne pourrais vivre sans toi, petite diablesse obstinée. Dans cette vie et dans la prochaine, tu es mon unique espoir de bonheur. Dis-moi, Lillian, mon tendre amour… comment as-tu fait pour t'emparer aussi totalement de mon cœur ?

Il s'interrompit pour embrasser sa tempe humide… et sourit comme un léger ronflement féminin s'élevait dans le silence paisible.

Épilogue

À la très honorable comtesse de Westcliff,
Marsden Terrace,
Upper Brook Street, n° 2
Londres

Chère lady Westcliff,

Ce fut à la fois un honneur et une joie de recevoir votre lettre. Je me permets de vous offrir mes félicitations à l'occasion de votre récent mariage. Même si vous prétendez modestement que cette union avec lord Westcliff est tout à votre avantage, je prendrais la liberté de vous contredire. Ayant eu la chance de faire votre connaissance, je peux certifier que c'est le comte qui tirera avantage d'avoir pour épouse une jeune femme aussi charmante et accomplie...

— Charmante ? l'interrompit Daisy. On voit qu'il ne te connaît pas !

— Et accomplie, insista Lillian d'un ton supérieur avant de revenir à la lettre de M. Nettle. Voilà ce qu'il écrit ensuite : *Si votre sœur cadette vous ressemblait davantage, elle pourrait peut-être trouver à se marier elle aussi.*

— Il n'a pas écrit ça ! s'exclama Daisy en bondissant de l'ottomane pour s'emparer de la lettre, tan-

dis que Lillian se défendait avec force gloussements.

Assise dans un fauteuil, Annabelle sourit par-
dessus le rebord de la tasse de thé qu'elle buvait pour
tenter d'apaiser son estomac sensible. Elle avait
confié à ses amies son intention d'annoncer sa gros-
sesse à son mari le soir même, car il lui devenait de
plus en plus difficile de dissimuler son état.

Toutes trois étaient réunies dans le salon de Marsden Terrace, à Londres. Après leur « mariage à la
forge », comme on appelait les unions à Gretna
Green, Lillian et Marcus avaient passé quelques jours
dans le Hampshire. Lillian avait silencieusement
remercié le ciel en découvrant que la comtesse avait
bel et bien quitté les lieux, et qu'il ne restait plus trace
de sa présence. La comtesse *douairière*, se corrigeait-
elle régulièrement, ayant un peu de mal à se rappeler que c'était *elle*, à présent, la comtesse de Westcliff.
Marcus l'avait ensuite emmenée à Londres, où il
devait s'occuper de ses affaires – entre autres, se
rendre avec M. Hunt dans la fabrique de locomotives
qu'ils possédaient ensemble. Dans quelques jours, les
Westcliff partiraient pour un voyage de noces en Ita-
lie arrangé à la hâte – le plus loin possible de Mercedes Bowman, qui ne se remettait pas d'avoir été
privée du grand mariage mondain qu'elle espérait
pour sa fille.

— Oh, lâche-moi, Daisy ! s'écria Lillian avec bonne
humeur en repoussant sa sœur. Je l'admets, j'ai
inventé cette dernière partie. Arrête, tu vas la déchi-
rer ! Où en étais-je ?

Arborant l'expression pleine de dignité qui convenait à l'épouse d'un comte, Lillian reprit d'un air
important :

— M. Nettle continue à aligner les compliments
charmants, puis il me souhaite beaucoup de bonheur avec la famille Marsden...

— Tu lui as dit que ta belle-mère avait essayé de se débarrasser de toi ?

— Ensuite, poursuivit Lillian sans lui prêter attention, il répond à ma question au sujet du parfum.

Ses deux compagnes la regardèrent avec surprise.

— Tu lui as demandé quel était l'ingrédient secret ? s'enquit Annabelle, les yeux arrondis par la curiosité.

— Pour l'amour du ciel, qu'est-ce que c'est ? demanda Daisy. Dis-le vite !

— Vous risquez d'être un peu déçues par la réponse, les avertit Lillian, l'air penaud. Selon M. Nettle, l'ingrédient secret est… rien.

— Il n'y a pas d'ingrédient secret ? s'exclama Daisy, scandalisée. Ce n'est pas un vrai philtre d'amour ? J'ai littéralement mariné dedans… pour rien ?

— Attends, laisse-moi te lire son explication : *Si vous avez réussi à capturer le cœur de lord Westcliff, c'est grâce à votre propre magie, tout simplement, et l'ajout essentiel au parfum n'est en réalité rien d'autre que vous-même.*

Lillian sourit devant l'expression irritée de sa sœur.

— Pauvre Daisy… Je suis désolée qu'il ne s'agisse pas de vraie magie.

— Et flûte ! grommela cette dernière. J'aurais dû le deviner.

— Ce qui est curieux, observa Lillian, songeuse, c'est que Westcliff le savait. Le soir où je lui ai parlé du parfum, il m'a dit que, par déduction, il connaissait l'ingrédient secret. Et ce matin, avant que je lui montre la lettre de M. Nettle, il m'a donné sa réponse – qui s'est avérée.

Un lent sourire éclaira son visage.

— Quel impossible monsieur-je-sais-tout, marmonna-t-elle avec tendresse.

— Attends que je raconte ça à Evangeline, fit Daisy. Elle sera aussi déçue que moi.

Annabelle se tourna vers elle, le front barré d'un pli soucieux.

— A-t-elle répondu à ta lettre ?

— Non. Sa famille l'a de nouveau enfermée à double tour. Je doute qu'ils lui permettent de recevoir ou d'envoyer du courrier. Ce qui m'inquiète le plus, c'est qu'avant de quitter Stony Cross Park, sa tante a fait force allusions à des fiançailles imminentes avec son cousin Eustace.

— Il faudra d'abord qu'elle me passe sur le corps, affirma Lillian sombrement. Vous vous rendez compte, je suppose, qu'il nous faudra faire preuve d'imagination si nous voulons arracher Evangeline aux griffes de sa famille et lui trouver un bon mari.

— Nous y parviendrons, assura Daisy. Crois-moi, ma chérie, si nous avons pu te trouver un mari, nous sommes capables de *tout*.

— C'en est trop ! s'écria Lillian qui, bondissant du canapé, s'avança vers sa sœur en brandissant un coussin.

Éclatant de rire, Daisy se réfugia derrière le meuble le plus proche en criant :

— Souviens-toi que tu es comtesse ! Où est ta dignité ?

— Je l'ai égarée, rétorqua Lillian avant de s'élancer à sa poursuite.

Pendant ce temps...

— Lord Saint-Vincent, vous avez une visite. J'ai informé cette dame que vous n'étiez pas là, mais elle insiste pour vous voir.

La bibliothèque était froide et sombre, à l'exception d'une faible lueur provenant de la cheminée. Le feu était sur le point de s'éteindre, mais Sebastian paraissait incapable de se résoudre à ajouter une autre bûche. La maison brûlerait-elle que cela ne suffirait pas à le réchauffer. Il se sentait vide, engourdi, un corps sans âme, et il s'en enorgueillissait. Il fallait un talent rare pour atteindre le niveau de dépravation qui était le sien.

— À cette heure-ci ? murmura-t-il avec indifférence, les yeux rivés sur le verre en cristal qu'il avait à la main.

Il fit tourner lentement le pied entre ses doigts. Ce que voulait la femme, il le savait. Mais bien qu'il n'eût pas d'autres projets pour la soirée, il constatait que, pour une fois, il n'était pas d'humeur à batifoler.

— Renvoyez-la, dit-il froidement. Dites-lui que mon lit est déjà occupé.

— Bien, milord.

Une fois le valet parti, Sebastian s'enfonça davantage dans son fauteuil, ses longues jambes étendues devant lui.

Il termina son cognac d'un trait tout en réfléchissant à son problème le plus immédiat : l'argent – ou plutôt, son absence. Ses créanciers se montraient exigeants, agressifs, et il devenait impératif de régler les dettes les plus pressantes, qui étaient nombreuses. Ses efforts pour mettre la main sur la fortune de Lillian Bowman ayant échoué, il lui fallait dénicher une autre héritière. Il connaissait des femmes fortunées qui seraient sans doute prêtes à lui avancer des fonds en échange des faveurs qu'il savait si bien dispenser. Une alternative serait de…

— Milord ?

Sebastian leva les yeux, les sourcils froncés.

— Pour l'amour du ciel, qu'y a-t-il ?

— La femme ne veut pas partir, milord. Elle exige de vous voir.

Il laissa échapper un soupir exaspéré.

— Si elle est à ce point désespérée, faites-la entrer. Mais mieux vaut l'avertir qu'une culbute rapide et un adieu encore plus rapide sont tout ce qu'elle tirera de moi ce soir.

Une voix jeune, nerveuse, se fit entendre derrière le valet, preuve que la visiteuse avait suivi celui-ci.

— Ce n'est pas exactement ce que j'avais à l'esprit.

Elle contourna le valet et pénétra dans la pièce, drapée dans une longue cape dont la capuche dissimulait en grande partie son visage.

Obéissant à un signe imperceptible de Sebastian, le valet s'éclipsa, les laissant seuls.

La tête appuyée contre le dossier de son fauteuil, Saint-Vincent posa sur la mystérieuse jeune femme un regard dépourvu d'émotion. Il lui vint vaguement à l'esprit que la visiteuse pouvait dissimuler un pistolet sous sa cape. Peut-être était-ce l'une de ces nombreuses femmes qui avaient un jour juré de le tuer… et avait-elle enfin trouvé le courage de mettre sa menace à exécution. Il s'en moquait éperdument. Elle pouvait l'abattre avec sa bénédiction, dès lors qu'elle faisait les choses proprement et ne le ratait pas.

— Ôtez votre capuche, dit-il sans esquisser un mouvement pour se lever.

Une main blanche sortit des plis du vêtement, et la jeune femme s'exécuta, révélant une chevelure d'un roux si ardent qu'elle éclipsait les braises dans l'âtre.

Sebastian secoua la tête, déconcerté, en la reconnaissant. C'était cette créature ridicule qu'il avait croisée lors de la partie de campagne à Stony Cross Park. Une fille stupide, timide et bégayante qui, avec ses cheveux roux et ses formes voluptueuses, aurait pu être d'une compagnie tolérable tant qu'elle se taisait. Ils ne s'étaient à vrai dire jamais adressé la parole. Mlle Evangeline Jenner, se souvint-il. Ses yeux, les plus grands qu'il eût jamais vus, lui rappelaient un peu ceux d'une poupée de cire, ou d'une enfant. Elle posa un regard doux sur son visage, notant visiblement au passage les bleus qui le marquaient, souvenir de sa bagarre avec Westcliff.

« Tête de linotte ! » pensa Sebastian avec mépris, en se demandant si elle était venue l'accabler d'injures pour avoir enlevé son amie. Non. Elle n'était pas stupide au point de risquer sa vertu, ou, pour ce qu'elle en savait, sa vie en s'aventurant seule chez lui.

— Vous êtes venue voir le diable dans sa tanière ? lança-t-il.

Elle s'approcha. Son expression était intense et étrangement dépourvue de crainte.

— Vous n'êtes pas le diable. Vous n'êtes qu'un homme. Un homme plein de déf... défauts.

Pour la première fois depuis des jours, Sebastian eut envie de sourire. Un soupçon d'intérêt s'éveilla en lui.

— Ce n'est pas parce que la queue et les sabots ne sont pas visibles, mon enfant, qu'il faut écarter cette possibilité. Le diable peut prendre de nombreuses formes.

— Dans ce cas, je suis ici pour conclure un pacte faustien.

Son élocution était très lente, comme si elle devait réfléchir à chaque mot avant de les prononcer.

— J'ai une proposition à vous faire, milord.

*Découvrez les prochaines nouveautés
des différentes collections J'ai lu pour elle*

Le 6 mars

Inédit ***Abandonnées au pied de l'autel - 2 -
Le scandale de l'année*** ✿ **Laura Lee Guhrke**
Au premier regard, Julia a su qu'Aidan Carr, le duc de Trathen,
avait en lui l'âme d'un diable, qui brûlait de la posséder. Alors,
quand treize ans plus tard la jeune femme cherche un prétexte
compromettant pour obtenir son divorce, Aidan semble incarner
la réponse à toutes ses prières...

Inédit ***Scandale en satin*** ✿ **Loretta Chase**
Sous ses grands yeux bleus d'apparence innocents, Sophy Noirot
est en réalité une vraie friponne, dont les principaux atouts sont le
sens du scandale et de la réclame. Quoi de mieux quand on tient
une boutique de robes pour se faire connaître ? Et bientôt, elle
croise le chemin du comte de Longmore...

Les Highlanders du Nouveau Monde - 1 - Sur le fil de l'épée
✿ **Pamela Clare**
1755. Exilé au Nouveau Monde avec ses deux frères, Iain
MacKinnon est enrôlé de force dans l'armée anglaise. Un jour,
il sauve la vie d'une certaine Annie Burn. Écossaise, elle voit en
lui un ennemi. Pourtant, aux confins de cette terre sauvage, elle
va accepter sa protection, et plus encore.

Le 20 mars

Le 6 mars

PROMESSES

Inédit   *Friday Harbor - 1 - La route de l'arc-en-ciel*
Lisa Kleypas

Artiste de talent, Lucy Marinn voit son univers s'effondrer quand son petit ami lui annonce qu'il la quitte... pour convoler avec sa propre sœur ! Lucy fuit au bord de la mer. Elle y fait la rencontre d'un charmant étranger. Sam Nolan. Une belle amitié naît entre eux, mais leur attirance devient bientôt irrépressible...